UN VOYAGE AU LONG COURS

DU MEME AUTEUR

SILLAGES ET FEUX DE BROUSSE
Collectif. Direction F. Merle
Anciens Santé navale

RAOUL FOLLEREAU M'A DIT...
Fondations Follereau

HISTOIRE DE L'INDOCHINE
Collectif S.P.L.

HISTOIRE DE L'AFRIQUE FRANÇAISE
Collectif S.P.L.

FERNAND MERLE

UN VOYAGE
AU LONG COURS

Les aventures
d'un médecin outre-mer

Albin Michel

© Editions Albin Michel S.A., 1984
22, rue Huyghens, 75014 Paris

ISBN 2-226-02136-1

*A mes camarades
de Santé navale
et du Pharo*

1.

La voix des sirènes

*La chose la plus importante à toute la vie
est le choix du métier : le hasard en dispose.*

PASCAL

On ne naît pas, on ne vit pas impunément ses tendres années
dans une ville comme Brest, dont l'histoire est chargée
d'aventures lointaines, maritimes ou coloniales, sans être imprégné
peu à peu d'un besoin profond d'aller voir un jour soi-même où
conduisent tous ces vaisseaux qui sortent de son immense rade
et disparaissent là-bas derrière le phare du Portzic.

A ces violents appels des grands larges inconnus, se mêlent
peut-être déjà, pour de jeunes oreilles sensibles, la voix des
sirènes et les accents presque inaudibles que les muses dispensent
aux poètes de la mer.

Pierre Loti, Claude Farrère sont des noms qui reviennent dans
les conversations familiales. Il s'agit parfois d'un certain Victor
Segalen, Brestois et médecin de la marine. Plus souvent les noms
d'Albert Roussel, de Jean Cras, oncle d'un camarade, sont parmi
nous. Mon père dirige un jour un concert où ne sont inscrites
que des œuvres d'officiers de marine. L'amiral Guépratte préside.
Il est venu plusieurs fois à la maison. Je le regarde, le héros des
Dardanelles, avec admiration. Je suis de ces garnements qui
s'écrient lorsqu'à la sortie du lycée, ils l'aperçoivent de loin :
« Voilà Guépratte », et courent jusqu'au coin de la rue où il va
déboucher, pour le saluer en enlevant leurs bérets. L'amiral joue
le jeu et répond d'un vaste salut militaire. Nous en sommes très
fiers.

Quelques années plus tard, l'orchestre à cordes de la musique de la Flotte donne un gala, celui de la Légion d'honneur. Le chef de musique, le commandant Boher, demande à mon père de lui prêter quelques éléments de son propre orchestre « Les Amis du Colonne », pour renforcer ses pupitres. Le lycéen que je suis encore, un violon sous le menton, se retrouve au milieu de la célèbre phalange de la marine.

Il est certain que l'amour de la nature contribue à ouvrir la porte du royaume d'Esculape. Le « professeur » de dixième au lycée de Brest est un de ces maîtres dévoués que les petits élèves craignent et respectent. M. Mongard est impressionnant pour des bambins de six ou sept ans, avec sa haute taille et sa grande barbe. Il a, à nos yeux, un prestige qu'on ne peut oublier.

Dans une vieille armoire, au fond de la classe, sont rangées une vingtaine de boîtes contenant tous les coquillages de la côte bretonne. Un jour, il prête à chacun de nous l'une de ses collections qui feront que palourdes, coques, coquilles Saint-Jacques, bigorneaux, patelles, moules, ormeaux et pétoncles n'auront plus de secret pour des médecins-naturalistes en herbe !

C'est peut-être cette minime étincelle qui permettra à la vacillante flamme de l'esprit de se sentir attirée, de façon irraisonnée, vers ce qu'on appelait alors les sciences naturelles.

Au bout de ce qui est la rue de la Mairie, se trouve l'entrée de l'hôpital maritime. Clôturé par un mur si haut que seul apparaît le faîte d'arbres centenaires, on longe un jardin mystérieux où poussent, paraît-il, des plantes extraordinaires, rapportées des colonies lointaines par les médecins de la marine. Au-dessus d'une lourde porte, toujours fermée et donnant sur une rue en pente où ne passe personne, on peut lire : « Jardin botanique ». Léonard, un camarade de classe dont le grand-père est médecin, prétend avoir visité ce jardin des Hespérides. Il nous vante ses délicieux bassins, peuplés de poissons rouges, ses petites sources limpides qui coulent le long des rochers. Des serres cachent, au milieu d'une végétation luxuriante, les plus belles fleurs que l'on nomme, dit-il, des orchidées. Avec l'évocation de la statue d'un médecin qui a été tué, et peut-être dévoré par les sauvages, nous ne tenons plus en place. Comment pourrait-on voir ces merveilles ?

Les dieux de l'Olympe doivent être avec nous, car voici que

La Dépêche de Brest annonce, pour la belle saison qui va commencer, l'ouverture au public, le jeudi et le dimanche après-midi, du jardin botanique de l'hôpital maritime.

Le monde mystérieux tant attendu est là, devant les yeux, et se présente tout d'abord au milieu des jardins, sous l'aspect d'un petit muséum où se mêlent l'histoire et la zoologie.

Dans de longues vitrines, les coquillages les plus étranges, les plus exubérants sont classés par milliers. Tous ces mollusques éclipsent, par leur beauté et par l'imprévu de leurs couleurs, les modestes collections du bon M. Mongard. Le regard curieux est bientôt satisfait, quand des étiquettes font reconnaître des casques, des conques, des nautiles, des anodontes. Une huître perlière ouverte laisse voir une perle en formation sur sa nacre brillante. Les collections se multiplient. Celles-ci appartenaient à de nobles officiers de la marine royale, émigrés pendant la Révolution. Que sont devenus tous ces navires qui rapportèrent des îles ces trésors innombrables ? Que trouveront à leur tour les futurs voyageurs, marins, coloniaux des années à venir ?

Qui sont tous ces bagnards, dont les blancs masques mortuaires de plâtre sont alignés derrière ces vitrines, comme autant de têtes coupées ? Morts au bagne de Brest, beaucoup furent des bandits de grands chemins. D'autres rentrèrent peut-être au port à fond de cale, pour avoir un jour, après des semaines de navigation, bu plus que de raison au cours d'une escale. Une bagarre dans quelque port du Pacifique et le coup de couteau qui ne pardonne pas en auront fait des criminels. Leurs traits figés pour toujours ont probablement permis à des scientifiques de se livrer à de savantes observations...

Pas loin d'eux repose une momie égyptienne. Est-ce le don d'un officier de Bonaparte qui l'aurait trouvée et rapportée de la campagne d'Egypte ? Sinistre bagage, en vérité !

Plus gaie, dans la vitrine voisine, se trouve une robe à falbalas de la reine Pomaré. Un jeune lycéen ne se pose pas la question de savoir si c'est un élégant officier de marine qui a déshabillé la belle Tahitienne !

De salle en salle, on parvient à ce qui est le saint des saints : la salle d'entomologie. Déjà attiré depuis plusieurs années par la vie de ces bestioles, comme la plupart de mes condisciples, je ne me contente pas d'emprisonner quelque grillon chanteur, de nourrir des feuilles du grand chêne des hannetons au mois de juin. Un grand cerf-volant est la gloire de mes captures.

Mais les papillons retiennent encore davantage l'attention de qui sait les voir et peut s'intéresser à leurs métamorphoses. Quelques chenilles ont déjà satisfait cette soif de connaître. Leur régime pénitentiaire ne les a pas empêchées de grandir et de se transformer, jusqu'au jour où l'on a pu voir s'ouvrir et se déployer leurs ailes de simples piérides en de charmantes vanesses.

Les cadres vitrés des lépidoptères s'alignent devant les yeux éblouis. Depuis les plus petits papillons jusqu'aux géants des Tropiques, on reste médusé, attiré, conquis. Morphos de l'Amérique, ornithoptères de l'Asie dominent les collections. Tout cela est splendeur à côté des petits papillons des prairies du Finistère... Quelle joie ce serait un jour de partir à la recherche de ces éblouissantes créatures ailées. Tout cela trouble la jeune cervelle du lycéen qui reviendra chaque jeudi après-midi, d'un pas rapide, tout au long de la rue de la Mairie, pour retrouver les lieux enchanteurs de son royaume.

Cette passion naissante de la nature a des chances d'orienter ma future carrière vers ce qui en approche le plus, la médecine, mais aussi vers les voyages, les découvertes des peuples lointains que bercent des musiques inconnues, complément, peut-être insoupçonné, de celles que l'élève du lycée écoute et essaye d'interpréter dans le milieu qui l'a vu naître.

Que vienne l'heure du choix et que de la chrysalide s'échappe l'insecte ailé... celui-ci ne peut résister à l'appel du large.

Pendant les dernières vacances, un grand médecin colonial, le médecin-général Peltier, me parle de ses campagnes d'outre-mer. Comme par hasard, le docteur Peltier est aussi imprégné de musique, comme le sont ces médecins de marine, les docteurs Kergrohen, Damany, Clavier, familiers de la maison. Avec eux, on parle de voyages, d'Extrême-Orient, des îles du Pacifique...

Un beau jour, c'est avec le docteur Clavier que le bachelier d'hier entre pour la première fois, revêtu d'une blouse blanche, dans une salle de malades... à l'hôpital maritime, l'hôpital Clermont-Tonnerre.

Premier contact : le sort en est jeté !

La faculté des sciences de Rennes accueille les étudiants venus de Brest pour préparer le P.C.N., le certificat de physique, chimie, sciences naturelles.

On aborde l'évolution, lorsqu'un professeur parle des lois de Mendel. On s'épanouit dans une verte campagne à la recherche de batraciens, de coléoptères, d'algues bleues. On dissèque comme on peut la sangsue et ses néphridies, l'huître et son système nerveux. Et un jour, on s'extasie devant les impressionnantes collections de lépidoptères mondialement connues de l'imprimeur Oberthür.

J'ai rapporté d'une excursion organisée par la faculté, deux salamandres et une horrible larve de libellule. Une vieille casserole, sans manche, émaillée bleu, trouvée dans la rue, fait office de bassin d'élevage et repose sur le bord de la fenêtre de ma chambre d'étudiant. Un plan de renoncules d'eau aux fleurs blanches constitue le décor de cet aquarium improvisé. Un jour, la larve de libellule, sortie de l'eau, est montée sur la mince tige de la renoncule et s'est immobilisée. De sa carapace de chitine est sorti le plus bel insecte dont on puisse rêver. Les camarades des chambres voisines sont tous venus le voir.

Mais comme toutes ces découvertes paraissent encore plus enthousiasmantes quand on a la chance, invitation au voyage, de participer, entre-temps, à l'interprétation de l'oratorio *Les Enfants à Bethléem* sous la direction de l'auteur Gabriel Pierné, tandis que là-haut, au plafond du théâtre de Rennes, dans une vaste fresque, *La Danse*, le peintre Lemordant fait tourbillonner ses Bretons.

Je retrouve Brest, l'école annexe de médecine navale, l'hôpital maritime, son muséum, et son jardin botanique.

La rue de la Mairie est toujours bien longue à parcourir. Un soupçon de discipline bon enfant nous accueille. Chaque matin, à 8 heures, un sous-officier de la marine fait l'appel des quelque cent étudiants à l'entrée de l'hôpital maritime. Mais il manque de fantaisie et commence toujours par la lettre A. Pauvre Arzel... On le voit courir sur le trottoir, il n'est plus qu'à cinquante mètres, il n'est plus qu'à vingt mètres... trop tard ! « Monsieur Arzel, dit le premier maître avec son accent brestois, vous me

donnerez deux francs pour la caisse des naufragés bretons ! »
C'est devenu une rengaine.

Entre deux cours, avec deux camarades, nous allons nous
asseoir sur un banc du Jardin botanique. Il n'est plus question
d'attendre le jeudi après-midi et l'ouverture de la grande porte
d'accès au « public ». Pas loin de nous, suivi de plusieurs officiers,
passe le médecin-général Aurégan. Nous nous levons et bien
qu'encore civils, nous esquissons un garde-à-vous approximatif.
Nous avons la surprise de voir le directeur ôter sa casquette
brodée d'or pour nous rendre notre salut. Nous reprenons notre
studieuse lecture — les branches de la carotide externe, peut-
être —, près du petit bassin où nagent des cyprins et s'épanouissent
des nénuphars.

Quelques autres étudiants parcourent les allées du jardin et
s'arrêtent devant un monument que domine le buste en bronze
d'un homme du siècle passé, à la barbe abondante, à la figure
énergique, au front élevé. Jules Crevaux est né de sang lorrain
et de sang breton. Aide-médecin en 1870, il est fait prisonnier,
se sauve, est blessé en janvier 1871. Embarqué en 1874 sur le
Lamotte-Picquet, il se retrouve dans les parages de La Plata, soigne
des malades atteints de fièvre jaune, contracte la maladie et
échappe de justesse à la mort. Attiré par le continent américain,
il devient l'explorateur que n'arrêtent jamais les dangers. Il les
surmonte tous, en Colombie, au Venezuela, en Guyane, au Brésil.
Il veut enfin, au cours de ses études anthropologiques, reconnaître
en Bolivie le cours du Pilcomayo. Il rencontre les Indiens tobas,
et disparaît dans des circonstances qui nous échappent un peu.
Lors du cinquantenaire de sa mort, le médecin principal Boudet
écrit les lignes suivantes sur cet homme dont on a pu dire : Nul
n'était plus brave que Crevaux :

« Le 27 avril, sa pirogue abordait au territoire des Indiens
tobas. Crevaux, accompagné de l'astronome Billet et du dessina-
teur-photographe Ringel, débarqua le premier. Le petit groupe
fut immédiatement assailli par une troupe d'Indiens alors surex-
cités contre les Blancs à la suite d'une expédition militaire
bolivienne. Les trois Français furent massacrés à coups de couteaux
et de massues. Les Indiens s'emparèrent des bagages, armes et
munitions des explorateurs et détruisirent leurs embarcations.

Les corps des malheureux furent dépecés et les morceaux emportés par les chefs indigènes. »

Une plaque sur la stèle indique :

« Jules Crevaux — 1847-1882. »

J'ai vu ce monument. J'en connais un autre dans la bonne ville de Brest, élevé, lui aussi, à la gloire d'un médecin. On le voit, au milieu des fleurs, dans le petit square La Tour-d'Auvergne et je passe devant lui, chaque jour en rentrant de l'hôpital. C'est une haute stèle que celle de Gérald Mesny, mort de la peste en Mandchourie. L'homme est jeune, le port altier. La veste au col montant de l'officier de marine est ornée d'une rangée de boutons. Sur une marche du soubassement en granit, une très belle statue de bronze représente une femme mandchoue en longue robe traditionnelle. Penchée sur un brûle-parfum d'inspiration chinoise, d'une main elle soulève le couvercle, tandis que de l'autre, d'un geste gracieux, elle semble accompagner des volutes imaginaires vers notre grand ancien, en une symbolique reconnaissance.

« En 1910, la peste (forme pneumonique) ayant éclaté en Mandchourie à Kharbine et à Moukden, Gérald Mesny, qui était alors professeur à l'Imperial Medical College de Tien-Tsin, est appelé à soigner les pestiférés. Atteint d'une forme foudroyante, il meurt à Kharbine. Affolement général. Victor Segalen, alors à Pékin avec sa famille, est désigné pour organiser un barrage sanitaire entre la Mandchourie et le reste de la Chine, avec dispositifs de quarantaine pour les suspects. C'est ainsi qu'on trouve Victor Segalen en janvier 1911 à Chan-Haï-Kouan, centre ferroviaire près de la mer, au nord-ouest de Tien-Tsin (extrémité de la Grande Muraille). Quelques cas ayant fait leur apparition à Tien-Tsin et Pékin, Segalen est envoyé à Takou pour y organiser une nouvelle quarantaine pour les voyageurs venant de Mandchourie par mer.

« Après la fin de l'épidémie, Segalen est chargé de prendre la suite de Mesny à l'Imperial Medical College de Tien-Tsin (mai 1911) où les cours se donnaient en anglais [1]. »

---

1. Extrait de la thèse d'agrégation de lettres d'Henri Bouiller sur « Victor Segalen », lui-même médecin de la marine.

Combien de générations d'étudiants, futurs médecins de la marine et de la coloniale, se sont-elles arrêtées devant ces monuments lors de leurs premières armes dans le grand port breton ?

Le square La Tour-d'Auvergne a changé d'aspect. La guerre est passée par là. Tous les immeubles qui l'entouraient ont disparu sous les bombes. D'autres se sont élevés. La belle statue de J. Boucher a été fondue par les Allemands pour devenir quelque engin diabolique.

Le buste de Jules Crevaux est resté en place à l'hôpital Clermont-Tonnerre. Le cou traversé par un éclat d'obus, Crevaux devait mourir une deuxième fois !

2.

Du sultan de Zinder
au roi du Gourma — 1936

> *Mais les vrais voyageurs sont ceux-là seuls qui partent*
> *Pour partir ; cœurs légers, semblables aux ballons,*
> *De leur fatalité jamais ils ne s'écartent,*
> *Et, sans savoir pourquoi, disent toujours : Allons !*
>
> BAUDELAIRE

Thèse en poche, je quitte Bordeaux, son école de santé navale sa faculté de médecine, pour les rives ensoleillées de la Méditerranée. Et je ne peux m'empêcher de chantonner en sourdine, la « Coloniale », au rythme du train qui m'emporte.

Encore un an à Marseille, pour s'initier à la pathologie exotique et à la chirurgie d'urgence.

De son promontoire où souffle le vent du large, le « Pharo », berceau de notre école d'application, offre à la vue un horizon infini. Là-bas, disparaissent des paquebots. Ils nous emporteront un jour vers une Asie mystérieuse et lointaine ou vers une Afrique que nous devinons infernale.

Nous sommes tous d'un enthousiasme débordant, nous les jeunes médecins-lieutenants, les « majors » comme nous appellent les Marseillais.

Certes, nos professeurs, vieux routiers de la planète, sont un peu blasés. L'un, à la question de savoir quelle est la meilleure colonie à choisir, nous répond : « C'est la France. » Nous ne sommes pas très sensibles à son humour.

Celui-là, dans son discours, nous fait partir d'un bel éclat de rire : « Vous aurez à vous défendre du climat, des moustiques, des femmes, des maladies contagieuses, parfois de la flèche de l'indigène, des rats, du fauve ! »

Fiers de nos deux galons et de notre képi de velours rouge,

mais à fond noir, nous sommes tous littéralement « gonflés » :
Vive la Coloniale !

Le choix, après le concours de sortie, me conduit en A.O.F.,
l'Afrique occidentale française. En fait, dans ce vaste ensemble
de huit pays, ce n'est qu'à l'escale de Dakar, que j'apprendrai
que je poursuis le voyage.

« Vous allez loin, jusqu'à Cotonou, et de là vous monterez
au Niger. » On semble s'excuser. Je crâne et j'ajoute : « Tant
mieux, le plus loin possible ! »

C'est un soulagement pour le colonel qui vient de m'affecter
dans cette colonie perdue. Bien entendu, on ne me dit pas qu'un
camarade vient d'être évacué de Zinder sur un brancard, et
que celui qui est parti de Niamey pour le soigner vient de
mourir de fièvre jaune. Il sera temps, plus tard, de l'apprendre.

Pour l'instant, un peu naïf, je pars soigner « mes frères de
couleur », ce qui fait sourire, avec indulgence, dans ma famille
bretonne, riche en marins et en coloniaux.

En rade de Cotonou... On débarque les cantines. Dans un filet
plein à craquer, je distingue la mienne au sommet de la pyra-
mide qui descend lentement le long de la coque du paquebot.
Quelqu'un dit sur le pont : « Il y en a une qui va aller à la mer. »
C'est bien la mienne ! Eh bien, non, elle atteindra sans encombre
la barge amarrée au flanc du navire.

C'est à notre tour maintenant. Quatre par quatre, on nous
fait asseoir dans une espèce de caisse-nacelle — on se croirait à
la foire du Trône — et soulevés dans les airs par la grue du
bateau, nous voici bientôt descendus au niveau de la mer. La
houle est forte, et comme on nous pose sans ménagements dans
une barque au moment où elle remonte sous l'effet d'une grosse
vague nous avons tous les quatre l'impression de recevoir un
grand coup de pied dans le postérieur !

En avant pour le wharf et nouvel envol : nous sommes au
Dahomey. Le petit train poussif quitte Cotonou. On fait halte
à Abomey. Multitude bariolée. Sur le quai s'avance un magnifique
personnage énorme, drapé dans de vastes boubous. Il est accompagné par un domestique qui porte son parasol, sur lequel on a

peint des caméléons noirs. Puis viennent les courtisans et une ribambelle de femmes.

Toujours suivi de son porte-parasol et de sa favorite, l'auguste potentat monte dans le wagon. Il se présente, grand seigneur : « Prince Glé-Glé, neveu de Béhanzin. » On apprend en même temps — il s'en honore — qu'il a été sergent dans la Coloniale. Et puis, nous savons bientôt qu'il est invité (déjà... c'est en 1934), par le gouvernement français, à se rendre à Paris, en voyage d'agrément.

Bavard, les relations sont tout de suite cordiales, pittoresques. Le train s'arrête. La voie ferrée ne dépasse pas Tchaourou. Un car nous emporte vers le Niger — crac ! la panne. Et tout le monde descend. Glé-Glé fait les cent pas. Intarissable, il est à nos côtés. Quand soudain, se tournant vers la seule Française du petit groupe, il lui dit le plus galamment du monde : « Excusez-moi, madame, je vais pisser un coup ! » On a beau être « prince », on n'en a pas pour autant oublié le langage fleuri de la Coloniale.

Alors, dans l'ombre protectrice des caméléons noirs du parasol blanc, il s'éloigne lentement, d'un pas pesant, majestueux, solennel...

Quelques jours à Niamey vont permettre de s'acclimater — « bonne acclimatation », comme criait un jeune avocat à ceux qui débarquaient du paquebot avant lui — et de prendre des contacts, particulièrement avec le milieu médical. Des camarades se retrouvent et surtout je suis « coiffé » par le médecin-lieutenant-colonel, directeur du service de santé de la colonie ; il n'aime pas beaucoup ses subordonnés qu'il traite presque tous de... « petits salauds ».

Lorsque, Breton comme moi, il apprend qu'il a un violoniste près de lui, il ne le lâche plus. Il s'est mis en tête de lui faire jouer la *Cinquième* sur un violon muet ; il se prend pour un chef d'orchestre et bat la mesure. Je me fais aérien dans un pianissimo et me démène comme un forcené dans un fortissimo. Aucun son ne sort... évidemment ! Mais le chef est content. On peut se demander si le soleil d'Afrique n'a pas chatouillé le crâne chauve du directeur.

Comme il faut envoyer un médecin à Zinder, mille kilomètres

de piste non carrossable seront à parcourir dans une camionnette inconfortable. Il fait chaud. Assis à côté du chauffeur, je m'endors. Combien de temps ? Impossible à savoir. Au réveil, je m'aperçois avec effroi que mon Africain de chauffeur somnole largement. Pas de piste, on passe au milieu des épineux. Une tape sur le bras, il fait surface, ne dit rien, regarde en direction du soleil et change de cap. On retrouve notre voie. Mais tout cela nous a retardés. Nous roulons bientôt dans la nuit. Enfin, une lumière apparaît au loin : quelque lampe à pression. On commençait à s'inquiéter de ne point nous voir : un pastis presque frais (car l'eau rafraîchit dans une gargoulette qui se balance au bout d'une branche), une omelette, un morceau de poulet, une papaye. Demain on repart pour la dernière étape.

Ah ! cet accueil, cette hospitalité des coloniaux isolés ! Ils sont trois, quatre dans un poste à se chamailler. Mais vienne exceptionnellement un « Blanc » de passage et tout le monde se retrouve. On parle de la France, du séjour africain qui va, pour l'un d'entre eux, s'achever bientôt.

Le passager est choyé, lui qu'on n'avait jamais vu ! Il faut avoir vécu cela pour comprendre qu'au fond de cette Afrique d'un autre âge, il est nécessaire de revoir de temps à autre un Français de France, pour ne pas sombrer dans un état dépressif.

C'est, hélas, ce qui arrive parfois. Sur le paquebot, parmi ceux qui voguaient pour la première fois vers l'Afrique, se trouvait un jeune lieutenant, plein de vie, plein d'allant, rieur en diable. Son dynamisme bien connu l'avait fait affecter dans le nord du Niger, seul officier dans le poste qu'il allait commander. Au début son comportement était absolument normal.

Quelque temps après passe, en tournée d'inspection, un officier supérieur venu de Zinder. Il suffit d'une minime observation de ce dernier pour plonger rapidement le jeune chef dans un état de dépression qu'il ne peut surmonter. Les idées noires se succèdent sans arrêt. Son caractère s'aigrit. Il devient désagréable, injuste envers ses subordonnés qui le fuient. A qui se confier, seul, dans une palmeraie perdue au milieu du désert ? Et pour rien, moins que rien, il se tue d'une balle dans la tête !

Tout éloignement, tout isolement, n'aboutit heureusement pas toujours à un drame de ce genre, à ce qu'on a appelé parfois une « soudanite », une « nigérite ».

Il existe aussi des rivalités qui peuvent s'emparer de deux hommes, célibataires, seuls Blancs d'un poste dans le Sahel. Ils sont à table, l'un en face de l'autre : on ne peut tout de même pas être deux malheureux compatriotes au fond de la brousse, sans se parler. Alors on se met en « popote ». L'administrateur est un solide individu d'une cinquantaine d'années. Son adjoint a trente ans. Au passage exceptionnel d'un médecin, la « popote », bien entendu, l'invite. L'adjoint parle de la région, de ses habitants. La nuit tombe, le ciel étonnamment clair l'invite maintenant à nommer et à situer étoiles et planètes. Voilà près d'une demi-heure qu'il parle. L'administrateur ne dit rien ; il semble somnoler, mais parfois, d'un geste las il porte à la bouche son troisième ou quatrième verre de whisky. Penchés en arrière dans nos fauteuils d'osier, nous continuons à admirer la voûte céleste et savourons le calme de la soirée, troublé seulement par l'appel discordant des crapauds et le crissement lancinant des criquets, alentour.

Tout à coup, le jeune homme est interrompu dans son énumération des astres, alors que, tendant le bras vers l'horizon il désigne ce qu'il croit être la Croix du Sud.

L'administrateur vient de se lever, furieux : « Ce ne sont pas des blancs-becs comme vous qui nous apprendront quelque chose. Où avez-vous vu, espèce d'innocent, espèce d'ignare, la Croix du Sud ? Allez, retournez à l'école, mais ne jouez pas au professeur ! »

Un grand coup de poing sur la table et l'administrateur disparaît sans autres commentaires. L'adjoint n'a rien répondu. Il est un peu gêné : « C'est courant, me dit-il, il vaut mieux se taire. Demain il aura oublié ses verres de whisky, comme tout ce qu'il a dit... »

Zinder : le poste est construit au-dessus d'un énorme amoncellement de rochers, repères des cobras. Le drapeau tricolore flotte au vent. Plus loin, se trouvent le Birni et le Zengou, domaines du sultan et de son harem.

Les visites protocolaires se font en tenue blanche, casque et gants blancs. L'administrateur est peu représentatif. Le colonel, lui, s'est perdu dans les sables — on le retrouvera, plus tard, dans le désert. Il est assis, avec le pilote, à l'ombre des ailes de l'avion. Le sultan me reçoit. Il est entouré de ses gardes, impressionnants guerriers voilés, immobiles. Il me rendra cette visite, un infirmier-interprète, assis à terre, à ses pieds, respectueux et craintif.

Mais il faut aussi se présenter à la plupart des Européens. Je sors un instant de la poste, sans mon casque blanc orné de l'ancre de marine. La postière me rejoint en courant : « Malheureux, ne sortez jamais sans casque ! »

Voici le plus étrange, le plus farfelu des Français qu'on puisse rencontrer : un lieutenant passablement imbibé. Il n'est pas possible de voir dans la métropole des personnages de ce genre. Bien sûr on veut épater, mais enfin. faire entrer un petit cheval gris dans le « salon », tandis qu'un boy porte une cuvette pleine d'eau, une grosse houppe et une boîte de talc pour laver et poudrer le « cabinet » du cheval, c'est rare, n'est-ce pas ?

Puis, c'est le boy qui joue l'affolé, transporte la statue-réclame représentant un pierrot, en se prosternant et en criant : « C'est le diable ! » tandis que le lieutenant va chercher son fusil de chasse et tire deux coups de feu dans la maison. L'originalité devient évidente. Le malheureux était au Val-de-Grâce, quelques années plus tard : une sérieuse polynévrite l'avait atteint inexorablement.

Je suis « heureux » au milieu de mes malades. Parmi eux ce chef targui, qui, guéri d'une gangrène des bourses, veut absolument me prouver sa reconnaissance en me faisant porter deux pigeons tous les jours. C'est vraiment touchant, mais les volatiles, trois mois plus tard, se sont multipliés à ne plus savoir qu'en faire !

Zinder vient de connaître des heures douloureuses. La fièvre jaune qui fit tant de morts lors d'épidémies redoutables dans nos anciennes colonies, fait son apparition dans la région en 1934. Plusieurs Africains en sont frappés. Le moustique, le *Stegomyia*, n'épargne pas, bien entendu, les Européens et fait plusieurs victimes dans la petite colonie française. Un médecin échappe de justesse à une issue fatale. Le médecin-lieutenant Duris est envoyé d'urgence de Niamey. C'est son premier séjour hors de

France ; il a vingt-sept ans. Quelques jours plus tard, il succombe à son tour, victime du devoir. Il repose dans le petit cimetière de Zinder. La France est indifférente au sacrifice des meilleurs de ses enfants, et il faudra attendre 1970 pour qu'enfin une promotion de santé navale ait pour parrain notre malheureux camarade.

Un jour, on m'appelle. Le fils d'un infirmier vient de vomir du sang — le vomito negro d'Amérique du Sud — et va mourir. C'est un nouveau cas de fièvre jaune, à n'en pas douter. Nous sommes tous, à la nuit tombante, placés sous moustiquaire. Bientôt nous parvient de Dakar le premier vaccin antiamaryl.

Aucun autre cas n'apparaît, fort heureusement.

Je reçois une nouvelle affectation, car le directeur chef d'orchestre me réclame comme adjoint. Il est à supposer qu'il veut travailler la *Neuvième*, à moins que ce ne soit l'*Héroïque*, toujours sur un violon muet !

Je retrouve Niamey et le Niger, le grand fleuve : de ma maison, je l'aperçois, lent, majestueux, qui serpente — une obsession, ces serpents — au milieu d'une plaine désertique et brûlée de soleil. Sur sa rive, mon camarade, le pharmacien de l'hôpital, Louis Herrou, champion de Bretagne de natation, a fait aménager un vague bassin où l'on pourra venir nager par les chaudes soirées tropicales. Mais voilà que le premier baigneur qu'on vient d'apercevoir et qui a élu domicile dans notre « piscine », est, il fallait y penser, un beau crocodile de près de deux mètres, assez gros en tout cas pour vous entraîner vers le fond à des fins gustatives. Sa présence a jeté un froid et tout le monde se contente d'une bonne douche ! Pour ma part, je regarderai le fleuve de plus loin, assis dans le jardin de ma concession, mon jardin aux fleurs trop rares.

Le soir venu, de dessous les pierres du petit mur de clôture, on peut voir, en maints endroits, sortir de leurs trous de nombreux petits serpents qui partent à la chasse. Veut-on se transformer en jardinier que, sous quelques pelletées de sable et de terre, on découvre des « serpents minutes » qui font si peur aux bonnes gens. Si vous êtes mordus, dit-on, vous mourrez assurément dans la « minute », alors que « minute » est bien là pour indiquer la taille « minime » de l'animal. De fait, la bouche du serpent est si petite qu'elle ne peut guère avaler une fourmi et que ces typhlos n'ont jamais mordu personne.

Je suis donc devenu le médecin-adjoint du directeur et le violon solo de son orchestre muet. Non ! ses fantaisies ont disparu avec le silence de son orchestre fantôme.

Mais voici que Mme colonel se met en frais pour inviter à l'apéritif tous les médecins de Niamey, y compris ceux que son époux appelle les « petits salauds ». Nous sommes assis dans le jardin en un vaste cercle qu'éclaire une lampe Tito-Landi car la nuit tropicale vient de tomber, rapide et brutale. La lumière attire moustiques, papillons, termites ailés, tandis qu'à terre courent de grosses araignées velues, les araignées-crabes, dont l'une, raconte-t-on, s'est glissée dans la chemise de nuit de Mme colonel ! C'est pourquoi, depuis cette aventure, la chère dame donne une pièce pour chaque bestiole aplatie à la tapette par le jeune « boy-araignée » qui pourchasse ses ennemis entre les chaises et les fauteuils.

Un verre à la main, je regarde un gros insecte qui s'est abattu sur le sol après s'être, probablement, légèrement brûlé au verre de la lampe. Il s'agit d'une guêpe maçonne, ainsi appelée en raison de son habileté à construire le long des murs, des nids en terre où elle entasse les chenilles qu'elle capture et anesthésie. Comme pas mal d'hyménoptères, elle a un dard suffisamment acéré pour pouvoir s'implanter douloureusement dans la peau. Je l'ai perdue de vue quand, soudain, je sens quelque chose qui grimpe le long de ma jambe. Sueur froide ! Je m'éclipse sans rien dire et à quelques pas de là, j'ai la possibilité de faire glisser mon pantalon dans la nuit profonde...

Ce n'est vraiment pas vivable, cette Afrique !...

Quand je viens reprendre ma place, la conversation est très animée. Le colonel et Mme, mariés sur le tard, souhaiteraient, paraît-il, avoir un héritier... Pas d'espoir quand, un jour, on apprend par le téléphone de brousse que le sorcier le plus célèbre de la région recommande aux couples stériles de passer quelques nuits à Bonkoukou, village perdu dans la brousse. On dit qu'à plusieurs reprises, nos tourtereaux ont pris la piste de Bonkoukou... et le miracle a eu lieu.

Les jours passent dans un sombre ennui. Le travail d'adjoint à la direction du service de santé n'est pas fait pour moi. Un poste de brousse sera bientôt libre. Mon directeur veut bien me le confier : ce sera Fada N'Gourma, un « cercle » grand comme la Bretagne et la responsabilité médicale de 200 000 habitants !

Fada N'Gourma. Cette fois-ci, c'est bien la brousse. La case d'habitation, gros bloc de terre recouvert d'un toit de chaume, est entourée d'un vaste terrain où ne pousse qu'un seul arbuste, un goyavier. Un mur ceint le tout. Un boy porte une chaise : du toit tombe un énorme scorpion noir, juste au milieu de la chaise. Il n'a pas l'air content, la queue en l'air, prêt à piquer et il disparaît à toute vitesse, sans qu'on ait eu le temps de chercher un bâton pour s'en débarrasser. De toute façon, il faut bien que chacun vive. Il a eu sa chance et c'est très bien ainsi.

Le voisin le plus proche est Simandari, roi du Gourma. Ses cases, celles de ses nombreuses femmes, de ses innombrables enfants et serviteurs forment derrière celle du médecin un véritable village.

Il faut lutter contre les moustiques. Au « palais royal », plusieurs récipients nourrissent bien tranquillement des larves de *Stegomyia*. Je viens de goûter de la fièvre jaune à Zinder et je ne voudrais pas voir la même chose ici. Une amende à Simandari. Mais comme on ne peut avoir l'outrecuidance de punir un souverain moyenâgeux, on va inscrire la contravention au nom d'une de ses femmes, ce qui provoque l'hilarité du potentat.

Plusieurs des fils du roi et mes boys (Daogo, premier boy, Sankadia, deuxième boy et Konkouari, boy-cheval) sont très camarades. Un soir où ils se promènent aux alentours du village, ils sont pris en chasse par une bande de hyènes, et le groupe de garnements arrive chez moi, sautant par-dessus le mur. Dans le loin, des cris hystériques : ce sont les hyènes. Elles viennent jusqu'au marché, situé de l'autre côté de la maison, pour y faire le nettoyage, laissant dans la journée ce rôle aux charognards, ces vautours employés municipaux.

Âgé de vingt-six ans, je jouerais bien au football si je trouvais des joueurs. Dans ma cantine, un ballon dégonflé n'attend qu'un coup de pompe. Quelle joie d'organiser une partie : « princes »

et boys seront mes coéquipiers et adversaires. On s'en donne à
cœur joie dans la concession. Le ballon vient quelquefois s'écraser
avec un bruit mat sur le mur de la cuisine et le gardien de but
n'est pas trop fier de voir apparaître, une casserole à la main,
le vieux cuisinier Moussa qui l'insulte copieusement en gour-
mantché.

Une terrasse est la tribune du stade. Voici que Simandari a
demandé à venir voir le « match ». Accompagné de quelques
domestiques, il s'est assis royalement, cela va sans dire, et a
accepté l'apéritif que je lui fais préparer : un grand verre de
Pernod, sans eau. Alors il boit tout d'un trait, non sans avoir
auparavant versé quelques gouttes sur le sol pour l'esprit des
ancêtres. On dit, en effet, qu'autrefois ont été supprimés, sur
l'emplacement du stade improvisé, quelques chefs dont l'esprit
rôde toujours par là.

Légèrement titubant, Simandari part se coucher...

Les boys — pour parler fantômes — y croient toujours dur
comme fer. Pourquoi ne reviendraient-ils pas, la nuit dans les
parages, troubler leur sommeil ?

J'ai fait mettre mon lit picot dans la véranda où il fait un peu
plus frais et j'ai bien l'impression que quelqu'un est là tout près.
M'étant totalement éveillé, je vois — il fait clair de lune — la
face, appuyée sur la moustiquaire, d'une Noire qui me regarde.
Elle file aussitôt. C'est la folle du village. Le garde Issa est bien
couché devant la principale porte et dort sur sa natte, son coupe-
coupe et son mousqueton à côté de lui, mais comme la case a
quatre portes qui ne ferment pas et davantage d'ouvertures servant
de fenêtres, la folle du village est passée par où elle a voulu.

Cette autre nuit, voici qu'un remue-ménage se produit dans la
véranda. Il faut bien dire qu'hirondelles et chauves-souris ont élu
domicile chez moi. Mais pourquoi tout ce petit monde vole-t-il à
trois ou quatre heures du matin ? J'en découvre rapidement la
raison. J'ai élevé, dans une grande caisse, les chenilles d'un grand
papillon, une saturnie. L'éclosion des adultes vient d'avoir lieu et
parmi ces magnifiques lépidoptères, plusieurs femelles. Alors de
loin, de bien loin, par dizaines, les mâles se sont approchés à tire-
d'aile. C'était la raison de tout ce vacarme.

Cette fois, c'est plus sérieux. Sur le toit de terre de la case

— celui qui est protégé par la paillote qui le surplombe —, un bruit que l'on ne peut identifier se fait entendre en pleine nuit. Non, ce ne sont pas des chaînes que l'on promène, mais quelque objet de ferraille cependant qui saute dans tous les sens. Cela s'arrête et recommence : à en être fort intrigué. J'ai beau essayer de voir en m'aidant d'une lampe tempête, rien ! Le bruit s'éloigne, un temps mort, et réapparaît, semblant maintenant venir du bord d'une fenêtre.

Stupéfaction... je rêve, à moitié endormi : j'aperçois dans un rayon de lune, comme un objet brillant qui disparaît, réapparaît sur le sol de la concession, fait des bonds et s'enfuit dans la cuisine, séparée de l'habitation principale. Les boys sont en état d'alerte et manifestent quelque frayeur. Lampe en main, ils finissent par découvrir un chat noir qui s'est pris la tête dans la cafetière de la maison et ne peut plus en sortir. La bête est affolée, elle griffe, elle se débat. On l'attrape dans une couverture et avec des efforts de forceps on la libère de sa prison de fer. On ne l'a jamais revue, les fantômes non plus !

Il y a peu de temps que je suis à Fada N'Gourma, lorsqu'il me faut retourner à Niamey. J'ai eu la chance de voir manipuler le premier vaccin antiamaryl à Zinder où notre camarade et ancien Rivoalen est venu vacciner les courageux volontaires. On me désigne donc pour effectuer une tournée de vaccinations dans l'ouest du pays.

Je reviendrai de Niamey avec une provision de ce précieux vaccin que l'on conserve sur glace dans des bouteilles Thermos. Pour moi, ce sera la deuxième injection, pour plusieurs personnes de Fada, la première. C'est un vaccin qui peut donner des réactions assez violentes et qu'on injecte sous la peau du ventre.

Pratiquement, tous les Français de Fada N'Gourma voient l'intérêt de l'opération. Nous sommes réunis au petit « hôpital » de l'agglomération et les choses se passent bien quand, tout à coup, l'un des administratifs lit sur l'étiquette collée sur le flacon : vaccin à l'œuf, date limite d'utilisation 12 août... Nous sommes le 15 août. L'administratif, curieux bonhomme, s'écrie à l'adresse de sa femme : « Sauve-toi, les œufs sont pourris ! » Et lui-même de courir, hors de portée de seringue, en remettant son pantalon.

Bien entendu, il n'y avait pas lieu de faire un tel scandale, mais il fallait connaître le personnage. Sourcier émérite, disait-il, on était toujours sûr de le voir chercher au nord, la bague d'or que l'on avait cachée au sud, et c'était l'objet de bonnes plaisanteries.

Mais voici qu'il se fait un point d'honneur à se raser à la lumière électrique. Dans sa case, enfermé dans une minuscule pièce, juché sur une bicyclette, un grand Noir en sueur pédale énergiquement pour obtenir l'éclairage falot d'une ridicule ampoule placée au-dessus d'un lavabo.

Nommé dans un poste secondaire du cercle, il trouve bientôt le moyen, en protégeant la moitié de la terrasse de sa case, d'y installer son lit qui roule sur rails à l'air libre pendant les nuits sans pluie, tandis qu'un système de poulies le ramène à l'abri à l'approche d'une tornade.

Après avoir piqué la peau de quelques ventres plats ou dodus, il faut continuer la tournée de vaccinations vers le nord du pays. Dori, où je rencontre mon camarade Direr et où l'accueil est chaleureux, tandis qu'à Tillabery, l'administrateur, dont je réquisitionne le peu de glace qui lui procure chaque soir un whisky bien frais, me fait grise mine. Mais j'ai besoin de cette glace pour mon vaccin. Enfin, tout se passe bien, quand je reçois un appel de Fada N'Gourma où l'administrateur, commandant le cercle, serait gravement malade. Nous en sommes bien loin. En raison des pluies, il faut passer par Ouagadougou où je retrouve deux camarades de promotion, Jean Lebreton et Jean-Louis Kerguélen.

C'est une soirée mémorable qui nous réunit. Les plaisanteries les plus folles accompagnent nos retrouvailles. Voici que le boy fait semblant de servir de travers. Lebreton lui crie : « Puisque c'est comme cela, tu iras eunuque chez le Moro-Naba, le roi du Mossi ! » Et l'autre de répondre : « Non, mon docteur, je ne veux pas aller eunuque chez le Moro-Naba. » Demande : « Et pourquoi tu ne veux pas aller eunuque chez le Moro-Naba ? » Réponse : « Parce que je veux gagner petit. »

Gros éclats de rire, pendant qu'un jeune boy, caché sous la table, enlève les souliers des convives pour leur laver les pieds, fine plaisanterie s'il en fut. On s'amuse comme on peut, quand il n'y a pas de théâtre où jouer la comédie !

Le lendemain, au petit jour, départ en camionnette en direction de Fada N'Gourma où l'on arrive en un temps record. L'administrateur est étonné de cette rapidité. Cela me touche, mais je n'en tire pas gloriole !

Le malade présente une hépatite amibienne, peut-être déjà un abcès du foie qu'il faudra opérer. Non, vraiment, à Fada ce n'est pas possible d'intervenir dans de bonnes conditions. On décide une évacuation sur Ouagadougou où l'on trouve un hôpital et un chirurgien. J'installe le patient dans sa voiture le plus confortablement possible, et je l'accompagne. Malheureusement, la grand-route, qui n'est guère plus qu'une piste, est coupée par les eaux. Un pont a été emporté. Tout le monde se met au travail. Le malade, fiévreux, et je le plains, me dit : « Qu'allons-nous devenir ? » Je le rassure et j'ai raison, car quelques heures plus tard, avec l'appui de tout un village, nous passons.

Hélas ! en 1935, les moyens thérapeutiques sont rares au centre de l'Afrique. Pas un avion, pas un hélicoptère encore, pour une évacuation sur un grand hôpital. Pauvre M. Genet, je vous ai laissé entre des mains dévouées d'amis, mais la maladie fut plus forte qu'eux...

Pendant mon absence, le petit centre médical de Fada N'Gourma a fonctionné grâce au dévouement du sympathique infirmier Moussa. Oh ! on n'y aura pas fait de diagnostics tremblants, mais on aura distribué quinine, aspirine, anti-helminthiques, pansé les plaies, lavé des yeux, ouvert peut-être quelques abcès. Toujours est-il que la population est avide de soins et que, lorsque je reprends ma tâche quotidienne, plus de cent cinquante braves types viennent me voir, moi et mes infirmiers, chaque jour. Tous ces Noirs ont confiance en nous. Il ne faut pas être assez naïf pour croire qu'ils ne vont pas aussi « consulter » le sorcier, mais qu'importe puisque, par-ci, par-là, nous avons pu guérir ou seulement soulager en grand nombre ces indigènes, privés jusqu'à notre arrivée dans leur pays, de tout soin élémentaire. Ainsi œuvrent les « colonialistes » tant décriés par les ignorants !

Cet après-midi, c'est l'inspection de la maternité qu'un de mes prédécesseurs a créée dans l'agglomération. Oh ! certes, ce bâtiment est assez primitif, mais les cases rondes répondent bien aux besoins de l'hospitalisation. Tout cela est très propre. En sont responsables une sage-femme dahoméenne et son aide, gourmantchée.

Il faut les voir toutes deux le jour de marché, le casque « colonial » sur la tête, ce qui les différencie, de loin, de toutes les commères, marchandes ou acheteuses ; elles se promènent gravement à la recherche d'un ventre proéminent ; ou engagent la conversation avec la future maman, pour la persuader de venir à la consultation des femmes enceintes, et plus tard accoucher à la maternité.

Mais l'assistante de la sage-femme n'est-elle pas elle-même fortement enceinte ?

« Alors, Kontanpoa, c'est pour bientôt ? lui dis-je.

— Non, mon docteur, je ne suis enceinte que de huit mois et j'ai l'habitude de n'accoucher qu'au onzième mois. » Mme da Souza, la sage-femme, hausse imperceptiblement les épaules !

Sur la place, deux braves femmes, se rendant au marché, boubou bien noué à la taille, panier en équilibre sur la tête et, debout, prodiguent à la terre assoiffée ce que leurs contraintes naturelles leur interdisent de garder pour elles...

Le camp des gardes du cercle est à deux pas. Il est bien tenu et tout ce qui est à l'intérieur des cases est sorti, ces dernières correctement balayées, pour la visite de « mon docteur ». Rien ne traîne, aucune calebasse ne contient d'eau croupie, repaire des larves de moustiques.

L'autre nuit, il y a eu grand branle-bas de combat au camp. Un gros lion est entré dans la cour, puis sans dommage, a fait, lui aussi, son tour d'inspection — comme moi — et est reparti d'un pas tranquille, non sans avoir arrosé la porte de sortie. Personne n'a bougé, mais quelques respirations devaient être haletantes...

La grosse chaleur de la journée tombe avec la nuit qui approche. Dans le jardin de la concession, deux antilopes apprivoisées viennent chercher une caresse, lorsque je franchis le seuil de ma case.

L'administrateur, commandant le cercle vient d'être inspiré. A quelques kilomètres du poste, un grand espace découvert est depuis longtemps baptisé terrain d'aviation. Mais aucun appareil ne s'y est jamais posé. Les « matiti » — hautes graminées — ont largement poussé. Des termitières pas très hautes, mais très solides, se cachent au milieu de cette végétation. Elles seraient bien capables de jouer un vilain tour au monomoteur qui voudrait atterrir. Or, le champ vient d'être défriché, nettoyé, quand — pur hasard — un avion militaire vient tourner au-dessus de l'agglomération. Il est parti vers le terrain, à court d'essence et s'est posé sans encombre. Quel plaisir de recevoir les trois aviateurs et d'avoir des nouvelles fraîches de Niamey et de Ouagadougou à une époque où l'on ne possède pas le moindre poste de radio !

Simandari, notre roi local, a demandé à voir cette curieuse bête qui vole. En grand équipage, entouré par ses cavaliers, noblesse oblige, il est arrivé jusqu'à l'appareil. Il s'étonne et demande comment cela peut quitter le sol ? On lui montre le moteur. « Ah ! fait-il, si vous m'aviez dit qu'il y avait un moteur ! » C'est du moins ce que l'on a traduit.

Dans cette lointaine brousse, un médecin est parfois obligé d'assumer des fonctions variées. C'est ce qui m'arrive maintenant. Je vais être assesseur et rendrai la justice. Un préleveur d'impôts a mis de côté... sa part. C'est répréhensible. Les jurés indigènes, traditionnels, déclarent que cela vaut deux doigts en moins. La justice française a un code : deux doigts égalent un an de prison.

Un peu plus tard, on devient avocat. Crime passionnel. Je ne sais plus si c'est l'amant qui a tué le mari, ou inversement, mais le « cher maître » ne se débrouille pas trop mal, puisque le client, qui n'a pas trop l'allure ni le comportement d'un *Homo sapiens* s'en tire avec deux ans de prison. Oh ! on ne l'enfermera pas dans une geôle chaude à « crever ». Avec un autre prisonnier, suivi d'un garde armé d'un fusil sans cartouches, il fera la corvée d'eau ou celle des tinettes des cases de l'administration.

Nous sommes maintenant en pleine saison des pluies. Brutalement, en une seule tornade, le marigot qui était à sec depuis plusieurs mois, le sol découpé en larges pavés, vient de se remplir. Et dès le lendemain, chose extraordinaire, on peut pêcher des poissons. D'où sortent-ils ? Les silures s'étaient enfouis dans la boue, isolés dans des espèces de « cocons » qui ont fondu à l'arrivée des eaux. Mais ces autres petits poissons argentés que l'on vient de prendre au bout d'une ligne, d'où viennent-ils ? Mystère.

La route surélevée traverse le marigot. D'un côté, surtout, ne chassez pas le crocodile qui s'y trouve : c'est un parent de Simandari, le roi. Il vaut mieux le savoir pour ne pas commettre de crime. Vous pourriez avoir des ennuis.

La saison des pluies va nous couper de toute communication. A l'est : Niamey. A l'ouest : Ouagadougou. Au nord et au sud, n'en parlons pas, c'est la brousse à l'infini. Et cet aspect de la nature durera six mois.

L'administrateur qui a succédé, à Diapaga, à son collègue sourcier et électricien, est malade. Il a téléphoné — le téléphone marche encore. Il se fait quelques soucis. On lui donne des conseils et je vais essayer malgré tout d'aller vers lui. Ce ne sera pas facile, mais j'espère passer et je pourrai connaître son histoire.

En direction de Diapaga, il est facile de rouler jusqu'au gîte d'étape de Matiacouali. J'ai attendu la nuit, et pour passer le temps, j'ai pris mon fusil de chasse pour tirer une pintade ou une perdrix. Pas très loin, j'ai entendu un lion qui rôdait dans les parages. Quand on est équipé pour la chasse à la pintade et qu'on rencontre le roi des animaux, on s'en retourne au campement !

La nuit, les lions sont venus tout près du gîte d'étape. Au matin, nous avons relevé les traces d'un gros papa, de la lionne et de son petit. Le mousqueton placé près de la porte de ma case et que le boy avait subtilisé la nuit lorsque les lions se sont approchés, est revenu à sa place, comme par enchantement.

Nous n'allons pas beaucoup plus loin, les pluies torrentielles ont fait grossir une petite rivière et il serait imprudent de vouloir faire passer une camionnette sur le pont branlant qui la traverse. C'est à pied que j'irai de l'autre côté où m'attend la voiture de Diapaga.

Nous voilà arrivés. La résidence de l'administrateur est construite dans un îlot de verdure. Le propriétaire actuel des lieux n'a pas l'air trop mal en point. Il vient, tout souriant, à ma rencontre. Il est difficile de déceler, *a priori*, ce qui a pu l'amener à téléphoner pour demander un secours médical. Soyons patient, je l'apprendrai au cours de la journée. On parle bien d'un accès de paludisme, de troubles intestinaux. Peut-être ? Mais quelque chose me chiffonne. Mon hôte me paraît nerveux. On s'assoit pour prendre quelque boisson assez fraîche. Il est irritable. Un boy à quelques dizaines de mètres nous regarde : « Voyez celui-là comme il m'espionne », me dit-il. Je n'ai pourtant rien remarqué d'agressif dans le comportement du jeune Noir. Mais tout à coup, l'administrateur se lève et lance une chaise en direction du domestique qui s'esquive. Je regarde mon malade. Il se contente de répéter : « On m'espionne tout le temps. »

La conversation reprend. Mais voici qu'une demi-douzaine de gracieuses antilopes s'approchent de nous. Chacun a, dans sa concession, quelques-uns de ces charmants animaux. Je reste stupéfait. Ceux-ci sont peints en bleu, blanc, rouge ! Il y a décidément quelque chose qui ne tourne pas rond à Diapaga...

Peu à peu, j'apprends que cet homme a commencé sa carrière dans la suite d'un gouverneur général, à sa sortie de l'Ecole d'administration coloniale. Le séjour terminé, après deux ans de manifestations mondaines, de réceptions, de bals, il est mûr pour un poste de brousse. Ce qui l'effraie. Il réussit à se faire mettre en disponibilité et commence une tout autre vie de présentateur de mode. On le voit, au milieu de splendides créatures dans tous les pays du monde, collections de prestige dans ses valises. Mais vient le temps où il faut reprendre du service pour pouvoir bénéficier un jour futur de la retraite.

C'est l'Afrique, c'est Diapaga, seul Blanc, sans aucune relation possible au milieu des Noirs de la brousse. Alors, simulacre ou non, il n'est plus possible de vivre ainsi. Une autre affectation moins cruelle s'impose et c'est ce qui l'amène à jouer la comédie, tout en étant, à n'en pas douter, sérieusement touché par l'isolement et le climat. Il vaut mieux prendre une décision rapide et le rapatrier, plutôt que de voir cet homme valable périr dans un marigot ou au bout d'une branche, à moins que ne l'atteigne un alcoolisme invétéré et fatal.

La voiture revient à Fada N'Gourma comme elle était partie. Je n'ai plus entendu les lions de Matiacouali, mais j'ai la chance de voir à quelques mètres de nous le bond splendide d'une panthère qui s'évanouit dans la brousse. Je lui souhaite bonne chance, car je n'aime pas qu'on tue ces fiers et beaux félins.

La saison des pluies s'achève. C'est le moment de préparer les futures tournées en brousse. Une route parcourt le cercle de Fada N'Gourma du nord au sud, une autre de l'est à l'ouest. La camionnette du service de santé permet de gagner du temps. Avant le départ, porteurs et chevaux vont jusqu'à un point déterminé. Quelques jours plus tard, on les rejoint avec l'équipe : un infirmier, un garde sanitaire, sans oublier les indispensables cuisinier et boy. Si Monique est du voyage, elle tiendra les registres, vaccinera les enfants et si cela lui chante, elle fera la course à cheval avec les chefs noirs, tout étonnés de voir descendre de monture une femme blanche.

Le cuisinier, c'est Moussa, fidèle et déjà vieux serviteur à barbiche. Il est originaire du Soudan. C'est un maître incontesté dans l'art de préparer des « crèmes renversées ». C'est aussi un boulanger émérite. Quand on arrive dans un village, il a tôt fait, avec une gargoulette qui lui sert de four, de recouvrir celle-ci de terre qu'il malaxe comme de la glaise, de faire sécher rapidement le tout sous la flamme de fagots que lui portent les gens du village, tandis qu'il prépare la pâte d'un pain de qualité.

Le boy, lui, est occupé à la douche, sous la véranda de la case de passage, il place le lit picot et sa moustiquaire obligatoire, sur un sol uni. Mais que sont ces traces sur le sable ? A n'en pas douter, des reptiles viennent de passer par là. Et tranquillement, un petit serpent — peut-être long d'un demi-mètre — glisse dans ma cantine restée ouverte et se love sur ma belle chemise propre. Il y a quelques froissements dans le chaume du toit. Alors j'aperçois plusieurs autres bestioles qui ont été dérangées par notre remue-ménage, leur « maison » ne recevant guère de visiteur qu'une ou deux fois par an : l'administrateur ou le médecin. Non vraiment, je coucherai dehors. Sankadia s'emploie à mettre mon lit à la belle étoile.

Mais voilà que le ciel s'obscurcit. A l'horizon, éclairs sur éclairs laissent entrevoir de lourds nuages. Je crains que n'éclate une tornade. Alors, le chef du village me propose de faire venir le sorcier. Les incantations suivent et le devin assure qu'il ne pleuvra pas. Je suis sceptique, mais il ne faut vexer personne et remercier mes hôtes : il me faudra bien constater que la tornade s'éloigne. La nuit se passera d'ailleurs sans une goutte de pluie... étrange !

Le dîner est prêt : bouillon de pintade, pintade rôtie et bien entendu, crème renversée au dessert. J'ai distribué quelques volatiles sur lesquels je suis obligé de tirer, pour nourrir le personnel, offrir aux chefs et aux porteurs. Le chef du village, lui, nous a bien remis quelques poulets « cyclistes » qui courent entre les cases et dont nous n'avons que faire. Des œufs aussi, c'est normal. Des Peuls nous ont porté du savon et... du lait. Mais cette calebasse de lait, d'où vient-elle ? On n'a pas eu le temps, c'est certain, d'aller traire quelques vaches parquées loin de là. Et si ces mamas dodues, aux seins rebondissants, qui se promènent au milieu de nous, leur nourrisson dans le dos, avaient fait les frais de l'opération ? Après tout, c'est peut-être là le secret de la délicieuse crème renversée de Moussa.

En longues files, hommes et femmes se rangent, le torse nu et les enfants dans leur nudité totale habituelle. Le garde Issa, coiffé de sa chéchia rouge où brille un « S » — sanitaire — en cuivre, dont il est bien fier, une baguette à la main, ne plaisante pas. Il faudra vacciner contre la variole, parfois plusieurs centaines de villageois en quelques heures. Cette fois, ce sera au bras droit pour tout le monde. Au prochain passage on s'y retrouvera, d'après les cicatrices.

Savonnage rapide, essuyé aussitôt par une compresse imbibée d'eau, tout cela va vite, et la file des villageois avance. Les vaccinostyles sont à notre portée. J'ai préparé le vaccin et la scarification se poursuit sans arrêt. Lorsque les vaccinostyles ont tous servi, quelques minutes suffisent pour les nettoyer et les flamber. Et l'on recommence. Lorsqu'un individu présente quelque maladie évidente ou qu'on le soupçonne de quelque affection, il est mis de côté et ce sera le rôle du médecin d'examiner le malade plus complètement. Mais il est évident que nous cherchons surtout, en vaccinant, à éliminer toute crainte de variole dans ces populations qui, peu à peu, seront, du moins en Afrique française, mises à l'abri, par millions, du terrible fléau. Bien plus tard, lorsque l'O.M.S., l'Organisation mondiale de la santé, clamera *urbi et orbi* que la variole est vaincue grâce à elle, j'aurai un sourire amer — et j'ai pourtant été consultant de la

« célèbre » organisation —, en pensant à tous les efforts qu'avec
mes camarades de santé navale et de Lyon colonial, nous avons
fournis, alors que c'est Genève qui s'enorgueillit du résultat
obtenu, jusque dans nos ex-colonies ! Mais là comme ailleurs,
la France n'a jamais su — ou voulu — reconnaître ce que ses
fils les plus désintéressés, surtout s'ils étaient militaires, avaient
fait pour ce qu'on appelle le tiers monde.

Les vaccinations sont faites. Nous nous efforçons d'empêcher
quelques mères inconscientes d'essuyer le bras de leurs enfants
pour enlever le vaccin avant qu'il ne soit sec.

Certains Noirs ont d'eux-mêmes demandé des soins. Ce sont
de pauvres gens qui présentent des ulcères de jambes prenant
parfois de telles dimensions qu'il faut amputer. Mais ce n'est pas
en pleine brousse que l'on peut obtenir le moindre résultat. On
les persuade de venir au chef-lieu.

C'est le cas aussi pour cette jeune femme, atteinte d'éléphantiasis des grandes lèvres qui tombent presque jusqu'à mi-cuisse.
Mais viendra-t-elle ? Ce serait pourtant un résultat remarquable
à prévoir. Des hommes porteurs d'éléphantiasis du scrotum de
plusieurs kilos — parfois de plusieurs dizaines de kilos — se
rendront-ils dans notre petit « hôpital » ?

Je me souviens de ce garçon qui arriva à Fada, le jour où
mon camarade Henri Mole était de passage. Nous l'avons guéri
et le résultat fut brillant. Des médecins de nos camarades
s'étaient spécialisés dans ce genre d'opérations, tel Georges Grall,
Pierre Richet — mon voisin à trois cents kilomètres —, ce qui
n'empêchait pas ce dernier d'axer ses recherches sur l'onchocercose
qui faisait tant de victimes. On voyait parfois une véritable
procession de ces pauvres gens, les uns derrière les autres, chacun
tenant le bâton de celui qui le précédait et donnant le sien à
celui qui le suivait. Malheureux aveugles ! Le moins atteint par
la maladie était en tête et les conduisait tous.

Deux lépreux, ce sont les premiers que je rencontre, passent
devant moi. Je suis bien démuni, en 1935, pour les soigner.
On prône le bleu de méthylène. Notre ancien, Monteil, qui l'a
utilisé, reconnaîtra un jour, à la société de pathologie exotique,
que ses espoirs ont été déçus. C'est aussi l'époque du chaulmoogra :
encore un espoir envolé.

Le chef du village me dit que de nombreux enfants urinent du sang. Hélas, je le sais, mais ce n'est pas la distribution de quelques médicaments qui me permettra de juguler la bilharziose due à un parasite qui infeste enfants et adultes, lors de leurs baignades dans les marigots. A Fada N'Gourma, un examen de l'urine de tous les écoliers a été fait. Chez un seul d'entre eux — le fils de l'instituteur, venu du Dahomey — il n'y avait ni parasite ni œufs. Cruelle maladie qui faisait éliminer au « conseil de révision » de remarquables sujets athlétiques, par crainte de voir la maladie se développer dans la métropole.

On examine maintenant tous les enfants à gros ventre et dont l'énorme rate est presque toujours la signature évidente du paludisme. Nous pourrons au moins laisser de la quinine au chef de village.

Un déparasitage intestinal aura un succès retentissant. Tels ces deux joyeux compères que j'apercevrai demain matin, derrière une case, se débarrassant de leur ténia et de leurs ascaris, en riant de bon cœur, tellement étonnés du résultat.

Comme j'aurais aimé, là comme ailleurs, faire davantage pour tous ces pauvres gens. Pourtant c'est mieux que rien : on est parti de si bas !

Alors les griots chantent mes louanges (peut-être se moquent-ils aussi... je n'en suis pas si sûr et l'on est bien farceur en Afrique).

Le chef de village a demandé la permission d'organiser des danses. Bien entendu, c'est accordé et tard dans la nuit, peut-être jusqu'au petit jour, les plus résistants se secouent encore frénétiquement...

L'administrateur, commandant le cercle, son adjoint, l'agent comptable, l'instituteur, directeur d'école et moi, formons l'équipe dirigeante française du cercle de Fada N'Gourma. Un seul Français commande la subdivision de Diapaga : c'est mon client aux biches peintes aux couleurs de la France, que j'ai quitté récemment. En dehors de l'agglomération de Fada, un couple de missionnaires protestants — des Anglais — vit un peu à l'écart. On les voit cependant quand on célèbre, par un défilé à cheval de tous les chefs de canton, l'héroïque prise de la Bastille par les « masses populaires » de l'époque.

« Les enfants de la mission » jouent dans la concession, et comme tous les garçons du monde, ils se bousculent et finissent par en venir aux mains.

L'un de ces garnements, de dix ans à peine, vient d'avoir un grave accident. Il est passé par-dessus le dos d'un camarade qui l'a rattrapé par une jambe : tordue de violente façon, tous les tissus ont craqué.

On vient de porter le blessé au poste médical et je suis aussitôt prévenu. Le pauvre enfant souffre beaucoup. L'articulation du genou a cédé, le fémur d'un côté, le tibia de l'autre, les muscles sont arrachés, une artère saigne, les veines, les tendons, les nerfs sont déchiquetés.

Les soins d'urgence donnés, je n'ai pas d'autre solution que d'envisager une amputation. Ce sera la première de ma carrière et elle se fera dans des conditions difficiles.

S'il y a les outils nécessaires pour amputer, il n'y a pas de salle d'opération. Juste une table à pansements dans la véranda, le seul endroit où il fait assez jour. On ne peut utiliser le moindre éclairage, car avec une anesthésie à l'éther, on risque les plus graves ennuis.

Il faudra installer un drap au-dessus de la table pour empêcher les termites qui pullulent dans le toit, de tomber sur le blessé et sur nous. Espérons aussi que les hirondelles qui passent d'un vol rapide, n'auront pas l'idée saugrenue de s'oublier sur les champs opératoires.

C'est l'infirmier Moussa qui sera l'anesthésiste... pour la première fois de sa vie.

Je viens de voir l'administrateur et lui ai dit dans quelle situation nous nous trouvons. Nous sommes en pleine saison des pluies : aucune évacuation n'est possible, ni sur Niamey ni sur Ouagadougou, les routes sont coupées. Je serai donc le chirurgien, ou personne.

Pour éviter les complications, après avoir laissé reposer l'enfant encore sous le choc, il faudra opérer demain matin.

Alors on convoque les membres de la famille présents à Fada N'Gourma. Ces gens sont originaires du sud du pays, vers Pama, et sont très primitifs. Je suis allé une fois dans la région. Les hommes protègent leur « bengala » dans un étui qui tient en place grâce à un lien passé autour de la taille, les femmes ont quelques feuilles sur le pubis et quelques autres sur le derrière. C'est tout... on change ainsi de robe tous les jours !

Réponse des parents quand on leur dit qu'il faut amputer le garçon : « C'est le grand-père qui décide. » Grand-père, je ne sais comment, a été prévenu et il arrivera le lendemain matin, me dit-on. Je commence à m'énerver et je ne passerai certes pas une bonne nuit.

Le lendemain, le petit barbichu de grand-père n'arrive que dans la soirée. Rien à faire. A tout ce qu'on lui dit, il répond : « Je ne veux pas. » Je lui fais dire : « Tu veux alors qu'il meure ! » Réponse : « Non, mais je ne veux pas qu'on lui coupe la cuisse. » Le vieux est têtu comme une mule, mettons comme un éléphant, ce sera plus couleur locale.

J'ai fait traduire : « Si on n'opère pas demain matin au plus tard — je crains une gangrène rapide entre autres choses —, je ne réponds plus de rien. »

Alors, les plus jeunes du clan décident de passer outre à l'avis du grand-père qui s'en va en marmottant je ne sais quoi, mais il a l'air furieux.

La nuit du blessé a été mauvaise : fièvre, délire. Tant pis : le lendemain matin, dès qu'il fera jour, on tentera de le sauver.

J'ai eu chaud, au physique comme toujours, cela va de soi, mais au fond de moi-même bien certainement davantage. Enfin tout s'est bien passé. Le petit garçon repose dans une case, sur un tara, lit en branchages, allongé sur un drap blanc, lui qui n'a jamais dormi que sur une natte, quand il en avait une. Un infirmier le veille. L'amputé a soif. J'ai dit d'être très prudent et surtout de l'empêcher de manger. Trois jours passent.

Des cas, de ce qui pourrait être de la variole, sont signalés dans le nord du pays. Il faut que j'aille voir de quoi il retourne. Vite, comme toujours en pareil cas, les chevaux partent à l'avance, jusqu'à un village que je pourrai atteindre avec la seule voiture du cercle — celle de l'administrateur —, la mienne est en panne.

Mon amputé va mieux ; il a commencé à s'alimenter. Je refais

son pansement et je peux confier mon jeune Daogo au premier
infirmier, Moussa, en qui j'ai toute confiance.

La piste n'est pas brillante. J'arrive pourtant au lieu de rendez-
vous. Les chevaux sont prêts pour la randonnée en brousse. On
s'enfoncera dans la nature demain matin.

On selle les chevaux au petit jour, quand, dans le lointain,
indistinct d'abord, puis de plus en plus net, on perçoit le bruit
d'un moteur. Ce ne peut être que la voiture de l'administrateur,
c'est la seule auto du cercle. Chacun attend. La voiture s'arrête,
le chauffeur me tend un pli.

« Rentrez Fada, opéré empoisonné par grand-père », dit le
message. Il ne manquait plus que cela !

Je pars le plus vite possible et j'apprends, à mon arrivée, ce
qui s'est passé. Toujours furieux d'avoir été éliminé, grand-père
est venu porter un bouillon — un bouillon d'onze heures — à son
petit-fils. Daogo l'a trouvé un peu amer, mais c'était bon, n'est-ce
pas, de retrouver les mets familiaux. Heureusement, peu de temps
après, le garçon vomissait la mixture, tandis qu'une diarrhée
violente s'emparait de lui. Ces expulsions multiples devaient le
sauver, alors que Moussa avait la présence d'esprit d'injecter
sérum et tonicardiaques.

Le petit Daogo était triste et bien abattu, mais il eut un faible
sourire lorsque j'entrai dans la case. A sa porte, l'administrateur
avait fait placer une sentinelle, tandis que grand-père était
enfermé... pour plus de sécurité.

Mon blessé a guéri avant la fin de mon séjour. Nous lui avons
fait fabriquer une béquille et l'avons mis à l'école. Pendant les
récréations, il fait des visites à tous les Blancs du poste qui lui
donnent de petites pièces. Il est même retourné à la mission protestante où on lui a offert du sirop d'orgeat. Il a toujours, m'a-t-il
dit, un peu peur de la femme du missionnaire qui joue de l'harmo-
nium, un casque sur la tête, tandis que de ses grands pieds elle
appuie sur les pédales.

Quelque temps après sa sortie du petit hôpital, Daogo est venu
me voir avec grand-père qu'on a libéré, bien sûr, et qui m'a
remercié de lui avoir rendu son petit-fils.

J'ai appris par la suite que le garçon était devenu cordonnier.
Tout avait eu une heureuse fin.

Deux ans ont passé loin de la France. C'est le moment du retour. Je vais d'abord rendre compte de mon travail au nouveau directeur du service de santé, le médecin lieutenant-colonel Muraz qui deviendra l'un des grands patrons de la lutte contre les grandes endémies, sur la terre d'Afrique. Muraz avait une haute idée de ce qu'était notre rôle, de ce qu'était notre mission. Il ne négligeait rien pour faire comprendre notre action et la grandeur de notre tâche, pas même les signes extérieurs. Je me souviens que, comme je désirais offrir à tous les médecins et pharmaciens en service à Niamey, le « pot » du départ, Muraz me dit : « Très bien, tous à 18 heures à la " Transsaharienne ", mais en tenue blanche. Et, comme je n'ai qu'une voiture convenable, elle fera plusieurs voyages, mais je ne veux voir personne arriver à pied. »

Les quelques voyageurs, dont deux ou trois Allemands, qui se trouvaient au bar, ce jour-là, furent surpris de voir tant de beaux uniformes blancs, galonnés, bien repassés, impeccables. Et c'est peut-être là quelque chose que, depuis on a trop oublié.

Muraz prononce alors quelques paroles aimables à mon intention. J'en suis très fier, car je les retiens encore : « Je ne suis pas allé vous voir à Fada N'Gourma. Dites-vous que c'est parce que je savais que tout marchait bien ! »

Comment cela aurait-il pu mal marcher dans cette atmosphère calme de paix ? Les journaux de France nous arrivaient par paquets, tous les dix ou vingt jours, souvent délavés, trempés et illisibles. L'isolement était parfois dur à supporter, mais la colonisation bon enfant nous faisait aimer et être aimés des indigènes.

Retrouverai-je un jour ce petit « voyou » de boy-cheval Konkoari qui, ayant hérité d'une vieille paire de souliers de femme à hauts talons, en louait le pied gauche — un sou — à un petit camarade, chaussait l'autre pied et se promenait avec lui, clopin-clopant sur la place du marché !

Reverrai-je la bonne face réjouie du petit boy Sankadia qui, muni d'une pompe à fly-tox, aspergeait d'insecticide les pieds des visiteurs pour chasser les moustiques et accompagnait son geste en chantant un air de l'époque : « Avé les pom pom, avé les pompiers, au fé, au fé ! » Plaisanteries d'un autre temps qui nous faisaient bien ignorer ce vilain mot qui n'existait pas encore, pas plus que la chose : le colonialisme !

Savions-nous seulement que le monde se préparait à la plus sanglante, à la plus folle aventure de tous les temps ? A Fada, la France était encore la France, l'un des grands pays du monde. D'année en année, je ne verrais plus, hélas, que diminuer son prestige et qu'affaiblir sa puissance, dans un laisser-aller de tous les instants.

3.

Les pirates
du Yunnan — 1939

*Laissez-moi un peu regarder du côté de
la plus haute Asie, vers le profond Orient.
J'ai là mon immense poème.*

MICHELET

Pour qui aime les voyages, c'est une heureuse époque. Après
mon séjour au Niger, quelques mois de garnison à Fréjus-
Saint-Raphaël me remettent vite des fatigues tropicales et je figure
aussitôt au tour de départ.

Nous sommes en janvier 1938. Le médecin-lieutenant que je
suis — l'avancement n'est pas très rapide — retournerait bien
en Afrique. Rien de plus facile, lui répond-on au ministère des
Colonies. Et, dans un grand élan de prévenance, on lui demande
s'il désire embarquer à Bordeaux ou à Marseille : « Vous ferez de
nouvelles escales », me dit-on, cela accompagné d'un clin d'œil
amical.

Surprise : ce n'est ni Bordeaux ni l'Afrique. C'est bien Marseille, mais avec au bout... l'Indochine !

Près d'un mois sur un vieux paquebot, c'est long, mais ce n'est
pas désagréable. Et puis à Saigon, nouvelle surprise : « Vous
continuez jusqu'à Haiphong, et de là, vous irez en Chine, détaché
aux Chemins de fer du Yunnan, à Amitchéou très exactement. »

Aventure étrange, quand on a demandé l'Afrique pour n'y
rester que deux ans... que de se voir embarqué — comment
le saurait-on ? — pour... neuf ans, sans interruption... en Asie !

Je suis soumis de la part des camarades que je rencontre, à
quelques quolibets : « Drôlement pistonné pour avoir ce poste !
Ça vient de haut, probablement de la présidence ! » Laissons
dire.

Et voilà comment le médecin-lieutenant qui rêvait de lions, se retrouve dans la gueule du tigre et pour longtemps.

A peine débarqué à Haiphong, en route pour Hanoi. Comme tout paraît facile dans cette Indochine d'avant-guerre ! Comme on est loin de l'Afrique d'un autre temps, d'autres mœurs. Un personnage important des Chemins de fer du Yunnan m'accueille et me conduit dans l'un des grands hôtels de la ville. Après les visites protocolaires, on reprend le train en wagon spécial, avec boys « annamites » stylés, impeccables. Nuit à Lao-Kay pour repartir le lendemain matin dans une belle « micheline », toute blanche et, à midi, on atteint Amitchéou devenu Kai-Yuen, loin de la frontière du Tonkin, au kilomètre 226 (mon matricule à l'Ecole de santé navale).

Voyage impressionnant sur cette ligne conçue par les Français — lorgnant sur cette belle province chinoise — au début du siècle. Que de prouesses, avec les moyens de l'époque, pour construire cette unique voie ferrée dans un décor dantesque de montagnes où il a fallu creuser dans le roc d'innombrables tunnels, édifier cet acrobatique pont à arbalétriers, ce léger pont « en dentelle » et cent autres ouvrages d'art ! Nature sauvage où lorsque avançait la construction de la ligne, les loups suivaient de loin le personnel français, chinois, annamite. Seule, aujourd'hui, une admirable bête, debout sur un rocher, nous regarde passer.

Kai-Yuen : sur le quai, les principaux chefs de service français du chemin de fer, des notables chinois, le médecin qui assure l'intérim, la sage-femme et tous les infirmiers tonkinois m'attendent. La différence avec l'Afrique primitive est flagrante. Ah ! politesse, courtoisie asiatique, comme vous apparaissez tout à coup à mes yeux ! Je commence à croire que ce menteur de médecin-colonel qui m'a si aimablement proposé l'Afrique, pour m'envoyer finalement en Asie, m'a peut-être fait un beau cadeau.

J'ai hâte de voir ma maison, dont on me dit le plus grand bien. Dans un magnifique jardin planté d'eucalyptus et de bambous géants, c'est une villa... de France. De quoi éblouir l'ancien broussard du Niger.

En peu de jours, je fais la connaissance des gens d'ici. Un échantillonnage : un Américain, un couple de Russes, un couple d'Allemands, un couple d'Italiens et les Français du chemin de fer. Tout ce monde se réunit de temps en temps au cercle et danse la java et la polka-accordéon, ou peu s'en faut.

J'ai compris et je passerai pour un sauvage ou pour celui que Terpsichore n'a pas touché de sa grâce.

Mais passons aux choses sérieuses. Visite au sous-préfet qui me reçoit après que s'est ouverte la troisième porte de ses appartements, situés au milieu de ces précieux jardins minuscules. qu'on ne voit qu'en Extrême-Asie. C'est un grand honneur qui m'est fait de me promener ainsi et j'y suis très sensible.

Le sous-préfet est très vieille Chine — comme on dirait vieille France. Il est vêtu à l'ancienne : robe, petite veste noire boutonnée jusqu'au cou, sandales de satin. Avec ses yeux bridés, sa face ronde, c'est un vrai mandarin d'autrefois.

C'est maintenant la visite au directeur de la police, personnage très important... Dans chaque train se loge une escorte de policiers. Le mot de « pirates » reviendra souvent au cours de mon séjour, et, il n'y a d'ailleurs pas longtemps que je suis là, lorsqu'on fusille derrière le mur de mon jardin toute une bande de hors-la-loi.

Si l'on ne fusille pas toujours, on ne paraît pas tendre envers les voleurs. Je viens d'apercevoir en rentrant dans la ville chinoise, suspendues à l'une des portes d'entrée, deux mains..., celles d'un quelconque chenapan.

C'est avec les deux chefs visités, le sous-préfet et le directeur de la police, qu'il faudra avoir les meilleurs rapports si je veux que la concession française de Kai-Yuen, dont je sens que je vais être le premier responsable, cette concession qui n'est en fait, localement, qu'une longue allée bordée d'hibiscus, derrière lesquels s'élèvent les villas du personnel, conserve pendant mon séjour sa tranquillité et sa sécurité.

Nous sommes encore en paix en Europe et les choses seront faciles. Le sport y aidera beaucoup. Quelques Chinois jouent au tennis. Ils ne jouent pas bien et plusieurs Français et étrangers vont les battre largement, lorsqu'un jour on organisera un tournois « international ». Le sort me fait rencontrer un jeune ingénieur chinois. Si je ne suis pas le plus fort des joueurs engagés, lui, en revanche, est nettement le plus faible. Il n'est pas gêné de venir me trouver pour me demander de lui accorder quelques jeux... sur le papier. La face, toujours la face, sera sauvée honorablement !

Je ne suis pas autrement étonné, car j'ai vu la même démarche se produire à Bordeaux, de la part d'un camarade qui n'était pas chinois, mais qui n'avait jamais touché une raquette de sa vie. Il s'agissait, en fait, de pouvoir aller se promener dans une ville voisine où avaient lieu les éliminatoires et d'obtenir, pour s'y rendre, une petite permission de quarante-huit heures.

C'est surtout le basket-ball où excellent les Chinois qui va nous rapprocher. On ne compte pas moins de six équipes valables dans la petite sous-préfecture et nous allons avoir, à la Compagnie du Yunnan, une formation présentable.

Ce sera assez amusant de présider, à côté du sous-préfet, un grand match, en regardant ce jeu rapide avec à la main notre tasse de thé traditionnelle. Souhaitons que le ballon ne vienne pas, lors d'un jet maladroit, détruire notre fine porcelaine de Chine.

Nous voici au petit hôpital du chemin de fer, baptisé pompeusement polyclinique, et dont je deviens le médecin-chef, polyvalent d'ailleurs, puisque je suis le seul médecin.

C'est un très bel ensemble — pour l'époque — de pavillons au milieu d'un parc splendide dans lequel des centaines de rosiers poussent de tous côtés.

Pour le médecin-lieutenant arrivé depuis peu — et promu capitaine — le travail est particulièrement intéressant et varié. Le personnel européen et asiatique du chemin de fer y reçoit les soins de tous les jours et peut y être correctement hospitalisé. Mais la réputation de la formation attire aussi les Chinois étrangers à la Compagnie du Yunnan. Transporté dans une vieille chaise à porteurs, horriblement sale, très « chaise-choléra » comme on dit ici, de temps à autre arrive un malade grave, entouré de quelques membres de sa famille qui trottinent à ses côtés.

C'est dans ce petit hôpital, dans cet îlot de verdure, au centre des rizières de la plaine avec, comme fond de décor tout un cercle de montagnes dénudées, que je vais passer trois années de ma carrière de médecin d'outre-mer.

Plusieurs événements graves me donneront des soucis. C'est

tout d'abord l'annonce d'une épidémie de choléra. Le fléau descend de la capitale Kunming, l'ex-Yunnanfou, le long de la voie ferrée. Nous avons appris qu'un village peu éloigné de Kai-Yuen était atteint.

Je pars en lorry, poussé par deux coolies, avec un de mes infirmiers. Quelques kilomètres après avoir quitté la gare, nous abandonnons notre moyen de locomotion, pour nous engager à pied sur une vague piste et nous trouvons bientôt le village, totalement abandonné. Partout, sur les portes, les gens ont laissé l'empreinte de leurs mains trempées dans la chaux. C'est pour éloigner le mal, pour chasser le démon. Personne, pas même un chat.

En rentrant à Kai-Yuen, nous apprenons qu'un individu s'est glissé dans un local de la gare et qu'il y est mort. Le cadavre est là. Un chien s'enfuit.

Et pourtant l'épidémie ne progressera plus. Mystère.

Une autre fois, un train de voyageurs auquel on a ajouté au départ de Haiphong, plusieurs wagons bourrés de touques d'essence, déraille, de nuit. Des gens descendent, allument leur lampe tempête et tout s'enflamme. C'est un train de secours qui nous déverse des dizaines de brûlés. Terrible ! En riant, des infirmiers parient — on est très joueur en Asie — sur celui-ci, sur celui-là : combien de jours vivra-t-il ? Horrible !

Et puis vient la guerre. Les Japonais ont des bases au Tonkin. Les familles sont évacuées. Les bombardements se succèdent, surtout lorsque le temps ne permet pas aux avions de trouver la route de Mandalay, poumon de ravitaillement de la Chine.

La petite sous-préfecture de Kai-Yuen n'y échappe pas. Cette fois-là, nous avons bien vu venir les bombes. J'ai mobilisé tout le monde, y compris l'aumônier aux mains arthrosiques, tant il y a de blessés.

Mais on en verra d'autres, en particulier, lorsque le « pont en dentelle », déjà ébranlé par un précédent bombardement, est pris pour cible par les aviateurs japonais. Les voyageurs venant du nord et traversant le pont à pied, entendent tout à coup le ronronnement de nombreux avions. Ils se sont réfugiés dans le tunnel faisant suite au pont, mais une bombe tombe à l'entrée de cet abri, que l'on pouvait croire très sûr. C'est une hécatombe :

plusieurs centaines de victimes. Arrivé de nuit en lorry, je ne peux qu'aider à identifier les morts. De nombreux blessés ont été évacués sur Lao-Kay où mon camarade, le médecin-capitaine Becuwe leur prodigue ses soins.

Parfois, hélas, c'est l'absence de réflexion qui occasionne des accidents chez plusieurs montagnards.

La voie ferrée dans la vallée du Nam-Ti, peu après avoir franchi la frontière tonkinoise monte, monte et la dénivellation d'un versant à l'autre est de plusieurs centaines de mètres. Vu d'en haut, le train, sur l'autre côté, paraît tout petit. Il entre dans un tunnel, c'est un véritable jouet d'enfant. Il en sort bientôt, mais avant d'arriver jusqu'à nous — disent les paysans — il y en a pour deux bonnes heures. On s'allonge au frais, sous un tunnel, la tête reposant sur le rail, en guise d'oreiller et l'on s'endort.

Malheureusement, un jour, une « micheline moderne » entre en service ; le même trajet est fait en moins d'une heure et au premier voyage, plusieurs malheureux sont décapités. Par la suite, on n'a pas d'autre solution que d'enlever le dernier rang des fauteuils pour permettre d'allonger les éventuels blessés que l'on va me confier.

Lorsque, prenant mon déjeuner, je vois, à son arrivée à Kai-Yuen, notre belle micheline prendre la voie de garage qui conduit jusqu'à la porte de l'hôpital, je sais qu'il y a, vraisemblablement, une jambe à amputer.

Un jour l'opération terminée, je reprends mon repas refroidi. Quelques minutes plus tard un infirmier entre dans la salle à manger et déclare, sans plus d'émotion : « Médecin-chef, l'opéré a arraché ses couilles et les a mises sur la table de nuit. »

Comme ces propos peuvent choquer la jeune fille de la maison, âgée de quelques tendres années, je m'empresse de rejoindre le blessé... sans poursuivre la conversation.

Hélas, il a aussi les deux jambes en moins et je ne peux plus faire grand-chose pour lui...

Le temps passe en Chine comme ailleurs, avec dans l'existence des hauts et des bas.

Les petits événements de tous les jours m'amènent à soigner un « confrère », acupuncteur de village. Je vais, la curiosité aidant, le voir opérer dans la ville chinoise, un jour de marché. Il a dressé sa tente, en pleine rue. Les gens font cercle. Voici qu'une jeune femme de la montagne lui raconte ses malheurs. Et je le vois lui enfoncer dans le ventre une longue aiguille qu'il avait bien essuyée de ses doigts douteux, aux longs ongles endeuillés. Je ne sais pas ce qu'est devenue la patiente qui a, d'ailleurs, fait une drôle de grimace pendant qu'on la piquait, ce qui a provoqué les rires de l'assistance chinoise, sensible aux maux des autres, comme chacun sait.

Tous les infirmiers sont de bonne humeur aujourd'hui. J'arrive à savoir pourquoi l'on rit. Au camp du petit personnel du chemin de fer, un couple annamite est bien connu. La femme, une virago, rosse son mari, un gringalet, de temps à autre. Et l'on entend, à chaque coup qu'il reçoit, le malheureux mari s'écrier : « Tiens, attrape ! » comme si c'était lui qui frappait. Ah ! « la face »...

Le directeur général de la Compagnie est aujourd'hui à Kai-Yuen avec plusieurs personnes de la famille du maréchal Tchang-Kaï-chek, dont sa belle-sœur Soong.

Nous déjeunons au bungalow. Je me souviens de ce que me disait le « grand patron », homme déjà d'un certain âge qui avait connu la guerre de 1914-1918 : « Pourvu que l'Indochine s'en tire aussi bien cette fois-ci ! »

Dieu ne l'a pas entendu !

Tout laisse à croire que des événements graves, de plus en plus nombreux se rapprochent de nous. En Chine, la guerre fait rage. Tout l'équipage d'un navire français a dû abandonner son petit aviso sur le Yang-tsé et rentre en Indochine par le Yunnan.

Les bombardements japonais s'intensifient, et le moindre tremblement de terre — ils sont fréquents au Yunnan — fait croire à une attaque.

« Les bombes », crie un ingénieur du chemin de fer alors qu'il joue à la belote, et de plonger sous la table tandis que s'éloigne le grondement.

Mais les avions japonais sont aussi la cause indirecte de drames comme celui que je viens de vivre.

Dans les villes du Yunnan, que ce soit Kunming, la capitale ou la sous-préfecture de Kai-Yuen, lorsque l'alerte est donnée, signalée par des lanternes de couleurs différentes selon que les appareils approchent ou ne font que passer, la population quitte la cité et s'éparpille dans la campagne. Elle n'en revient que le soir lorsque les avions ennemis ont regagné leurs bases.

Aujourd'hui, toute une famille, au lieu de rentrer tranquillement chez elle, arrive affolée. Des hommes portent une jeune femme et se dirigent vers l'hôpital. Je vais voir immédiatement la malade qui est terriblement pâle. Son pouls est imperceptible, sa tension ne peut être prise. J'interroge : il s'agit à n'en pas douter d'une rupture de grossesse extra-utérine. Le cas est tragique. Il faut essayer de la sauver en l'opérant sur-le-champ. Hélas, comme toujours, on perd de précieuses minutes à discuter, à tergiverser : le mari n'est pas encore là, personne ne veut prendre la responsabilité de me laisser intervenir. Il sera trop tard à l'arrivée de l'époux. C'est désespéré. Je tente le tout pour le tout. La malheureuse rendra le dernier soupir sur la table d'opération, alors que je découvre une hémorragie interne cataclysmique.

La pauvre femme était partie au moment de l'alerte avec les siens, à quelques kilomètres de sa maison. C'est là que se produisit la rupture, bien loin d'un hôpital où l'on aurait peut-être pu la sauver dans les minutes qui suivirent l'accident. C'était encore une victime innocente de la folie des hommes...

Un train de troupes vient d'entrer en gare de Kai-Yuen, venant de Kunming. Les Chinois renforcent leurs positions, face au Tonkin d'où les Japonais se font menaçants. Un officier chinois m'a dit : « Ils sont plus forts que nous, alors quand ils mettent un soldat, nous en mettons trois. »

Quelques officiers descendent sur le quai. Et voici que l'on transporte dans une salle de la gare, une bonne dizaine de militaires mal en point. Je fais dire par le chef que s'il y a des grands malades, je peux les prendre dans mon hôpital.

La proposition est aussitôt acceptée, et le cortège s'avance, clopin-clopant, dans l'allée de la « concession ».

Le lendemain matin, lorsque je passe ma visite habituelle, un gradé se présente à l'entrée de la formation, un papier à la main. Le gardien est affolé et court vers moi pour me le tendre. Le colonel du régiment demande que l'on soigne ses malades — oh ! tout cela bien poliment exprimé — d'après ce que me dit le traducteur. Je n'y vois pas tellement d'inconvénients. Mais voici qu'approche la colonne des consultants. Il y en a peut-être cent. Que vais-je faire de tout cela ? Mes réserves en médicaments vont fondre. Où vais-je mettre ceux de ces soldats qui ont besoin d'une hospitalisation ? Pendant que je commence à les examiner, la direction du Chemin de fer à Hanoi est prévenue : « Faites pour le mieux », me répond-on. Je vais donc faire pour le mieux.

En réalité, plus de la moitié des malades ont la gale... et il y en a d'autres. Une solution : les sources d'eau sulfureuse de Kunming.

Et puis, on soigne les autres. Mais les jardins de l'hôpital, oasis aux mille rosiers, aux splendides eucalyptus sont envahis. Et voici que des officiers, paradant, se promènent maintenant dans toutes les directions ; aucun endroit n'est respecté. Je ne pourrai plus soigner les vrais malades de la Compagnie du Yunnan et, en particulier, quelques-uns des nôtres, leurs femmes, leurs enfants qui, habituellement, occupent ces pavillons entourés de pelouses où il fait bon se reposer.

J'appelle le gardien Laoho. C'est un drôle de bonhomme, tout souriant, qui vit, avec son épouse et ses enfants dans un petit pavillon à l'entrée de l'hôpital. Il surveille les malades et, bien entendu, prélève à chacun une petite dîme pour franchir le seuil de la « Polyclinique ». Laoho n'est pas n'importe qui. Tout jeune, il a déjà travaillé avec l'un de mes prédécesseurs. Et puis, on ne l'a plus vu, jusqu'au jour où son ancien patron est allé, par curiosité, voir passer quelques « brigands », ou présumés tels, un grand panneau dans le dos sur lequel étaient inscrits leurs crimes supposés. Ils allaient recevoir dans la nuque la balle qui ne pardonne pas. Que ne fut pas la surprise de mon confrère de voir parmi ces misérables créatures, Laoho en personne... Il demande sa grâce et on la lui accorde. C'est comme cela que le tout dévoué Laoho devint le portier de l'hôpital.

Alors je lui dis : « Débrouille-toi comme tu voudras, mais c'est interdit d'aller vers les deux pavillons du fond du jardin. »

Et de courir en direction des officiers.

De la fenêtre de mon bureau, je les vois tous. Laoho fait de nombreuses courbettes, les officiers saluent militairement et reviennent sur leurs pas. Je n'en reviens pas ! Comment ont-ils accepté si rapidement un « ordre » venu d'un portier, ou même d'un étranger, d'un « yangen » que l'on méprise tant (un peu moins quand c'est un « tu-isa », un médecin dont on peut avoir besoin).

Alors, Laoho sourit largement : « Je leur ai dit qu'il ne fallait pas aller là, car il y avait de grands dangers de rencontrer des malades contagieux. »

La face était sauvée ! Et voilà comment disparurent rapidement mes officiers... et peu à peu la plupart de leurs soldats galeux...

Tché-Tsouen est une gare importante sur la ligne des chemins de fer du Yunnan. C'est là que vient de s'installer pour un temps le célèbre général Louan, en inspection, je suppose.

Je vais revenir au Tonkin. Il me reçoit au passage et me demande si je peux lui faire parvenir des médicaments pour ses troupes. Je lui ai promis — et je tiendrai ma promesse — de voir le problème dès que j'aurai franchi la frontière. Et il faut reconnaître qu'il paiera cash tout ce qui lui sera livré.

Il vaut mieux d'ailleurs se méfier dans ce genre de tractations. Oh ! je sais que toutes les cigarettes — des wagons — qui sont arrivées d'Indochine pour lui ont été payées. A la frontière, où du côté chinois, toute la ligne de chemin de fer a été détruite sur cent kilomètres, une caravane de petits chevaux « militaires » transporte jusqu'à un point déterminé la précieuse camelote où elle est chargée dans les wagons de la Compagnie. Mais là, ces messieurs de la douane ont essayé d'intervenir et de faire payer les taxes habituelles. Quelques démonstrations de baïonnettes leur ont fait comprendre qu'il valait mieux ne pas insister. On s'est arrangé avec un « matabish » au douanier, et le Yunnan — le général Louan en tête — a pu fumer à son aise.

Il n'est pas question pour moi de revenir seul au Tonkin. La piste est dangereuse, les pirates sont nombreux. Je le sais fort bien. Voici qu'en quelques mois, les deux gardes successifs d'une gare à côté de Kai-Yuen ont été assassinés pour quelques dollars. On ne peut sortir seul d'ailleurs de Kai-Yuen. La police vous accompagne. Et, de fait, dans tous les trains, il y a au moins une bonne douzaine de policiers armés de fusils.

L'entrepreneur italien de la ligne a été attaqué il n'y a pas si longtemps en passant en lorry dans un tunnel. Heureusement, le chef de section français, un gars qui n'a pas froid aux yeux, s'est précipité sur le premier brigand et lui a cogné la tête sur le ballast, de toutes ses forces. Les autres, pas trop courageux, ont fui.

Mais récemment, ils ont attaqué la gare de Ko-Kéou. Bilan : ils ont laissé deux cadavres... Je les ai « sentis », avant-hier, en passant dans la gare. Défense de les enterrer.

Et puis la femme d'un officier a dû remettre, il n'y a que quelques semaines, tous ses bijoux entre les mains des brigands. Je suis arrivé peu de temps après elle dans la gare où elle reprenait ses esprits. Le chef de gare chinois est venu vers moi, très inquiet : « Vous n'avez pas rencontré les pirates ? » De fait, en lorry, avec un infirmier et le conducteur, nous avons croisé, au bord de la voie, une dizaine de gens armés jusqu'aux dents qui n'ont rien dit. L'infirmier, quelques centaines de mètres plus loin, a poussé un grand ouf de soulagement.

Mais laissons là nos brigands et nos pirates pour le moment. Un général, qui inspecte les « commandos » de Tché-Tsouen à la frontière, va partir dans deux jours. Le général Louan me propose de partir avec lui.

Et c'est ainsi que je vais faire route à travers la montagne avec le général, une demi-douzaine d'officiers, dont son fils, et une dizaine d'hommes, l'escorte du grand chef, à laquelle se joint l'ancien commissaire de police de Ko-Kéou, la petite ville qui fait face à Lao-Kay — le seul Chinois qui parle français dans toute la bande —, et plusieurs commerçants chinois qui ont toujours quelque chose à vendre ou à acheter.

Curieux personnage que mon général. Si à Tché-Tsouen, Louan fait fusiller tout militaire surpris à fumer de l'opium, mon guide de général ne se prive pas de tirer sur le tuyau. J'allais dire le bambou, mais en fait, pour plus de facilité — à cheval on n'a pas ses aises —, c'est un tuyau de caoutchouc qui lui sert de pipe. Et, où qu'on soit, pleine nature ou simple paillote, à midi, on s'arrête et le général fume « ses pipes ».

Bien entendu, il faut que je m'exécute. Il a bien ri, car mon expérience est pratiquement nulle et je n'arrive pas à avaler la moindre fumée, pas plus que je ne ressens, bien entendu, le moindre plaisir à « fumer »... mais également pas la moindre envie de vomir. Dieu soit loué !

Le soir, c'est le même jeu. Officiers, général, commissaire de police, nous mangeons, et l'appétit n'étant pas le propre des fumeurs, après quelques bouchées, le général se lève ; on le salue, et, lui, d'un geste circulaire nous invite à manger lentement « Man sisi »... et il part fumer ou bientôt jouer au mah-jong.

Ah ! les salopards ! A peine ai-je trouvé le sommeil que je suis réveillé par le bruit des pions que l'on frappe sur la table. Et cela dure jusqu'à deux, trois heures du matin. Quand dorment-ils ? On repart pourtant au petit jour...

Ce soir, on s'arrête dans une case perdue dans la montagne. Une jeune femme nous accueille. Nous avons droit à l'eau chaude. Pas question de thé dans ce pays bien pauvre. L'escorte s'installe dans la « véranda ». Le général a voulu qu'on place mon lit picot avec le sien, dans la seule pièce disponible : c'est vraiment un grand honneur qu'il me fait, d'autant plus que son fils va un peu se geler avec les autres, à l'extérieur. Nous sommes peut-être à 1 500-1 800 mètres. Il ne fait pas chaud la nuit. Le maître de maison rentre tard. Il n'a pas l'air content de voir tout ce monde.

Cet autre jour, le commissaire de police me prévient qu'on ne partira pas de bonne heure. Des pirates sont repérés sur les pistes voisines. Quelques soldats partent en éclaireurs sur leurs petits chevaux. Enfin, la caravane s'ébranle. Mais tout ce monde paraît inquiet. Les « ma-fou », les conducteurs de chevaux de bât, insultent le plus vertement qu'ils peuvent leurs animaux qui ne marchent pas assez vite. Ah ! ce que leur mère — celle des chevaux — en entend de belles et de pas mûres...

Nous descendons les pentes abruptes de la montagne et nous traversons un torrent sur un pont couvert. Dommage de ne pouvoir y demeurer et goûter le calme de la nature, au bord du ruisseau qui serpente tout près d'une vieille maison, au milieu des bambous. Mais il y a mieux à faire et nous continuons notre route pour arriver dans une plaine où les rizières s'étendent à l'infini.

D'où viennent ces chaises à porteurs ? Je ne les avais pas encore vues. Délaissant son cheval, le général se fait porter. De riches commerçants font de même. Marche pénible des coolies sur les diguettes. Ils glissent et s'enfoncent jusqu'au mollet dans la boue. Les chaises à porteurs avancent quand même et le général est bien secoué. Ah ! ces chaises à porteurs, ce qu'elles sont crasseuses. Je souris en pensant à Massenet, à Manon : « Où faut-il vous conduire, ma cousine ? — A Saint-Sulpice. — A Saint-Sulpice ? Quel est donc ce bizarre caprice... »

Quand reverrai-je — si je la revois — la *Manon* du si charmant Opéra-Comique ?

Aujourd'hui, le général ne se sent pas très bien. Il me dit qu'il voudrait un « Tiou-i-seu ». J'ai compris, c'est une piqûre de 914. C'est à la mode en 1941. Les antibiotiques sont encore loin, pauvres Extrême-Orientaux, Français ou non... Au fond, mon général a peut-être la vérole. De toute façon, je ne peux pas lui faire du mal et, au long du voyage, je lui ferai trois ou quatre injections — à petites doses. Pas question de lui faire « un 90 »... Je ne veux pas m'attirer d'ennuis. Ce ne serait pas difficile de me faire disparaître.

Et quels sont ces paquets ficelés dans cet arbre ? Quelques corbeaux volent autour. Le commissaire veut bien me dire qu'il s'agit des restes de nourrissons. On punit les mères qui n'ont pas su les faire vivre... en privant de sépulture leur progéniture défunte.

Mais voici que nous arrivons au bord d'une large rivière, nous ne sommes pas loin de la frontière du Tonkin. Un gué est là, impossible à franchir. Les eaux sont hautes, le courant est violent. Quelques hommes s'engagent, tenus par des cordes. Ils renoncent bien vite. Et nous continuons notre chemin sur la même rive jusqu'à un pont branlant. Planches disjointes, planches absentes. Il faut passer. Je mets pied à terre, façon de parler, puisque mon cheval chinois est si petit que, sur un terrain en pente, je touche le sol.

Tout le monde passe enfin. C'est un miracle ! Pas un seul homme à l'eau, pas une seule patte de cheval cassée.

La chaleur tropicale nous gêne maintenant. Moiteur affreuse.

Mais végétation exubérante, palmiers, bananiers sauvages, fougères arborescentes...

Un villageois passe portant sur un bambou, placé sur ses épaules, une nasse dans laquelle souffle un gros python. Près de moi, un vol de papillons. Que j'aimerais, si j'étais touriste, m'arrêter et capturer quelques-uns de ces *Papilios paris* que je distingue au milieu des autres...

Et puis un choc, un bruit court... Comment l'ont-ils appris ? L'Amérique vient d'entrer en guerre contre le Japon. J'ai hâte d'arriver à Ho-Kéou, et surtout de franchir la frontière pour en avoir confirmation, pour voir des Français, des soldats, des camarades, qui me donneront des détails.

Voilà Ho-Kéou. But du voyage de mon général. Des notabilités nous accueillent. Le soir va tomber, j'aurais voulu traverser la rivière. C'est trop tard, me dit-on. Mais j'avoue que l'on est si accueillant avec moi que je fais contre mauvaise fortune bon cœur et que je passe, au milieu de mes guides, une soirée tranquille.

Voici qu'un bugle a fait entendre une sonnerie chinoise. Et puis, dans le lointain, par-delà la rivière, je distingue nettement le son d'un clairon de France. Oui, c'est l'extinction des feux. Demain, je serai sur l'autre rive.

Un jour plus tard, j'arrive à Hanoi et je me présente à la direction du service de santé. « Le voilà ! » crie-t-on dans les couloirs. Et j'apprends, étonné, ébahi, que la sinistre nouvelle a couru à Hanoi. On savait que j'avais quitté mon poste au Yunnan. Mais des voyageurs avaient déclaré que l'on m'avait vu mort sur le quai de la gare de Nam-Ki : j'avais été tué par les pirates.

Tout cela se terminait bien.

4.

Au Tonkin,
avant la bataille — 1943

> *Si notre époque, si notre civilisation*
> *courent à une catastrophe, c'est encore moins*
> *par aveuglement que par paresse et par*
> *manque de mérite.*
>
> Jules ROMAINS

Affecté au 1ᵉʳ bataillon du 3ᵉ R.T.T. (régiment de tirailleurs tonkinois), à Dap-Cau, le « médecin-chef » du Yunnan redevient militaire et endosse sa tenue.

C'est un de ces paradoxes de la carrière de nos médecins « coloniaux » que de souvent servir « hors cadres », d'être alors pratiquement des civils, et parfois de se reconvertir en vrais médecins militaires. C'est aussi un avantage. Lorsqu'un gouverneur ou un administrateur ne nous permettait pas d'exercer notre travail comme nous l'entendions, nous pouvions toujours demander à être versés dans les cadres.

L'inverse était tout de même plus difficile.

C'est une période bien ignorée de la métropole que celle qu'ont vécue, de 1940 à 1946, les Français et les « Annamites », totalement séparés de la mère patrie. La France avait assez à faire sans se soucier de la lointaine Indochine. Après de durs combats, les Japonais profitent de notre défaite en Europe, pour établir dans un premier temps des bases dans notre colonie. Cependant, par des prodiges de diplomatie, l'amiral Decoux maintient haut nos couleurs. Ce n'est qu'en mars 1945, qu'enserré de toutes parts par les forces alliées qui progressent, le commandement japonais décide d'en finir avec la présence française qui le gêne et dont il se méfie. Attaqués par des forces cent fois supérieures, nos soldats succombent. Aucune aide n'est venue de l'extérieur. Tout est fini.

Dap-Cau, petite ville sur la route — et la ligne — qui mène d'Hanoi à la frontière chinoise par Langson. A quelques kilomètres de nous, la garnison de Bac-Ninh où les troupes japonaises occupent la citadelle.

Je suis le maître d'une petite infirmerie où peu de jours après mon arrivée et m'être présenté au colonel Baleyrat-Rodanet, commandant le régiment et brave homme à grosses moustaches dans le genre Joffre de 1914, le commandant Morvan, chef de mon bataillon, me confie les clés. Le travail n'est pas très excitant. Les « hommes » ne se portent pas mal. En revanche, les familles me donnent quelques soucis, telle cette petite « Annamite » de dix ans, sœur d'un de nos tirailleurs, que ses parents me portent alors qu'elle présente tous les affreux symptômes d'une rage, qui hélas va l'emporter. Tel aussi ce bébé, enfant d'un jeune lieutenant de mes amis, qui a le visage déjà tout couvert des pustules de la variole. D'urgence, avec sa mère éplorée, nous sautons dans ma voiture et je conduis la petite fille à l'hôpital Lanessan à Hanoi où malgré tous les soins, elle mourra quelques jours plus tard.

Parfois, le bataillon part pour une manœuvre, et lorsque nous rentrons, musique en tête, me voici à côté de l'officier adjudant-major, derrière le commandant, montés sur nos petits chevaux, tout fiers de notre défilé. Je pense parfois à ces démonstrations d'un autre âge, tandis que le Japonais observe, note, espionne et se prépare pour le grand soir où il ne fera qu'une bouchée de nos pauvres troupes, livrées à elles-mêmes, peu nombreuses et dotées d'un matériel périmé.

Les mois passent, la vie continue. L'amiral Decoux défend avec acharnement les positions de la France qu'il conservera jusqu'au 9 mars 1945. On sait la reconnaissance qui lui fut manifestée ! Considéré, par ignorance peut-être, comme un traître, il fut emprisonné, jugé, condamné et mourut de désespoir.

Deux fois de suite, nous sommes partis pendant plusieurs mois garder la frontière, une fois vers Langson, une fois vers Bac-Kan. Il paraît que 100 000 Chinois veulent envahir le Tonkin.

100 000 ou 200 000, la France bombe le torse avec ses quelques bataillons.

Le mien fait mouvement, de nuit, le long de la frontière : pas de bruit, pas de lumière.

Au petit jour, sous la pluie, par un froid relatif, nous atteignons le lieu où seront implantés le P.C. du bataillon et mon infirmerie. Pour l'instant, c'est la brousse intégrale. Mais mon personnel indochinois est adroit et imaginatif. Avec les seuls coupe-coupe, les matériaux sont vite trouvés, et plusieurs cases sont construites en peu de temps. J'aurai même un « lit » de branchages et un petit foyer d'où se dégagera une douce chaleur.

Nous passerons trois mois en pleine nature, dans un calme total.

Pourtant, dans le lit du ruisseau qui coule dans la vallée, dont nous occupons les pentes, nos tirailleurs plantent des bambous acérés qui contrarieront, s'il le faut, la progression des éléments ennemis. C'était d'ailleurs, lors de la conquête du Tonkin par nos troupes, la méthode employée par ceux qu'on appelait les « Pavillons noirs ». Nos tirailleurs de 1942 ne l'ont pas oublié.

Je fais se remuer tout mon petit monde, composé, en partie, par les musiciens du régiment, devenus, chacun le sait, en temps de guerre, le groupe des brancardiers. Exercices divers, passage de blessés sur brancards, d'une rive à l'autre de la rivière... Comme ils n'ont pas leurs instruments, mais qu'ils sont musiciens, je les fais parfois chanter pour les distraire. Et quoi de mieux, dites-moi que « Etendard de la délivrance... vive Jeanne, vive la France ». S'ils n'en comprennent pas bien le sens, ils en suivent le rythme, et le chœur du 3ᵉ R.T.T. n'est pas trop mauvais.

Le caporal-chef Glaçon, un Antillais, n'est pas le dernier à prendre part à toutes les manifestations, et il s'emploie à barrer un ruisseau pour y aménager une sorte de bassin. Dieu ! que l'eau est froide dans ces montagnes du Tonkin en hiver ! Mon brave Guadeloupéen est seul à se défendre des plaisanteries de mes « Annamites ». On se moque parfois de lui pour sa frayeur des serpents, d'autant que le premier qui s'est fait tuer s'est retrouvé « lové » sur le bat-flanc du caporal-chef, comme par hasard.

C'est Glaçon qui, au retour de Dap-Cau, a failli avoir une aventure sérieuse. Un soldat japonais, primitif ou rigolard, lui a passé le doigt sur la figure pour voir s'il déteignait. Un magnifique coup de poing lui a fait comprendre que Glaçon n'aimait

pas ce genre de plaisanterie. Mais le Japonais a réagi en sortant
sa baïonnette et Glaçon n'a dû son salut qu'à son aptitude
naturelle à la course à pied.

On s'est battus déjà contre les « Japs » en 1941, dans la
région que nous occupons. Près de notre campement, nos tirailleurs
ont trouvé un crâne qu'ils m'ont apporté. Il s'agissait d'un
Européen, probablement porté disparu, marsouin ou légionnaire.
Je l'ai fait remettre au commandement, pour identification si la
chose est possible.

Nous sommes revenus à Dap-Cau. Voici qu'une grande
manœuvre en direction de Langson est annoncée. Il faut se
méfier des aviateurs américains qui ne font pas bien la différence
entre une colonne franco-annamite et une colonne nippone. Nous
savons qu'il faut faire très attention aux avions qui survolent la
région tous les jours. Curieux, curieux, aucun appareil américain
n'a été signalé, pendant les trois jours que dure la manœuvre.
Je ne sais pas si les Nippons sont dupes. J'en doute.

Un jour que, fier de mes galons de capitaine, je sors du camp,
je croise une patrouille quand s'élève le cri guttural du caporal, et
voilà mes « Japs » qui se mettent au « pas de l'oie »... Je n'en
reviens pas !

Pourtant, sans savoir pratiquement ce qui se trame en Extrême-
Orient, sans seulement connaître l'action du général de Gaulle,
mais, en revanche, en entendant chaque jour parler du maréchal,
nous comprenons que tout craquera bientôt en Indochine.

Notre officier du 2ᵉ Bureau, le lieutenant Pianelli, m'a confié
des papiers que j'ai mis dans l'armoire à poisons. Il paraît que
les Alliés, en Chine, ont besoin d'un relevé de la largeur de tous
les ponts. Je remettrai un jour ces documents à un contrôleur
de train qui monte vers Lao-Kay et que nous croisons dans une
gare tout près de Hanoi.

Pianelli a en face de lui un lieutenant japonais qui, comme
par hasard, a fait toutes ses études à Hanoi. Il parle évidemment
le français le plus pur.

Pianelli nous dit qu'il doit aller à l'intérieur de la citadelle
de Bac-Ninh. Et il demande à trois ou quatre camarades de
l'aider. Pour cela, il envisage d'inviter au restaurant local, où

nous les attendons, quelques officiers japonais. Il ira les chercher...
dans la citadelle.

Je n'ai jamais su si notre officier du 2ᵉ Bureau avait réussi à
prendre les photographies qui l'intéressaient, mais je sais, en
revanche, que nous avons levé nos verres à l'empereur et les
Japonais... au maréchal !

Belle hypocrisie des deux bords... mais, en vérité, chacun savait
bien à quoi s'en tenir.

D'ailleurs, les Nippons, tout en continuant à manifester une
certaine correction, sont de plus en plus envahissants. Non
contents d'occuper Bac-Ninh, ils ont envoyé maintenant des
détachements à Dap-Cau. En passant récemment dans une rue
bien calme, nous avons été surpris de voir une sentinelle — qui
nous a d'ailleurs présenté les armes — devant la porte d'une
maison. Voilà qu'ils se promènent maintenant sur la « colline »
où se trouvent réunies — terrain militaire — les cases des
officiers français et annamites. « Qu'y faire ? » me dit le colonel
Baleyrat, alors que je lui signale le fait. Et comme messieurs les
Japonais s'installent le mieux possible, apparaît une sorte de
maison de thé sur la route qui relie Dap-Cau à Bac-Ninh. Mon
Dieu ! qu'elles sont vilaines ces grosses « poupées » japonaises
qu'ils ont amenées de leur pays...

Je ne suis pas sûr que les sourdes menaces qui se précisent
soient encore bien perçues de la population française.

Nos compatriotes continuent, pour la plupart, à mener leur vie
insouciante. On part toujours en vacances à Cha-Pa, au Tam-Dao
à la montagne, à Doson, à Sam-Son au bord de la mer.

Certes, la galette de riz a remplacé depuis longtemps le bon
pain de France ; bientôt il ne restera pas une seule goutte de
vin dans les verres. On se met de plus en plus à la cuisine
vietnamienne assez bien équilibrée.

Nous sommes à la fin de l'année 1943. Une nouvelle affectation
m'attend. Je passe au 19ᵉ régiment mixte d'infanterie coloniale,
le 19ᵉ R.M.I.C. d'abord à Haiphong, le grand port du Tonkin,
puis à Kien-An à dix kilomètres de là.

On sent que, pour nous, le dénouement approche. Les troupes

japonaises se font plus nombreuses. Les bombardements américains se précisent.

Deux avions viennent de passer en rase-mottes sur le camp de Kien-An. On pouvait distinguer les pilotes. Quelques secondes plus tard, explosion : c'est l'observatoire qui reçoit une bombe. On m'appelle : deux nha-qués, braves paysans étrangers à tout cela, ont été gravement blessés.

Cet observatoire doit être important aux yeux des Japonais, si j'en juge par l'afflux immédiat de personnages très « galonnés ». En blouse blanche, je ne m'occupe pas d'eux, et après quelques premiers soins, j'évacue mes blessés sur l'hôpital d'Haiphong, mieux outillé que moi.

Aujourd'hui, alors que je vais de Kien-An à Haiphong, tranquillement installé dans le « pousse » qui m'est donné pour mes déplacements personnels, de nombreux avions américains approchent. On se retrouve à plat ventre dans l'usine qui fabrique les réputés tapis d'An-Khen. Les bombes sifflent, passent au-dessus de nous et vont éclater en pleine ville d'Haiphong. Quand nous arrivons, c'est un train de munitions japonais qui saute en gare, et puis tout se calme et nous voici à l'hôpital, où débarquent à pleins camions, blessés qui expirent, blessés moins touchés que l'on descend sur des brancards. Chaque médecin français, chaque infirmier annamite fait ce qu'il peut. Je suis chargé de faire le tri, au milieu de ce sang, de ces membres arrachés, de ces ventres ouverts.

Dans le feu de l'action, un médecin ne voit plus le tragique de la situation. Et pourtant, quelle responsabilité est la sienne ! Mettre là, sans possibilité du moindre soin, les *morituri*, plus loin les premières urgences, un peu plus loin les moins graves des blessés...

Cette nuit, il y eut une nouvelle alerte. Les moteurs ronflent, les avions s'éloignent, reviennent. Pas de bombardements, mais les Américains posent des mines pour barrer l'entrée du port.

Et puis, un autre jour, pendant la visite à l'infirmerie de la caserne d'Haiphong, nouvelle alerte. Cette fois, le bombardement est pour nous. Déjà, une batterie antiaérienne japonaise ouvre le feu. Mais les avions s'éloignent en mer. Ils virent de bord et voici qu'ils s'approchent rapidement de la côte. Nous espérons qu'ils ne viseront pas notre caserne : ils doivent bien savoir que nous sommes des amis. Pauvres innocents, nous rêvons !

Tout à coup, c'est le bombardement de zone. Toute la rive de Cua-Cam, la rivière de Haiphong est sous le feu. Et nous avec. Une dizaine de bombes sont tombées sur nous. Mais la discipline a servi à quelque chose. Tout le monde était dans les abris ou dans les tranchées. Et lorsque le colonel me laisse sortir à l'air libre, je peux faire un tour rapide de nos casernements et revenir lui rendre compte que nous n'avons aucune perte.

Mais tout autour de nous s'élève une intense poussière. Pas loin de notre abri, la maison de la police— trois étages — a disparu sous une bombe. Je pars... à bicyclette. Ma famille est encore dans un abri. Je vais jusqu'au port où le raid a occasionné de gros dégâts. Et, comme toujours, ce sont les petits, les pauvres coolies, qui font — plus que les Japonais — les frais de la guerre. Dans un poste de secours de la Croix-Rouge, quelques Français et Françaises bénévoles, plusieurs Annamites, se dévouent sans compter.

Le commandement a décidé d'organiser de grandes manœuvres tout près de la frontière chinoise. Les bataillons du 19e sont là, bien entendu. C'est un ensemble assez impressionnant à voir, mais qui ne pourra tenir sous le nombre de l'adversaire.

Les Japonais commencent à subir des revers. Nous apprenons qu'au sud, vers la Malaisie, ils ont des échecs et qu'ils reculent. En revanche, nous savons bien que leurs troupes d'Indochine ont fait leur jonction avec celles de Chine. Nous, les pauvres isolés, qui croyons au père Noël et pensons que les alliés, les Américains, viendront à notre secours, nous allons avoir contre nous une armée japonaise bien plus forte.

C'est le lieutenant-colonel Le Coq, prestigieux officier, qui nous dit, au cours de ces manœuvres, qu'au jour « J », il n'y aura pas autre chose à faire que de partir dans la montagne, pour résister en faisant de la guérilla. Ce qu'il fera deux mois plus tard, mais, hélas, sera frappé et mourra héroïquement au combat.

Quant aux petits postes, je me souviens de ce sous-officier de la Coloniale qui me montrait la défense qu'il était chargé d'organiser. « Ils arriveront par là, me dit-il. Je les attends et je les reçois en tirant à mitraille. » Il le fit plusieurs fois et disparut sous le nombre. Je l'appris plus tard.

Les manœuvres sont terminées. Rentré à Haiphong, je suis appelé chez le colonel : « Vous allez à Hanoi pour un stage de chirurgie de guerre. On aura besoin de vous. » Nous sommes à la fin de l'année 1944.

Me voici transformé en chirurgien. Ce n'est pourtant pas parce que les circonstances m'ont obligé à couper quelques jambes que je me sens l'âme faite pour cette spécialité. Mais peut-être n'a-t-on pas trouvé mieux. Alors, essayons d'aider le plus possible le « Patron », le médecin-colonel Montagné, et travaillons avec mes deux camarades, Farges, de ma promotion, et Mahoudo, un peu plus jeune.

En fait de chirurgie de guerre, ce sont d'ailleurs des curages, des curetages, des estomacs, des hernies, des appendicites qui nous passent entre les mains. Directement de la théorie à la pratique, ce sera le 9 mars 1945 et l'attaque japonaise...

Pour l'instant, on parle beaucoup de la guerre, bien entendu. La nôtre, dont le dénouement ne tardera plus. Le Pacifique retient toute notre attention. L'Europe, c'est si loin. Et d'ailleurs, l'Europe, et la France en particulier, s'intéressent-elles à cette poignée de Français sacrifiés ?

Il existe bien une armée en Indochine. Que fera-t-elle ? Elle combattra, bien sûr. Coloniaux, légionnaires, tirailleurs « annamites » sauront faire leur devoir. Et puis, il y a des « initiés », dit-on : quelques groupes qui se prétendent plus « résistants » que les forces régulières, mais qui parlent trop ; surtout devant les boys de l'hôtel Métropole, lieu de leurs rendez-vous.

Les parachutages d'armes, les Japonais n'auront pas trop d'efforts à fournir pour savoir ce qu'il en est : quelques piastres aux serveurs des hôtels et autres lieux délieront rapidement les langues annamites.

Oh ! ces petits imprudents qui se gonflent en disant tout haut qu'ils ont reçu une mitraillette ! Tout cela, à part quelques courageux qu'il faut saluer et qui suivront nos troupes en retraite, s'évanouira rapidement le 9 mars 1945... et les armes passeront par-dessus les digues du fleuve Rouge ou dans le « Petit Lac » de Hanoi.

5.

Hanoi — 9 mars 1945

Oh ! Combien d'actions, combien d'exploits célèbres,
Sont demeurés sans gloire au milieu des ténèbres.

CORNEILLE

Je suis de garde à l'hôpital Lanessan, Hanoi. La veille, il y avait alerte. Des Japonais se propulsaient un peu partout dans la ville, particulièrement dans les rues qui mènent à la citadelle occupée par nos troupes. Il paraît que le 9 au matin l'alerte était levée ; travail habituel à l'hôpital. La journée du 9 mars se passe normalement. Ma garde commence dans la soirée. J'ai pris possession de ma chambre de « service ». J'ai posé mon vieux vélo devant la porte, ce vieux vélo qui roule avec des pneus pleins et lourds qui me cassent tous mes rayons : on n'a pas mieux à Hanoi en 1945.

Mon camarade Farges, chirurgien-résident, sort pour aller dîner en ville. Je lui dis : « Méfie-toi, ne va pas trop loin. » Ce à quoi il répond qu'il ne va que jusqu'au Métropole et rentrera après dîner.

Un moment plus tard, un infirmier vient me chercher. Un malade en observation, pour troubles mentaux — il s'agit d'un Français — est très nerveux, me dit-il. Je vais le voir et je trouve, en effet, un individu surexcité, criant, gesticulant et s'adressant à moi pour me faire comprendre que nous allons être attaqués, qu'il y a des Japonais partout sur les toits.

Et, coïncidence extraordinaire, il n'a pas plutôt dit cela que des coups de feu, pas très éloignés, éclatent. Puis c'est une explosion. Pas de doute, le fou a vu juste, c'est l'attaque ! Je cours chez le médecin-résident. Derrière la grille de l'entrée de l'hôpital, un camion japonais s'arrête à peine et jette à terre, à des soldats qui les recueillent aussitôt, des rouleaux de fil de fer barbelé et des sacs de terre. Les Japonais s'installent au coin de l'hôpital, le dos protégé par le mur de clôture. De là, ils vont pouvoir arroser à la mitrailleuse les abords d'un camp militaire français voisin. Aussitôt après, d'ailleurs, on tire des deux côtés. Nous sommes, le médecin-capitaine Mahoudo qui est venu me rejoindre et moi, derrière le mur. Nous gagnons l'intérieur des bâtiments où nous trouvons plusieurs médecins, dont le médecin-chef de l'hôpital, le médecin-colonel Montagné. La nuit est tombée. Ce dernier m'emmène avec lui de pavillon en pavillon pour rassurer les malades qui doivent rester couchés. Pourtant, certains sont déjà partis avec pas mal de personnel dans les abris anti-aériens construits dans l'hôpital.

Montagné allume une cigarette. Nous traversons une cour. Des balles sifflent : « Votre cigarette, mon colonel... » Maintenant nous voici réunis ; presque tous les médecins de l'hôpital ont réussi à rejoindre Lanessan ; Farges n'est pas là.

Au loin on entend des explosions multiples, les canons tirent. La fusillade est très nourrie. Tout cela vient de la citadelle où l'on se défend pour l'honneur, avec le secret espoir que l'on viendra au secours de nos quelques troupes. Un débarquement américain ? Pourquoi pas ?

Le médecin-capitaine Mahoudo me dit : « Dès qu'il fera jour, on recevra des blessés, il y aura du boulot. Viens, on va dormir un peu. » Nous montons dans une chambrée et nous nous jetons tout habillés, sur les premiers lits venus, tandis que sans arrêt des éclats tombent sur les toits au-dessus de nous. Mais cela ne nous empêche pas de fermer l'œil jusqu'au moment, c'est le petit jour, où les explosions se font plus nombreuses.

Nous apercevons dans les environs de l'hôpital une caserne qui brûle ; dans la lumière de l'incendie passent des ombres, des hommes, des chevaux.

Puis peu de temps après, les Japs pénètrent dans l'hôpital. Ils enjambent les grilles, casqués, recouverts de filets et de branchages.

Nous décidons d'aller au bloc opératoire. D'une fenêtre nous voyons des soldats qui vident les abris des hommes, des femmes et des enfants qui s'y trouvent.

Ils sont alignés le long du mur d'un pavillon, hommes séparés des femmes et des enfants. Un fusil-mitrailleur est dirigé vers eux quelques mètres plus loin.

C'est à ce moment qu'un soldat japonais nous aperçoit, pousse un cri, mais avant qu'il n'ait eu le temps de nous mettre en joue, nous avons disparu...

On amène des blessés dans l'hôpital. Mahoudo et moi, aidés par une infirmière française et les infirmiers « annamites » du bloc, nous passons des blouses blanches et attendons.

Nous venons d'apercevoir le médecin-chef et d'autres médecins que quelques Japs armés poussent sans ménagement dans l'escalier.

Mais voici notre premier blessé, un tirailleur tonkinois avec une balle... dans la fesse. Ce n'est pas bien grave. J'ai dit aux infirmiers que si des Japonais arrivaient jusqu'à nous, ils ne bougent pas. Et nous voici au travail dans une salle d'opération.

On entend courir dans les couloirs. Pas de doute, les lourds « godillots » qui font ce bruit sont ceux des Japs. D'un coup de pied, la porte s'ouvre et menaçant, baïonnette en avant, un Jap nous regarde... et s'en va. Nos calots, nos masques, nos blouses et nos gants lui ont fait aussi peur qu'à nous son fusil ! Nous pouvons achever notre petite opération.

L'hôpital est agité. Voici que deux hommes passent, portant un brancard recouvert d'une couverture. Un bruit court. C'est Farges. Oui, hélas, c'est lui. Je le suis jusqu'à la morgue. Une rafale d'arme automatique l'a tué, plusieurs balles l'ont frappé à l'abdomen. Pauvre Farges, dès le début des combats il a essayé — nous l'apprendrons plus tard — de rejoindre son poste en passant le long de la digue du fleuve. Les Japonais tirent sur tout ce qui bouge.

La citadelle s'est rendue avec les honneurs de la guerre, sacrifiée et sans qu'évidemment aucun secours n'ait pu parvenir de l'extérieur. Les pertes des deux côtés sont énormes. Les blessés affluent à l'hôpital. Mais le médecin-chef et le résident que les

Japonais ont libérés m'appellent. Nous devons nous rendre au bureau du médecin-chef occupé par un médecin-commandant japonais. Une vieille infirmière japonaise, qui a toujours travaillé avec nous — elle était mariée à un Français — va nous servir d'interprète. Quand nous entrons dans le bureau, le médecin japonais se tourne ostensiblement vers le mur. Il ne nous adressera aucun regard. Son interprète est là aussi. Nous avons été convoqués pour nous entendre dire que les salles de nos malades doivent être évacuées pour permettre d'hospitaliser les Japonais. C'est là que nous verrons ensuite ces messieurs, nos confrères militaires japonais, passer de lit en lit, sans blouse, mais le sabre au côté.

L'entrevue a été courte. Mais voici que nous sommes appelés à la direction du service de santé, la nôtre, occupée par les Japonais. Autre aspect de l'ennemi. On nous dit de nous asseoir. Quelques minutes passent. On nous fait lever et on annonce le directeur. C'est un brave homme bien élevé, professeur à Tokyo, je crois, en période de paix. Nous mettons beaucoup de choses au point, tandis qu'on nous sert le thé. Et puis « Vieil Papa », comme dit notre infirmière japonaise, n'attend qu'une chose, c'est de récupérer le pousse-pousse de notre médecin-général — parti la veille avec l'état-major... loin de Hanoi —, pour aller s'exercer au tir à l'arc, sport qu'il pratique, paraît-il, en excellent amateur !

Cette diversion ne nous empêche pas de nous retrouver peu après au milieu des blessés et des morts. Ah ! ce pauvre sous-officier que je connaissais un peu ! Ce gémissement lorsque nous soulevons ses draps pour voir l'aspect de ses pansements et qu'il s'aperçoit — il a un avant-bras arraché — que nous l'avons amputé des deux jambes. Il mourra peu de temps après, tandis que sa petite fille donne libre cours à sa douleur et crie sa colère dans les couloirs de l'hôpital.

Nous avons mis en terre notre camarade Farges dans un coin de l'hôpital. Nous avons porté son cercueil sur nos épaules. Deux d'entre nous, le médecin-lieutenant-colonel Calbairac, ophtalmologiste, et le médecin-capitaine Barada, radiologiste, devaient être assassinés, l'un après l'autre par le Viêt-minh, quatre mois plus tard. Mais c'est, hélas, une autre histoire...

Je suis retourné dans la salle de garde. J'avais oublié ma vieille bicyclette. Elle est là, elle n'a pas bougé, personne n'en a voulu. Et je la reprends, avec ses pneus pleins et lourds, et ses rayons cassés !

6.

Après les combats

Rien, sinon une bataille perdue, n'est aussi mélancolique qu'une bataille gagnée.

WELLINGTON

L e 9 mars 1945 est passé, ainsi que les douloureux jours de lutte qui ont suivi.

Nous avons cherché, aux yeux des Japonais, ce baroud d'honneur, c'est assez évident. Fallait-il le provoquer ? Fallait-il, comme l'a voulu le général de Gaulle, que saigne l'Indochine française pour le prestige de notre pays, et pour que les Alliés nous soient reconnaissants de tant de morts ?

A quelques mois d'Hiroshima et de la chute du Japon, les guerriers du Mikado se seraient probablement retirés comme ils l'ont fait. Nous n'aurions pas perdu la face — on l'oublie toujours — devant ceux qui étaient encore, en grande majorité, nos amis : Vietnamiens, Laotiens, Cambodgiens. Car enfin, le 9 mars 1945, le drapeau français flottait partout dans l'Indochine. Et fallait-il considérer tous ces Français d'Extrême-Orient comme des traîtres, que l'on voulut bien, dans un grand élan de générosité, « réintégrer » dans l'armée française, comme s'ils l'avaient un jour quittée. Tous ces soldats, tous ces marins avaient fait leur devoir, tout leur devoir, à Hanoi, à Saigon, dans la jungle. On vit des petits camarades, fraîchement débarqués en Asie, daigner à peine prendre la main que leur tendaient ces « anciens d'Indochine » qui avaient combattu avec courage le Jap, à un contre dix. Je me souviens de l'étonnement de ces vieux légionnaires le jour où, sur les pistes du Laos, ils apprirent qu'ils faisaient à nouveau partie de l'armée française. Les regards gênés de leurs officiers en disaient long sur ce que nous pensions tous.

Revenons à l'hôpital Lanessan.

Dans la partie du service chirurgical que veulent bien nous laisser les Japonais, un travail intense suit les jours de combat.

Ceux-ci cessent, et pourtant on meurt encore. Je revois ce jeune homme que je connaissais un peu, et qui, sortant de chez lui pour changer de domicile, un sac scout sur le dos, est abattu par une sentinelle japonaise. Il a la rate éclatée et j'aide le médecin-colonel Montagné à l'opérer. Hélas, il ne survivra pas.

On a chargé le « stagiaire de chirurgie de guerre » d'une bien pénible mission. Les Japonais trouvent que nous conservons trop de blessés à Lanessan. Ils exigent que la moitié d'entre eux soient transférés à l'infirmerie de la citadelle.

Quelle responsabilité morale ! Trouver les quarante ou cinquante hommes, les moins gravement atteints, et les faire partir de l'hôpital... Certes, ils seront bien soignés — qu'en savent-ils ? — par nos camarades prisonniers, mais ce ne sera plus l'hôpital et son semblant de liberté.

Semblant, certes. Car voici que toute la population civile française du nord de l'Indochine est concentrée à Hanoi. Il en vient de Langson, de Lao-Kay, de Cao-Bang et des nombreuses bourgades où nos compatriotes continuaient à vivre jusqu'à ce jour.

Quant à tous les militaires, enfermés dans la citadelle, ils seront transportés dans des camps lointains, dont celui de Hoa-Bin, de sinistre mémoire.

Mon cousin, le lieutenant Henri Boidec, qui, de garde le 9 mars, déclencha l'alerte, y partira et je le reverrai plus tard revenir, lui et les autres, du moins ceux qui auront résisté au climat et aux divers pénibles travaux, dans un bien triste état : paludisme, amibiase et surtout avitaminoses les auront marqués à jamais.

Pourtant la vie continue. On s'organise comme on peut. A l'hôpital Lanessan, s'ajoutent aux blessés des combats les nombreux militaires malades qui, gravement atteints, nous sont remis par le commandement japonais.

Et puis, femmes et enfants vont très mal supporter les conditions précaires qui deviennent les leurs. Médicaments, pansements, s'épuisent : il faudra faire avec ce que l'on a.

Tous ces réfugiés de la « province » vont pourtant trouver asile chez nos compatriotes plus heureux, qui ont conservé leur maison et leurs biens à Hanoi. Des comités d'entraide se dépensent sans compter.

Mais le Jap travaille la population autochtone. Il est bien facile maintenant de faire comprendre que le « Blanc » n'est plus le maître. Beaucoup d'Annamites sont fidèles, telles ces pauvres femmes attachées à nos coloniaux, à nos légionnaires et qui iront jusqu'à Hoa-Bin pour leur glisser quelques provisions à travers les barbelés, malgré brimades et brutalités de leurs geôliers.

La populace, en revanche, suit les meneurs, comme partout, comme toujours.

Une Française est malmenée, près du théâtre, par une bande de jeunes qui s'accrochent à elle pour la voler. Accroupis sur le trottoir, plusieurs adultes attendent. Avec un camarade, nous essayons de dégager notre compatriote. Je me retrouve sous une dizaine de voyous et, bien sûr, mon portefeuille a disparu avec les piastres que m'a prêtées le professeur Montagné. Je ne suis plus payé depuis plusieurs mois, je n'ai plus un sou. Et, à quelques pas de là, ma femme, frappée par une pierre, éponge le sang qui coule de sa joue...

Tout cela n'est pas encore très grave. Mais voici que deux médecins de l'hôpital Lanessan vont être victimes d'attentats. C'est le médecin-capitaine Barada, le radiologiste, assassiné chez lui par plusieurs individus qui se sont introduits par la porte du garage. Un tabouret à la main, notre camarade n'a pu éviter les balles qui l'ont abattu. Je me souviendrai toujours de ses poignantes obsèques. L'eau a envahi la tombe creusée au cimetière de Hanoi. Le cercueil surnage, jusqu'au moment où il s'enfonce enfin sous le piétinement de plusieurs coolies et que notre émotion est à son comble.

Le médecin-lieutenant-colonel Calbairac, l'oto-rhino-laryngologiste de l'hôpital, vient de nous quitter, le docteur Maurice Riou et moi. Quelques minutes plus tard, on vient nous prévenir qu'il a été assassiné. Notre pauvre camarade et ancien, homme doux

et prévenant s'il en fut, a été transporté à l'hôpital où il vient
de mourir.

Les révolutionnaires savent bien l'influence qu'exercent médecins et missionnaires sur la population. C'est donc à eux que, tout
d'abord, il faut s'en prendre.

Lors des combats, nous avions déjà perdu plusieurs amis.
Depuis le début de cette malheureuse période de guerre mondiale
et jusqu'au jour où nous quittons l'Indochine, c'est près d'une
soixantaine de médecins et de pharmaciens, coloniaux et marins,
qui disparaîtront en Extrême-Orient, tués au combat, assassinés ou
victimes des maladies tropicales. Mais une promotion de l'école
de santé de Bordeaux, porte-t-elle seulement comme nom de
baptême « Indochine 45-54 » ? Le sacrifice de nos camarades
ne sera-t-il jamais reconnu ?

Quant aux missionnaires, en particulier ceux des missions
étrangères de la rue du Bac, c'est, pendant la même période,
trente-six des leurs qui ont disparu, payant de leur vie leur
apostolat.

Mais voici que va s'effondrer enfin l'Empire du Soleil Levant.
Partout, autour de nous, depuis quelques semaines, soldats et
prisonniers creusent des tranchées, construisent des plates-formes
de tir dans les arbres des avenues.

Il suffira d'Hiroshima pour que nos vainqueurs disparaissent
comme des rats. Nous apprenons à l'interprète japonais de l'hôpital
que son pays met bas les armes. Il se trouve mal et s'allonge
sur le premier lit venu. Il n'était pas méchant. Nous ne pouvions
que sourire quand il nous traduisait l'ordre donné de détruire
les mouches, nous donnant tapettes et boîtes pour tuer, recueillir
et compter les indésirables diptères. Il était plein d'admiration
pour le fils du médecin-chef qui, dans un coin perdu de l'hôpital,
avait placé, à son insu bien entendu, quelques bouts de « bar-
baque » infâme, merveilleux piège qui lui permettait de battre
tous les records de chasse... même ceux des Japonais !

Quelques nouveaux blessés viennent d'être admis en chirurgie.
Nous allons les choyer. Ce sont des aviateurs américains, abattus
par la chasse japonaise au cours de raids sur le nord de l'Indochine.

Ils ont demandé — et obtenu (il faut le noter) — d'être soignés par des médecins français.

Un jour, une ambulance bien close a franchi la porte de l'hôpital. Les sentinelles japonaises n'ont rien demandé et les aviateurs ont pu gagner le large. Nous n'avons jamais su s'ils avaient réussi dans leur fuite.

Nous venons d'avoir la visite du professeur Huard. Médecin-colonel, à cette époque, brillant chirurgien, c'est une grande figure du corps de santé colonial. Il s'illustrera plus tard, après avoir été doyen de la faculté et recteur, par ses recherches sur l'histoire de la médecine, avant de disparaître, tragiquement fauché par une auto dans une rue de Paris en 1983. Il est connu de tous les milieux vietnamiens et il a formé la plupart de ces médecins qui maintenant sont passés dans le camp Viêt-minh. Mais ils conservent pour lui une certaine reconnaissance, ce qui lui permet d'être renseigné sur bien des problèmes.

En short kaki, longues jambes, Huard saute de sa bicyclette — professeur ou pas, personne n'a plus la moindre auto — et nous dit à l'oreille : « Attention, ce soir, il y aura du datura dans la soupe ! »

Que faire ? Le cuisinier, le « bep », est avenant, comme tous les jours. Il est dit-il, un bon « Viêt-minh ». De fait, il va au marché régulièrement. Il revient parfois, la mine déconfite, en nous faisant croire qu'on lui a volé l'argent des provisions. Mais souvent il nous porte un beau bifteck qu'il glisse sous ses vête-ments, à même la peau, pour qu'on ne le lui prenne pas.

Diable, il faut bien manger !

Aujourd'hui, rien n'a changé. Mais pendant que tout le monde goûte, du bout des lèvres, au potage, peut-être plus amer qu'à l'ordinaire, et cela sous le regard ironique de Ong bep, je suis au premier étage de la maison. J'ai attaché tout un chapelet de pétards à la fenêtre, avec, à portée de la main, une boîte d'allu-mettes, et je suis prêt à « faire feu » à la moindre alerte.

Seule façon de voir accourir une patrouille, car crier ne servira à rien.

Je n'ai pas eu à intervenir. D'ailleurs le datura, à notre connais-sance, n'a fait qu'une seule victime, l'un de nos compatriotes âgé et malade. Les autres personnes empoisonnées se sont tirées d'affaire, après une crise d'agitation nerveuse, pendant laquelle la canaille en a profité pour déménager meubles et objets de quelque valeur.

Si nous mangeons à peu près à notre faim, il n'en est pas de même pour la plus grande partie de la population autochtone.

Traînées et poussées par des soldats japonais, passent des voitures chargées de riz, destiné à la troupe. Quelques grains par-ci par-là tombent sur le sol. Un morceau de carton d'une main, une balayette de l'autre, des femmes annamites suivent les convois et récoltent à terre le peu qu'elles peuvent ramasser...

Parfois, un jeune se hasarde, donne un coup de couteau dans un sac et s'enfuit à toutes jambes. C'est une aubaine pour les nha-qués, tant que l'accroc n'a pas été réparé.

Sur les côtes d'Annam, la marine américaine coule tous les bateaux qui transportent du riz de Cochinchine au Tonkin. La disette devient grave. Dans les campagnes du delta, c'est maintenant la famine qui sévit. Des villages entiers arrivent par sampans dans les villes — Haiphong, Hanoi — croyant y trouver nourriture pour survivre. On entend une galopade de centaines de gens dans la rue. Où se dirigent-ils ? Nul ne le sait. L'un est tombé, épuisé et va mourir. Personne ne s'arrête. Le troupeau continue sa course, à bout de force.

Curieuse époque. C'est l'anarchie la plus totale. Des cortèges de Vietnamiens, on ne dira plus Annamites, passent sous mes fenêtres. Nous les voyons à travers les volets. Des drapeaux « nationalistes », rouges et jaunes, flottent. Une heure plus tard, les mêmes cortèges repassent. Les drapeaux sont rouges. Hô Chi Minh a pris le pouvoir.

Vient un jour où, la guerre perdue, l'armée chinoise relève les Japonais qui se regroupent à Haiphong. Les Chinois arrivent du Yunnan et du Kouang-si. Ce n'est pas brillant. A part quelques unités composées de ce qu'on peut considérer comme de vrais soldats, la plupart des détachements rencontrés sont hétéroclites : un homme en armes, deux ou trois porteurs suivent le guerrier. La discipline ne ressemble pas à celle que l'on découvrait chez les Nippons, il faut bien le reconnaître.

Pour faire preuve d'esprit de coopération, les autorités françaises, ou ce qu'il en reste, proposent d'aider les Chinois en leur prêtant nos médecins. Et voici l'ancien docteur des chemins de fer du Yunnan, à la tête d'un groupe d'étudiants français, passant, chaque matin les portes d'un casernement étranger.

Mes quelques mots de chinois me servent et nos blouses blanches ont un certain succès.

Mais un beau jour (nous sommes peut-être un peu trop curieux de ce qui se passe derrière ces murs), on nous remercie des bons soins que nous avons donnés et, comme on sait le faire en Chine, on organise un grand banquet.

Quant au médecin-colonel chinois, mon correspondant, il ne veut pas en rester là, et c'est avec lui et deux autres officiers qu'un soir nous nous engageons pour aller dîner dans un grand restaurant, rue de la Soie, tandis que les passants sont assez surpris de me voir dans ces parages où, depuis quelque temps déjà, ne s'aventure plus aucun Français, plus aucun Blanc.

Je viens de passer près de l'un des détachements de l'armée chinoise, installé dans une ancienne caserne française.

De derrière les grilles, les soldats regardent la rue. Un tout jeune Vietnamien cherche à leur vendre des cigarettes. Sous prétexte de faire son choix, un affreux troupier se fait passer le plateau, s'enfuit, pendant que le pauvre gosse éclate en sanglots. Comme je me sens mortifié — je le suis encore — en m'apercevant qu'en cette minime circonstance je ne peux intervenir, et que nous ne sommes plus rien ! Qui m'aurait écouté pour rendre justice à ce malheureux petit nha-qué ?

Des événements nouveaux vont se produire. Les trois mille soldats français et indochinois qui ont réussi, après l'attaque du 9 mars, à se réfugier au Yunnan, s'organisent et sont placés sous les ordres du lieutenant-colonel Quilichini. Ils manquent malheureusement d'un certain nombre d'officiers, et en particulier de médecins.

« Acceptez de partir, me dit le médecin-colonel Montagné. Vous aurez le pied à l'étrier et, en compensation, votre famille sera l'une des premières rapatriées ! »

Elle fut en effet l'une des premières rapatriées de Hanoi à Saigon où elle attendit de longs mois, dans le dortoir d'une maternité de Cholon, une place dans la cale d'un « somptueux » libertyship, nourrie à la gamelle, pour arriver à Marseille, habillée de vieux vêtements de la Croix-Rouge.

Et pendant un an, aucune correspondance ne put être échangée : « Vous n'avez pas de nouvelles, c'est qu'il se porte bien ! »

Il est vrai que, de mon côté, je n'ai aucune lettre de mes parents depuis cinq ans. Tout cela est bien consolant...

Devant les alléchantes promesses qui me sont faites, la discipline aidant, je suis bon pour les « troupes françaises de Chine » !

Un groupe d'officiers va quitter Hanoï en Dakota pour rejoindre au Yunnan la colonne qui partira de Chine et, à travers monts et vallées, atteindra... un jour... Saigon !

Equipés le moins mal possible — mes uniformes ont, pour ma part, tous disparu lors des combats du 9 mars — nous voici prêts. Nous atteignons la piste de Gia-Lam où nous attend notre avion aux cocardes tricolores.

Plusieurs officiers chinois montent avec nous. Ils profitent de cette liaison pour emporter ce qu'ils ont pu piller au Tonkin. Parmi eux, le « médecin-colonel » avec lequel j'ai été en relation pendant plusieurs mois à Hanoï. Les mauvaises langues prétendent que la caisse qui lui sert de valise est pleine d'ampoules de produits pharmaceutiques. C'est possible. Chaque Chinois prend ce qu'il trouve, jusqu'aux poignées de porte et aux chasses d'eau des toilettes.

Les autorités chinoises qui gardent le terrain d'aviation ne sont pas trop pointilleuses. On n'a pas fouillé mon sac, c'est encore heureux.

Voici le départ. C'est aussi mon baptême de l'air. Dans ce Dakota sans aucun confort, nous sommes pas mal secoués. Plusieurs d'entre nous ne l'apprécient pas.

C'est bientôt Kunming que j'ai quitté en 1941. Près de cinq années ont passé.

Sur le terrain, des soldats français en armes. Quel changement, quel soulagement ! Quand on pense qu'à Hanoï, les Chinois nous font descendre du trottoir... Ici, c'est le monde à l'envers, et lorsque mon Chinois de colonel demande à quitter le camion qui nous emporte vers la ville, il n'est peut-être pas traité avec tous les égards dus à son grade par nos gars qui le débarquent sans ménagements. Enfin, il se confond néanmoins près de moi en remerciements.

Nous n'aurons guère le temps de faire du tourisme à Kunming. J'ai bien connu cette ville où il faisait bon se promener dans la ruelle des antiquaires. Poussière et toiles d'araignées cachaient souvent des trésors. Tous ceux que j'ai achetés ont disparu dans la tourmente, raflés par les Japonais, les derniers par quelques pillards.

L'ancien « médecin-chef » de la Compagnie française des chemins de fer du Yunnan va refaire, en simple voyageur, le trajet qu'il a souvent parcouru lorsqu'il inspectait les infirmeries de la ligne. Dans ma tenue militaire, voici pourtant que le chef de la gare où nous venons de nous arrêter, m'a reconnu. Après les salutations d'usage, ce brave homme, l'un des rares Chinois chrétiens de la région, a appelé sa femme et ses enfants que j'avais plus ou moins soignés. A-t-il seulement compris ce que l'ex-médecin-chef pouvait faire au milieu d'une dizaine d'officiers français ?

Voici Kai-Yuen où j'ai vécu trois années et où nous allons passer la nuit. J'ai eu le temps de me promener quelques minutes dans ce qui était la « concession », et de voir la villa que j'occupais. C'est, me dit-on, un colonel qui y loge. La haie qui clôt le jardin n'est pas trop mal taillée. La rouge fleur de l'hibiscus éclate, de-ci, de-là, au milieu du feuillage.

On aperçoit à travers le portail d'entrée le délicieux petit bassin où nageaient autrefois poissons rouges à queue de voile et télescopes, que je soignais avec tant d'attention. Au milieu de l'eau, un « rocher » fait de stalactites rapportées d'une grotte en montagne était recouvert de plantes légères et de capillaires, et j'avais créé mille chemins où des petits personnages de faïence traversaient des ponts minuscules, tandis qu'un jet d'eau retombait en cascades pour se perdre au travers d'un épais tapis de mousse.

Tout cela m'a paru desséché. L'image paisible d'avant-guerre s'est évanouie à jamais.

Demain, nous rejoindrons, dans la plaine de Tsao-Pa, la colonne française prête à faire mouvement. Une nouvelle aventure commence.

7.

La Légion
en marche — 1946

Hannibal écoutait, pensif et triomphant,
Le piétinement sourd des légions en marche.

José Maria de HÉRÉDIA

L a ligne du chemin de fer Haiphong-Lao-Kay-Kunming passe
à proximité de la ville chinoise de Mong-tseu. Des hauteurs
où nous sommes, on aperçoit l'agglomération yunnanaise dans la
plaine. Deux petites gares la desservent : Pichétchaï et Dragon
noir. Puis apparaît au voyageur qui vient du Tonkin, une autre
dépression entourée de montagnes, c'est la plaine de Tsao-Pa.

Par-ci, par-là, des paysans sont penchés sur la terre, mais c'est
par milliers que des grues — splendides échassiers — ont choisi
de se rassembler à la recherche de la nourriture que leur procurent
ces lieux marécageux où grouillent poissons et grenouilles dont
ils raffolent et dont ils sont à peu près les seuls prédateurs.

Combien j'aime ces immenses étendues sauvages toujours
semblables à elles-mêmes depuis les siècles des siècles et que
l'homme connaît à peine... C'est ainsi qu'elles m'apparaissent
lorsque, en 1938 pour la première fois, j'arrive au Yunnan.

Moins de deux ans plus tard, par centaines et par centaines,
des coolies chinois débarquent du train à Tsao-Pa, encadrés
par des architectes et des ingénieurs. Le gouvernement a pris la
décision de mettre cette plaine en valeur. Le train s'y arrêtera
désormais et on y construit une gare. L'élevage du ver à soie
monopolisera bientôt tous les efforts. Le directeur de l'organisation prend contact avec moi à Kai-Yuen qui n'est pas très
éloigné. C'est un homme exceptionnellement dynamique ; de

culture française, il a passé de nombreuses années dans notre pays. Il veut, me dit-il, acclimater dans cette plaine le plus grand nombre possible d'espèces végétales, et il me demande des graines, des boutures, des jeunes sujets de toutes les plantes qui poussent dans les jardins de mon hôpital. Obligé de canaliser une partie de la plaine, très marécageuse, il va organiser des élevages de poissons pour nourrir ses coolies, et construira des bassins pour recueillir daphnies et autres bestioles dont se nourriront ses élevages. Il ne laisse rien au hasard, pendant que l'on construit des quantités de petites maisons où une pièce sera réservée à un ouvrier, une autre aux chenilles du bombyx.

Les grues de la plaine doivent se demander s'il leur restera quelque place devant cet envahisseur.

Et pourtant, alors que tout semble prendre forme, soudain tous les coolies repartent par le train ; le projet a dû être abandonné. Quelques gardiens, peut-être, ont entretenu les demeures et je n'ai plus entendu parler de Tsao-Pa pendant le reste de mon séjour en Chine.

9 mars 45. Les troupes françaises, en retraite après le coup de force japonais, pénètrent en Chine. C'est à Mong-tseu et à Tsao-Pa qu'elles retrouvent un calme relatif après les durs combats de la retraite. Position difficile où les Chinois, les Américains et même, au début, la mission militaire de nos compatriotes venus de France, n'accueillent pas ces quelques milliers de combattants, comme des alliés. Ce n'est qu'après bien des mois, et alors que se sont produits des attentats, des abandons, des désertions, que tout rentre dans l'ordre avec la prise de commandement du lieutenant-colonel Quilichini, de l'infanterie coloniale, encore jeune pour le grade qu'il a atteint, en récompense de ses états de service lors de la libération de la France.

Je l'avais connu lieutenant à Fréjus, et moi, je suis toujours capitaine, et bien oublié en Indochine...

Quilichini prend ses troupes en main, puissamment aidé par l'expérience des plus anciens, mais moins gradés que lui, je pense au commandant Gaucher, de la Légion étrangère, qui mourra héroïquement à Diên Biên Phu.

Les troupes s'organisent. On se ravitaille, on achète à Kunming, au marché noir, tout ce qui peut être indispensable... même en armement. Le 7 février 1946, heureux de voir s'achever un séjour forcé en Chine, 3 500 hommes, mulets et chevaux par centaines, se lancent sur les pistes dans une aventureuse expédition.

Les grues de la plaine vont retrouver le calme d'autrefois. Je souhaite qu'aucun chasseur, comme celui que j'ai connu, un employé de la Compagnie des chemins de fer, ne vienne troubler leur tranquillité et tenter de les détruire. Elles ont, pour se défendre, un sens très poussé de l'observation. Elles connaissent les bons paysans chinois et vivent à côté d'eux, bien sagement. Lorsque cet étranger dans son accoutrement grotesque — il s'était déguisé en coolie chinois — est venu essayer de les surprendre, elles ont rapidement vu le bout de son fusil et de son long nez. Dans un concert d'insultes, elles ont pris leur vol et il est parti bredouille !

C'est le 5 février 1946 que j'arrive au camp de Tsao-Pa. Je vais me présenter au lieutenant-colonel Quilichini qui me reconnaît tout de suite, mais qui me trouve maigre et pâlot, pour accomplir la future randonnée.

Oui, huit années en Extrême-Orient, dans les conditions de vie parfois difficiles où nous nous sommes trouvés, ne m'ont pas étoffé et je ne dois pas avoir de globules rouges en excédent. Amibiase, parasitismes divers, urticaire, crises violentes d'œdème de Quincke, on recherche d'habitude de plus solides gaillards pour se propulser dans la jungle. Je ne peux lui offrir que mes 56 kilos pour 1,70 m... On se serre la main et on n'en parle plus.

Mais voici que, parmi les officiers que je rencontre, un grand bonhomme vient vers moi. Je ne le reconnais pas d'emblée... Eh oui ! c'est le père de Neuville, sans barbe. Avez-vous rencontré quelquefois un père des missions étrangères sans la barbe, rousse, par-dessus le marché ? Ce n'est plus le même homme. Je suis heureux de revoir ce cher Père qui officiait à Lao-Kay et venait parfois au Yunnan sur la ligne du chemin de fer qui dépendait de son ministère. J'ai toujours éprouvé beaucoup de sympathie pour lui et je sens que nous allons devenir une paire d'amis. J'apprends qu'il a réussi, le 9 mars, à se sauver et des Japonais et des Annamites, dont certains auraient bien voulu le supprimer comme ils l'ont fait de bien d'autres missionnaires. En tout cas, c'est bien à ce moment qu'il a coupé sa barbe pour ne pas être reconnu. Je ne sais par où il est passé, mais il a rejoint la Chine et les troupes françaises, et le voilà « aumônier-capitaine ». Nous allons former un duo, renouvelé d'André Maurois, « Colonel Bramble et docteur O'Grady » !

Je prends contact avec le personnel de l'« unité d'évacuation » qui m'est confiée. Le médecin-commandant Hervé, médecin-chef de la colonne, m'explique tout ce que l'on a pu préparer avec souvent les moyens du bord. Mon camarade, le médecin-capitaine Riu, partira avec moi. Un sous-officier, l'adjudant-chef Choutard, sera un précieux compagnon de marche pour l'organisation des étapes, le bivouac, tout ce qui touche au matériel et surtout aux mulets et aux chevaux.

Un excellent infirmier de la Légion, quelques infirmiers annamites très dévoués seront mes plus proches collaborateurs au départ. Tous les conducteurs d'animaux sont des tirailleurs. Pas un seul ne nous quittera tout au long de cette marche de neuf mois au Tonkin et au Laos.

Le 7 au matin, à 7 heures, les couleurs sont amenées, les clairons sonnent. La colonne s'ébranle. Les troupes de Chine sont en marche. Un soulagement énorme s'empare de tous ces hommes qui pensent que leurs malheurs sont terminés. Hélas ! plus d'un, en traversant toute l'Indochine du nord au sud, n'arrivera jamais à Saigon, port bien lointain d'embarquement pour les Européens, de retour au village pour les tirailleurs fidèles.

Je viens de relire le journal de marche de mon unité, trente-sept ans après ce départ. Combien de fois ai-je noté : « Combat... 4 tués — Noyades... 2 sous-officiers — Accrochage... 1 tué — Choléra... 1 mort. »

Sur les pistes de Chine, au Tonkin, au Laos, les pertes par le feu furent toujours légères. Mais en neuf mois, à travers la savane ou la forêt, trop de ces compagnons, officiers, sous-officiers, modestes marsouins, légionnaires ou tirailleurs, ne laissèrent de notre passage qu'une petite tombe vite oubliée.

La première étape n'est qu'une promenade de santé de cinq heures de marche. Néanmoins quelques jeunes gens, de ceux qui ont réussi à ne pas se faire capturer au Tonkin par les Japonais, et qui ont pu franchir la frontière chinoise, n'ont pas la résistance de nos vieux coloniaux. Certains s'écroulent sur la piste. J'ai bien vite compris que mon cheval de selle servira plus souvent aux éclopés qu'à moi-même.

Nous voici maintenant à Ko-Kéou, capitale de l'étain. Tout vit ici du précieux métal. J'avais, il y a quelques années, visité l'usine, assez archaïque, et surtout les petits fondeurs, travaillant seuls dans leur boutique.

J'avais été invité par les autorités de la province du Yunnan, et nous avions à cette occasion inauguré la route qui allait dorénavant relier Kai-Yuen, Mong-tseu à Ko-Kéou. Un grand dîner avait eu lieu.

Aujourd'hui nous campons sur le terrain de sport. Nous avons dressé les tentes. Il fait un froid de loup, ce qui n'a pas empêché des rôdeurs de venir voler le cheval du... colonel !

Nous marchons maintenant en direction du fleuve Rouge, le Yuan-kiang pour les Chinois. Une longue descente vertigineuse entre les arbres, par une piste à peine tracée, et nous contemplons le fleuve majestueux dont les lointaines rives opposées laissent deviner une remontée aussi escarpée que celle que nous venons de quitter.

De nombreuses pirogues nous attendent. Les animaux sont débâtés et devront traverser le fleuve à la nage. Un légionnaire, debout dans une embarcation, tient un cheval par la bride. Docile, celui-ci se lance à l'eau, suivi d'un seul élan par des dizaines et des dizaines de chevaux et de mulets. C'est un spectacle impressionnant que ces braves bêtes, en si grand nombre, emportées par le courant... Elles atteignent la rive droite du Yuan-kiang plus loin en aval, sur une longue plage de sable que les basses eaux ont mise à découvert. C'est là aussi que nous allons bivouaquer. On pourrait croire à une agréable partie de camping !

La colonne avance toujours en territoire chinois. Des hauteurs que nous avons atteintes, nous ne voyons que quelques sommets, les bas-fonds étant entièrement noyés dans la brume. C'est là un sujet souvent traité par les peintres chinois de tous les siècles...

Nous arrivons bientôt à Van-Pouten, à la frontière du Tonkin. Il faudra se garder davantage. D'ailleurs, cette nuit, des coups de feu nous ont réveillés. Ce n'étaient que des voleurs de chevaux qui se sont fait recevoir par nos sentinelles et n'ont plus insisté.

Mais nous apprenons que les éléments qui nous précèdent viennent de prendre Phong-Tho. Le combat a été assez rude et nous déplorons la perte de quatre des nôtres, tandis que nous avons aussi une demi-douzaine de blessés. Phong-Tho était occupé par le V.N.Q.D.D., le parti prochinois. Nos soldats, en approchant du poste, ont été pris sous un feu nourri. La mitrailleuse ennemie a pu être neutralisée par un tir de mortier bien ajusté. Le poste pris, il restait à déloger d'un piton quelques tireurs qui arrosaient littéralement nos soldats tentant l'escalade et dont le courage devait triompher de cette dernière résistance.

Mes camarades Cavallère et Mathurin donnaient les premiers soins aux blessés.

En arrivant sur les lieux du combat, nous voyons un prisonnier que l'on conduit devant nos officiers pour interrogatoire. Suivi d'un soldat, il monte les marches d'un petit escalier, quand, arrivé à l'étage, il réussit à enjamber la balustrade et va se fracturer le crâne sur le sol. Nous apprenons qu'il s'agit d'un instituteur « annamite ». La propagande lui a probablement fait croire qu'il va être martyrisé par ces « diables de Français ».

Avec mes camarades, tous les blessés, les nôtres et ceux d'en face, ayant été soignés, nous prenons toutes les dispositions voulues pour les évacuer sur Laï-Chau que nous comptons atteindre bientôt et que nous pensons mieux outillé.

Les chefs locaux de Phong-Tho, les « Déos », tiennent absolument à fêter notre succès. Le cœur n'y est pas, la perte de nos quatre petits gars auxquels nous venons de rendre les honneurs, ne nous donne guère envie d'assister à un banquet et de voir évoluer, fussent-elles gracieuses, les danseuses du ballet Déo. Mais ces gens ne comprennent pas notre tristesse. Il nous faut faire un effort pour applaudir à la danse et remercier le grand chef de cette réception chez les Thaïs blancs.

Laï-Chau est maintenant notre objectif. Le commandement est parfaitement renseigné sur les attitudes successives des autorités locales à l'égard de ceux qui nous ont remplacés dans leur pays, depuis 1945. On a d'abord accueilli avec de larges sourires les Nippons « libérateurs » des peuples « opprimés » du Sud-Est asiatique. Les Japonais sont partis à leur tour, battus. Les Chinois arrivent en vainqueurs, puisqu'on leur a donné mission d'occuper le nord de l'Indochine : nouvelles amabilités pour ces nouveaux protecteurs qui disent bien haut qu'ils sont là pour toujours, chez ces Thaïs et autres ethnies de la plaine et de la montagne. Mais voilà que reviennent les Français. Il faudra donc les recevoir avec empressement ! Après tout, ceux-là ou d'autres ? Ne parle-t-on pas un peu leur langue ? Ils ont construit des écoles, des hôpitaux, des maternités.

Le médecin-chef de Laï-Chau, mon camarade de promotion, Riu, est de retour, après avoir pu se réfugier au Yunnan, lors du coup de force japonais. Il est là, en tenue de capitaine, au milieu de tous ces officiers, de tous ces soldats français. Des : « Comme on est heureux de vous revoir », l'accueillent — évidemment. Mais mon ami Riu sait rapidement à quoi s'en tenir. Et, avec une douce philosophie, il comprend bien l'attitude de ces protégés chroniques. Mais ne sauraient-ils pas choisir entre l'humanité de la colonisation française et l'emprise brutale du Japon ou de la Chine ? Plus tard, on se rappellera, dans ces vallées heureuses du pays thaï, l'amitié française, quand d'autres dominateurs donneront leurs ordres : les Vietnamiens totalitaires. Et le dicton d'autrefois reviendra à la mémoire des vieux : « Thaïs [ou Laotiens] et Anna-mites sont comme chiens et chats ! » Plaignons les peuples faibles !

Pour le moment, les Chinois sont bien embarrassés. Ils ont menti en disant qu'ils resteraient les seuls étrangers dans ce pays. Et nous apprendrons que quelques semaines plus tard, lorsque la troupe chinoise voudra rejoindre ses montagnes du Yunnan, elle tombera dans une embuscade tendue par les gens de Laï-Chau.

Le docteur Riu est retourné dans son hôpital, qui n'a plus aucun matériel et ne sert strictement plus à rien. Nous essayons d'y apporter quelque remède, et nos blessés, nos malades y seront tout de même mieux que dans une paillote.

Beaucoup de braves gens sont venus trouver Riu, villageois, paysans qu'il a soignés autrefois avec dévouement. Il me dit un soir : « Viens avec moi jusque chez d'anciens malades qui m'ont invité au village. » Nous sortons un peu imprudemment et nous nous apercevons bien vite que nous sommes surveillés. Des soldats chinois nous suivent de loin, se dissimulant dans quelques recoins. Nous sommes seuls, sans armes. Quoi de plus simple que de nous faire disparaître ! Riu connaît mieux qu'eux le village. Par quelque ruelle nous leur faussons compagnie et rejoignons nos « pénates » plus rapidement que nous ne les avions quittées.

Nous ne restons pas longtemps à Laï-Chau. Nous voilà de nouveau en mouvement. Les escarmouches se poursuivent pour les éléments avancés. Je trouve sur notre route, dans une case abandonnée, le sergent-chef de la Légion, Walkoff, blessé à la cuisse par une balle qui a fracturé le fémur. Nous sommes obligés de poursuivre notre chemin avec ce blessé, couché sur un brancard et porté par quatre hommes que nous réquisitionnons dans un village. C'est ainsi que nous arrivons à Tuan-Giao, agglomération assez importante, située au carrefour des routes Laï-Chau - Sonla d'une part, et Diên Biên Phu d'autre part. Tous les bâtiments situés à cet endroit ont été détruits en 1945 par l'aviation américaine, pour retarder l'avance japonaise lors de notre retraite. Je pourrai installer mon infirmerie dans le village thaï. Déjà Walkoff est sur un lit de fortune : on exerce sur le membre inférieur blessé une traction continue au moyen de quelques gros... cailloux ! Il faudra attendre maintenant la récupération du terrain d'aviation de Diên Biên Phu et la possibilité d'une évacuation sur Hanoï.

Un autre blessé grave, un caporal du 5ᵉ Etranger, présente une plaie perforante du poumon, avec un gros hémothorax. Il s'en tirera très bien.

Aujourd'hui, un sous-officier a été atteint d'une balle dans la région abdominale. Il se trouve à plusieurs kilomètres de Tuan-Giao. La seule solution est de le faire transporter d'urgence jusque chez moi. Quatre brancardiers et six coolies sont chargés de l'opération et le blessé me parvient dans un temps record. Il ne s'agit heureusement que d'une plaie en séton de l'abdomen, n'intéressant que les parties molles. Il reprendra rapidement son poste après une légère opération.

Mais nos blessés ne sont pas les seuls. Voici que trois prisonniers, pas trop sérieusement touchés, reçoivent nos soins à leur tour. L'un a dans la poche de sa chemise un drapeau rouge à étoile jaune : il signe son appartenance aux troupes du barbichu Hô Chi Minh.

C'est dans cette infirmerie rudimentaire qu'il me faudra désarticuler le poignet d'un sous-officier : une balle a fait exploser littéralement la main. Je reverrai ce garçon avec une certaine émotion — car j'avais été peiné de ne pouvoir mieux faire que cette brutale intervention —, sur le quai d'Alger où, près d'un an plus tard, accostait le *Son-Tä* : il venait saluer ses camarades du bataillon de marche de la Légion, qui rentraient d'Indochine.

L'infirmerie s'est organisée, plusieurs parachutages nous ont apporté matériel et vivres d'appoint. Je ne quitterai Tuan-Giao que dans un mois, confiant à Riu blessés et malades, jusqu'au jour où lui-même, bien fatigué, pourra les convoyer jusqu'à Hanoi.

Ah ! mon bon Riu, comme je me souviens de nos jours passés dans ce village où, notre travail terminé, nous nous promenions parfois en bavardant. Ta ville de Sète, son cimetière marin et Paul Valéry te tenaient tant à cœur ! Tu avais récupéré à Laï-Chau, des mains d'un infirmier, un cahier de vers de ton grand poète, en tête duquel on pouvait lire : « Cahier de poésies du docteur Riu » ; ton secrétaire, qui les avait copiées je ne sais où, te prenait probablement pour Paul Valéry. Et tu m'expliquais avec ton accent chantant « Midi le juste » ou « Les chances d'un fruit mûr ». Pourquoi a-t-il fallu qu'à peine arrivé à Hanoi, tu t'éloignes du centre de la ville avec notre camarade Bouillerce et qu'un coupe-coupe s'abatte sur toi, te blessant grièvement ?

Avec le bataillon de marche de la Légion auquel je suis désormais rattaché, mon unité d'évacuation fait mouvement en direction de Diên Biên Phu et nous nous arrêtons à Ban-Boung au carrefour d'une piste qui se prolonge vers Diên Biên Phu d'une part, et descend d'autre part vers le sud, Muong-Lam, pour pénétrer ensuite par Muong-Het au Laos, en suivant la vallée du Song-Ma.

La rivière passe auprès de Ban-Boung dans un paysage aimable et verdoyant. Un jour, pendant qu'avec des engins de fortune, nous avons réussi à confectionner un matériel de pêche — sans grand succès d'ailleurs —, des éléments de l'armée chinoise passent devant nous. Qui est soldat ? On ne sait pas. Par-ci, par-là, un vague uniforme. Puis passent deux ou trois coolies, portant les objets les plus hétéroclites. Et cela pendant des kilomètres et des kilomètres.

Mais ces milliers de Chinois ne veulent pas quitter le Laos, malgré les accords : la récolte du pavot n'est pas terminée et Dieu sait si l'opium se vend cher.

Tant et si bien qu'à Diên Biên Phu, la compagnie Michel du 16ᵉ R.M.I.C. est accrochée sévèrement par les Yunnanais. On nous signale un tué et neuf blessés que je vais recevoir à Ban-Boung.

Bientôt, pourtant, les Chinois disparaissent. Nos troupes s'installent à Diên Biên Phu et nous pouvons évacuer nos malades et nos blessés par la voie des airs, tandis que le général Leclerc nous fait remettre — et nous l'apprécions comme il se doit — quelques bouteilles de whisky.

Nous quitterons les rives heureuses du Song-Ma et son village redevenu calme et tranquille. Alors les filles de Ban-Boung reprendront en groupe leurs bains et leurs jeux sans que tentent de les apercevoir de jeunes et curieux guerriers. Le savant strip-tease commence au bord de la rivière. Le vêtement de la baigneuse glisse le long de son corps pour s'enrouler enfin sur sa tête, tandis qu'à chaque mouvement de lever de voile, elle disparaît d'autant dans l'onde fraîche...

Comme disait Valéry :

> « Ni vu ni connu,
> Le temps d'un sein nu
> Entre deux chemises... »

Toutes les pistes que nous suivons ont été en quelques années le théâtre de bien des drames. Les uns sont oubliés, nous sommes les témoins de certains autres, et, plus tard, cette région de Diên Biên Phu connaîtra, hélas, des jours affreux.

Dans un passé pas si lointain — un an — nos soldats, serrés

de près par des forces dix fois supérieures de Nippons, ne lâchaient le terrain que pied à pied. Certains, à bout de forces, mouraient dans la jungle quand ils n'étaient pas achevés par quelques indigènes qui leur arrachaient leur arme. Dans ce petit village où nous venons de nous arrêter, nous savons qu'un commandant français est tombé sous les balles des Japonais. Les villageois l'ont enterré et nous indiquent sa sépulture. Sous quelques pelletées de terre, nous découvrons les restes de l'officier. Ce n'est déjà plus qu'un squelette sur lequel s'attachent quelques lambeaux de vêtements.

Les honneurs sont rendus à ce brave qui avait réussi, depuis le delta, à gagner la brousse pour aller se battre au milieu de ceux qui résistaient encore. Les hommes creusent son tombeau. Plusieurs dents en or sont encore implantées dans les mâchoires. On me demande de les enlever. Elles permettront peut-être de ne pas faire d'erreur sur l'identité de la personne. Et puis il ne faut pas tenter les villageois qui ont vu le précieux métal : nous quitterons ces lieux bientôt !

Pénible devoir : un davier à la main, j'extrais les dents de cet officier que j'ai peu connu, mais dont je sais les mérites. A ce moment, mon acte me paraît banal et je ne perçois pas ce que ces gestes ont de tragique.

Notre itinéraire passe désormais par Muong-Lam. C'est donc vers le Laos que nous glissons, mais Muong-Lam sera une étape de longue durée dans notre périple. En d'autres temps, ce serait une balade et une halte de vacances, au bord du Song-Ma.

Chaque jour, nous faisons trempette. Les plus aventureux traversent la rivière à la nage. Je montre à mon adjoint, le jeune Fabre-Teste, et à l'adjudant Choutard un vol de papillons qui se posent à l'embouchure d'un petit ruisseau, juste en face de nous, sur l'autre rive. Ils savent bien que lorsque je n'ai rien à faire, je capture des lépidoptères, si beaux, si nombreux dans ces régions. Alors nous montons une expédition « entomologique ». Fabre-Teste est un excellent nageur. C'est lui qui a récemment plongé de nombreuses fois et a réussi à repêcher le corps d'un infortuné sous-officier qui s'était noyé dans cette rivière. Choutard ne nage pas mal non plus. Je suis nettement le minable !

Tous trois « à poil » — il n'y a que l'aumônier qui porte caleçon lorsqu'il affronte les ondes —, nous traversons le Song-Ma. Fabre-Teste part le premier, brandissant un filet à papillons de fabrication locale — des compresses ayant aidé à l'opération. Choutard, quant à lui, tient d'une main, au-dessus du « flot », un bocal garni de coton imbibé d'éther. Moi, je n'ai pas trop de mes deux mains pour vaincre le courant.

Nous retournons deux ou trois fois dans ce paradis pour collectionneur de papillons, deux ou trois fois... jusqu'au jour où, au fil de l'eau, passent des cadavres. Le choléra s'est abattu sur le pays !

C'est la crainte — justifiée — de la terrible maladie qui nous fait demeurer au camp et nous permet d'assister à la reddition comique de quatre grosses mémères, auxiliaires du Viêt-minh. Elles viennent faire leur soumission. Le commandant Gaucher leur inflige une punition de balayage des cases pendant quelques jours et elles repartiront dans leur village.

Les choses sont beaucoup plus sérieuses lorsque des montagnards méos nous amènent, cangue au cou, trois prisonniers viets. Deux sont pratiquement innocents et ont été enrôlés de force. Le troisième, en revanche, est un ancien caporal — cassé — de l'armée française. Il est coupable d'au moins quatre assassinats dans le pays. Le commandant demande aux autorités locales de constituer un jury. Les notables se réunissent et condamnent le Viêt-minh à être fusillé, non sans avoir creusé sa tombe — comme il l'a ordonné lui-même pour ses victimes. C'est horrible, mais c'est la loi de la jungle. Je n'aime pas voir ces spectacles, et bien entendu, je n'assiste pas à l'exécution.

Un autre prisonnier, blessé, porté par des villageois, arrive au poste de secours. Le malheureux a eu la moelle épinière sectionnée par une balle. C'est un ancien typographe d'une imprimerie française de Saigon. Il est sympathique et parle bien le français. Nous le soignons le mieux possible et l'infirmier Granger ne le quitte guère. « Guérissez-moi, docteur, me dit-il, je travaillerai avec vous. » Je sais, hélas, que ses jours sont comptés, et il mourra en pays thaï, bien loin de notre Cochinchine. Que faisait-il dans cette galère ?

Je viens, chose rarissime, d'être obligé de faire la dernière étape à cheval. Je suis très secoué par une fièvre élevée qui ne me quitte pas. Difficile, dans la jungle, de faire un diagnostic. J'ai des citrons et les parachutages nous ont permis de recueillir des sachets qui font une limonade potable. L'eau est assez fraîche. Mais je n'arrive plus à boire à cause de cet affreux goût de fer que me donne mon quart. Mon ordonnance, dévoué s'il en est, m'a fait cadeau du sien, émaillé blanc, américain, acheté au marché noir à Kunming. C'est pour moi une chance inespérée. En dehors d'un petit galon de caporal, je ne vois pas très bien comment le remercier. Pourtant cela se produira bien plus tard, et ce sera une tout autre histoire !

Voici qu'un chef adverse envoie des lettres de menaces aux chefs thaïs qui nous accueillent. Il se surnomme lui-même et signe « la main de fer ». Comme je plains ces braves gens qui nous ont fait confiance. La France aux jours des revers ou aux jours des abandons, en Indochine comme en Algérie, n'a pas eu une pensée pour eux et ne s'est plus souciée de leur fidélité. « C'est grand, c'est généreux, la France ! » Voire... peut-être pas assez pour ses amis, trop pour ses ennemis.

En attendant, « la main de fer » s'est frottée à nous. Elle s'est cabossée. Certes, nous avons eu deux tués et quatre blessés. Mais on compte en face dix-huit morts et une soixantaine de blessés. Nous passons maintenant au Laos.

A Muong-Het, la population nous demande des soins. Il y a là beaucoup de paludéens : quinine et quinacrine, manipulées par les toubibs, nous font des amis, des alliés. Lyautey le savait bien.

Les cases laotiennes s'ouvrent à nous. En bas, les animaux, énormes buffles, à l'étage les hommes. J'ai mis entre ma natte et le « plancher » fait de lattes de bambou, une lame de caoutchouc, récupérée Dieu sait où, et que j'ai saupoudrée abondamment de D.D.T. Le lendemain, je découvre les cadavres de toute une compagnie de... punaises. Un médecin tue ce qu'il peut.

En plein mois de juin, c'est par des pluies particulièrement abondantes, violentes et continues que nous allons de Muong-Het à Sam-Neua. La dernière étape nous verra, pendant sept heures, pataugeant dans la forêt et dans le lit même des ruisseaux.

Nous rejoignons avec un réel soulagement les éléments qui nous ont précédés.

Sam-Neua est le chef-lieu de la province. Les Vietnamiens qui s'y trouvaient ont été dans l'obligation, sous la menace du Viêt-minh, de quitter l'agglomération à l'annonce de notre avance. Les cases ont brûlé. Nous trouvons, en revanche, de nombreux Laotiens ainsi qu'une importante colonie chinoise.

Le commandant Gaucher a attendu l'arrivée d'une compagnie supplémentaire et du service médical, pour prendre, vis-à-vis de ces derniers, les mesures qui s'imposent. En effet, s'il y a eu de tout temps à Sam-Neua des commerçants chinois qui se disent eux-mêmes des bons Chinois, il existe aussi parmi eux un groupe, non négligeable, de guérilleros, plus ou moins pillards, commandés par une femme. Ils sont là en pays conquis.

Pendant la première nuit, tous nos soldats ont logé dans la « citadelle » défendable. Le lendemain matin, des contacts ont été pris avec les Chinois qui ont eu deux heures pour nous remettre tout leur armement. Dans la plaine, partout derrière les diguettes des rizières apparaissent des têtes de légionnaires coiffées du casque colonial. Sur un piton, des mortiers sont pointés en direction du quartier chinois. Les habitants s'inclinent ou font semblant de s'incliner. Et dans la rue je vois ceux qui viennent nous livrer leurs vieilles pétoires. Mais les « pirates » sont partis. Ils seront rejoints dans la forêt où ils font route vers le Yunnan, par un détachement de légionnaires montés. Peu d'entre eux réussiront à s'enfuir.

Ces mesures de sécurité prises, nous ouvrons une infirmerie dans un bâtiment, plus ou moins abandonné, face à la poste, dans l'unique rue de Sam-Neua.

Nous y resterons plus de trois mois.

Le médecin indochinois qui était en service du temps de l'administration française a fui. Cambodgien, il a rejoint son pays. La population ne reçoit plus de soins. Il n'y a pratiquement pas de médicaments au village.

Le haut commandement à Hanoi est d'accord pour que nous organisions un service médical. Aidé par le médecin-lieutenant Kerbastard qui me seconde et qui sera un excellent camarade, breton comme moi, nous voyons arriver de plus en plus de consultants et nous « hospitalisons » même un certain nombre de malades.

Le paludisme est particulièrement sévère et beaucoup d'enfants nous arrivent dans un état désespéré.

Nos troupes aussi sont fatiguées. Bien des hommes sont en Extrême-Orient depuis sept ou huit ans. L'amibiase les a touchés un jour ou l'autre comme le paludisme. L'intempérance d'une bonne partie d'entre eux n'a rien arrangé, quand ce ne sont pas les maladies vénériennes qui complètent le tableau.

Chaque matinée est entièrement occupée par la visite. Mais il faut avec nos gars un minimum de discipline. Voici qu'un légionnaire entre dans la salle de consultation, ne salue pas et s'assoit. Je le prends vertement : « C'est ça, la Légion, ou non ? » Il se lève, salue, claque des talons et s'écroule. Je n'aurai pas un seul tire-au-flanc, même parmi les Belges, bien connus pour cela, comme le dit la marche célèbre de la Légion : « Pour les Belges, y en a plus [du boudin], car ce sont des tireurs au cul ! »

L'infirmier Granger — tiens, c'est un Belge —, toujours la pipe au bec, est d'un dévouement extrême. Mais il n'est pas tendre. Un gars, qui reçoit une injection d'émétine — c'est douloureux — contre sa dysenterie, lui dit : « Pique ailleurs que dans mon épaule, ça fait trop mal. » Granger, imperturbable, répond : « C'est-y qu'tu s'rais une gonzesse ? »

La fatigue s'estompe, mais malheureusement certains détachements éloignés de nous le long du Song-Ma — la Nam-Ma, maintenant, en pays laotien —, seront gravement touchés par la maladie. Deux tirailleurs, malgré leur vaccin, malgré les précautions prises, meurent de choléra. Je perdrai à Sam-Neua un sous-officier, évacué pour la même affection et qui, en dépit des soins prodigués, s'éteindra le lendemain de son arrivée.

Des avions nous parachutent du vaccin en quantité. Nous revaccinons d'abord les troupes, bien entendu. Et puis voici qu'on nous annonce — pour fêter Camerone comme il se doit —, le parachutage de quelques bonbonnes de vin. Mais, hélas, deux parachutes se mettent en torche. C'est une partie du vin qui va se mélanger à l'eau d'une rizière, ce qui n'empêche pas trois légionnaires de se précipiter à plat ventre et d'ingurgiter le maximum de ce qu'ils peuvent récupérer.

Il faut maintenant faire profiter les populations de la région des provisions de vaccin anticholérique qui nous ont été parachutées. Une occasion va se présenter.

Nous avons appris que depuis le coup de force japonais, cela fait plus d'un an, un missionnaire français s'est réfugié dans la forêt. Il vit seul et subsiste grâce à ses chrétiens qui lui portent à manger dans sa retraite. Le commandant Gaucher décide de faire rechercher le bon Père et de le ramener à Sam-Neua. Il ajoute à mon intention : « Préparez-vous à trouver un bonhomme qui aura besoin de vos soins. »

En fait, le missionnaire a très bien supporté son exil et il arrive au milieu de nous en parfaite santé. C'est un gaillard redoutable qui a un appétit remarquable. Aussi, chaque matin, on le voit venir à l'infirmerie en compagnie du père de Neuville — que j'ai retrouvé à Tsao-Pa. Breton, le cuisinier prend l'habitude de leur faire cuire deux œufs sur le plat, devenus traditionnels.

Le Père de la forêt ne fait rien. Il semble exaspérer un peu le commandant qui se demande comment il pourrait l'utiliser. Alors il nous vient à l'idée de lui apprendre à injecter le vaccin anticholérique, ce qui s'avère bien facile. Nous l'envoyons, accompagné de deux tirailleurs, en tournée de vaccination dans les villages thaïs.

Un jour, nous apprenons que de village en village passe un médecin-capitaine qui vaccine les habitants. C'est le bon Père qui, pensant avoir plus de poids auprès des populations, s'est mis trois galons sur les épaules. Et pourquoi pas ? Nous savons bien, même dans notre jungle, que dans l'armée française, F.F.I., F.F.L. et autres résistants se sont donné un avancement autrement rapide !

Au retour à Sam-Neua — il avait enlevé ses galons —, nous l'avons mis un peu en « boîte » ! Ce n'était pas méchant. Bientôt l'épidémie s'éteignait.

Les braves gens de la brousse ont placé sur l'autel des ancêtres les ampoules vides de vaccin qu'ils ont pu conserver. Et leurs prières, les « chim-chim Bouddha », vont autant à nos petits flacons qu'à la divinité !

Dans Sam-Neua, la vie continue. Les mois passent et nous commençons à trouver le temps long. Nous aimerions bien être relevés par ces troupes fraîchement débarquées de France et qui, nous dit-on, viennent à notre rencontre. Mais elles se font attendre. Je suis l'un des plus « anciens » en Indochine : près de neuf années ininterrompues sur cette terre d'Asie.

Je me suis installé à la poste. Mon ordonnance, nommé caporal, me porte chaque matin mon café. Le Vietnamien, devenu un vrai légionnaire, s'arrête à la porte, se met au garde-à-vous, sa tasse à la main, claque les talons et me souhaite un « Bonjour, mon capitaine ! »

Quelques minutes plus tard, mon ordonnance réapparaît avec une bassine d'eau pour la toilette.

Mais mon caporal voudrait bien, me dit-il, aller autour du village me capturer des papillons. D'ailleurs, mise en papillotes, la collection prend de belles proportions. Mais un fusil dans le dos, pour un caporal, chasseur de papillons, ça ne fait pas sérieux. Et il est interdit de sortir sans arme. Alors, mon brave homme me demande tout simplement mon pistolet ; ça fera plus chic, n'est-ce pas, et peut-être sera-t-on reçu, dans quelque ferme, par les jeunes filles de l'endroit. Qui sait si on ne se fera pas passer pour un sous-lieutenant ?

J'ai acheté une bouteille de choum. L'ordonnance trouve des verres, je ne sais où. Alors, ce soir, à la tombée de la nuit, quand le commandant fera sa promenade habituelle avec un ou deux officiers dans la rue du village, je l'inviterai à venir voir mon petit ermitage. Je veux l'étonner, car j'ai trouvé, dans les tranchées que l'on vidait de l'eau de pluie qui s'y était accumulée, de superbes petits poissons à longues nageoires que j'ai placés dans un grand bocal récupéré à l'infirmerie. Une bougie du plus splendide effet éclairera cet aquarium improvisé.

Mais que se passe-t-il ? Des cris semblent provenir du « bistrot » que fréquentent quelques militaires, particulièrement des tirailleurs. Le commandant ne s'émeut pas. Il sait que dans ce lieu, un espion tente chaque jour de faire déserter nos Annamites, à moins qu'il ne leur offre de l'argent pour nous assassiner. Une petite bagarre organisée permet à une patrouille d'intervenir : l'espion sera arrêté, confondu et jugé.

Le capitaine Stervinou, spécialiste du monde thaï, est parmi nous, affecté à la Légion. C'est lui qui possède le plus de renseignements sur ce qui se dit dans le pays. D'une grande gentillesse, c'est encore un Breton. Il vient me voir et me ménage une surprise. Il a trouvé dans la résidence de l'ancien administrateur, un livre, le seul dont personne n'ait voulu. Et je lis : *Vitalis de Salvaza, 1917 — Lépidoptères de l'Indochine*. Je n'en reviens pas ! C'est ainsi que je relève avec des précisions scientifiques, les caractères de toutes les bestioles que je recherche. C'est pour moi une aubaine inestimable et ce livre que je ferai relier un jour, ne m'a plus quitté. Je l'ai encore quarante ans après.

Stervinou m'annonce en même temps que les « bons Chinois », les commerçants sédentaires de Sam-Neua, invitent tous les officiers à un banquet. Certes, nous acceptons, non sans nous méfier de ce qui pourrait se produire. Nous connaissons trop ces grands dîners accompagnés de multiples « campés », où un coup de sabre à la sortie vous fait passer de vie à trépas. Aussi quelques officiers resteront-ils sur leurs gardes avec un petit détachement prêt à intervenir.

Tout s'est bien passé, et, malgré les difficultés d'approvisionnement, ce fut très bon.

Pour ne pas être en reste, les chefs thaïs, peu de temps après, nous invitent à leur tour. Accroupi le long d'une table basse, chaque convive est servi par une jeune fille, assise derrière lui et chargée de lui présenter les mets. C'est aimable, c'est charmant, mais les plats n'ont pas la délicatesse de la cuisine chinoise, pas plus que la finesse des repas annamites dont je raffolerai toujours.

Ces deux banquets nous laisseront quand même un souvenir bien agréable et notre « popote » de chaque jour nous paraît de plus en plus lassante.

Comme nous sortons de la « citadelle » un soir après dîner, le capitaine Stervinou et moi, pour rejoindre notre logis, et alors qu'il fait déjà noir, nous entendons remuer dans un buisson, tout près de nous. Nous nous aplatissons contre un mur et retenons notre respiration. A notre grande surprise, nous distinguons la silhouette d'un homme qui se lève péniblement. Stervinou a tout de suite compris qu'il s'agit d'un légionnaire complètement « bourré » qui fait des efforts pour rentrer au cantonnement. Il apostrophe l'individu et lui dit : « Viens, je vais te remettre entre les mains du poste de garde ! » Alors, dans un dernier effort, l'ivrogne rectifie la position, salue. Et de sa voix empâtée, on distingue pourtant : « Un légionnaire sait aller tout seul en prison ! » Il disparaît dans la nuit en suivant la bonne direction.

En fait de prison, les quelques cellules de la citadelle ne voient pas grand monde. Ce n'est pas le moment, en colonne, d'enfermer des soldats. On préfère appeler le costaud des costauds, un sous-officier, champion de boxe, qui se place devant le fautif et lui ordonne : « Défends-toi ! » L'autre essaye bien de se défendre, mais il ne fait pas le poids et ramasse une bonne tournée. C'est mieux que huit jours de cellule.

Un détachement de relève vient d'arriver. Son jeune médecin, à bout de forces, s'écroule de cheval au moment où il vient se présenter à moi. Il faudra quelques jours pour lui redonner, après une période de fièvre continue, la vitalité nécessaire pour assumer le travail qui l'attend à Sam-Neua, comme dans les postes alentour. Enfin nous partons, heureux de penser que nous prenons le chemin du retour.

Nous ne sommes pourtant pas au bout de nos peines. Si, pour nous, aucun accrochage ne se produit plus au Laos, la fatigue physique des hommes, les conditions météorologiques et l'état précaire des pistes, exigent de chacun un effort soutenu.

Les pluies sont toujours abondantes. Mon casque colonial anglais est heureusement fabriqué de telle sorte que le rebord arrière couvre largement la nuque et que l'eau qui dégouline ne me tombe pas dans le cou.

Une grosse averse terminée, voici qu'apparaît un soleil de plomb. J'ai beau demander que les hommes gardent leur casque, même si on leur permet, pendant la marche, d'enlever leur chemise et de progresser torse nu, quelques petits malins veulent faire mieux que les autres. Je relève un légionnaire qui est tombé sur le bord de la piste, frappé d'insolation. Il se tirera de ce mauvais pas et, hissé quelque temps plus tard sur mon cheval, il pourra poursuivre sa route. Mais combien de fois a-t-il crié, avant de reprendre ses esprits : « Beer, beer ! » En fait de bière, il a reçu quelques seaux d'eau sur la figure et en a avalé autant qu'il a voulu.

Nous faisons halte dans un village où nous passerons la nuit. La réception de ces braves gens est particulièrement gentille et sympathique. Dans la maison du chef, des femmes empressées nous enlèvent nos « pataugas » — aux officiers seulement ! — pour pouvoir nous laver les pieds. Dans la soirée, nous avons droit à la cérémonie du « ba si ». Dans un long discours, en forme de mélopée, un honorable vieillard fait voyager nos « âmes » dans les pays les plus merveilleux. Puis, en signe d'amitié, on nous met au poignet un fil de coton que l'on conservera jusqu'à ce que l'usure le fasse tomber.

La piste que nous allons emprunter aujourd'hui est abandonnée depuis longtemps. La végétation y est si abondante qu'un groupe d'hommes a dû passer avant le gros de la colonne, pour élaguer les passages les plus encombrés.

Voici qu'un ruisseau s'est transformé en torrent. On passe comme on peut, quand un homme glisse et est immédiatement emporté par le courant. D'excellents nageurs se portent à son secours, en vain. L'un d'eux revient, boitant : il s'est heurté à un rocher. Il ne marchera pas longtemps. Il s'assoit au bord de la piste : son genou devient énorme et le fait cruellement souffrir. Je le vois au passage : une hémarthrose importante l'empêche absolument de progresser. J'arrête mon unité, on descend le bât d'un mulet et je trouve tout ce qu'il faut pour ponctionner l'articulation et faire aussitôt un plâtre. La pluie a cessé, tout est devenu possible. Comme je dis à mon bonhomme : « Je vais t'enlever l'eau que tu as dans le genou, après cela tout ira bien », il me répond : « De l'eau, par où c'est qu'elle a pu rentrer ? »

La petite opération est faite. Allons, une fois de plus, mon cheval servira à quelqu'un d'autre que moi...

Un paon magnifique coupe la piste devant moi, dans un vol éblouissant. Nous poursuivons notre marche et arrivons à l'étape. De nombreuses cases sont vides, personne ne couchera dehors. Ce sera bien utile, si la pluie recommence à tomber.

C'est bientôt la veillée ; l'aumônier raconte une histoire de chasse de nuit à Lao-Kay... Deux yeux brillent au loin. Le père de Neuville ajuste et fait feu. Des cris... c'est une bonne femme annamite qui a été touchée, légèrement. Elle était assise bien tranquillement auprès de son foyer : les yeux du fauve étaient des braises ! Le Père s'en tira, lui, avec un beau « cadeau » à la famille... et sa bénédiction, je suppose !

Les histoires se succèdent. Jeune missionnaire, il se lance, lors d'un sermon, dans une langue qu'il ne connaît qu'imparfaitement, le vietnamien. Soudain, tous les fidèles pouffent de rire. Ah ! ces accents difficiles ! Le Père a bien dit le mot, mais il l'a prononcé de telle façon que sa phrase avait, paraît-il, quelque chose d'égrillard.

Ce soir, il m'a dit : « Demain on est au repos ; c'est dimanche. Viens — c'est une des rares fois où il me tutoie —, je dirai la messe. Quelques autres suivront peut-être ! » Mais oui, mon bon Père, mon vieil ami, on ira.

Voilà que, dans la nuit tropicale, s'élève un chant magnifique. Ce sont les légionnaires russes. Il y a là des basses à la Chaliapine ! Je crois que tous les musiciens de la Légion se sont donné rendez-vous, car ce sont maintenant les Allemands qui ont pris la relève. Du Bach, je ne jurerais pas le contraire.

Qui m'aurait dit qu'à côté de Xieng-Kouang, sur le plateau du Tra-Ninh, j'assisterais à pareil concert ! Curieux, deux autres officiers, le Père et moi, nous nous approchons du lieu d'où s'élèvent ces chants mélodieux. C'est bientôt la fin. Mais les chanteurs, nous ne savons pas pourquoi, battent des mains en cadence et appellent : « Dupont, Dupont ! » C'était le tour du comique troupier, le Français !

Dernière étape, avant l'arrivée à Pak-San, au bord du Mékong. Légionnaires, chevaux et mulets sont arrêtés le long d'un cours d'eau. Avec une cigarette, chacun brûle les sangsues qui s'accrochent à sa peau et à celle des bêtes. L'eau du ruisseau devient rouge... de sang.

La dernière victime de notre marche de retour sera volontaire. C'est un légionnaire qui se suicide. Il s'est jeté dans le Mékong. Le courant est rapide. Ils risquent gros, ses camarades qui se jettent à l'eau, le ramènent à la rive, alors qu'il se débat comme un forcené. Enfermé à double tour, le malheureux réussit à forcer une porte, s'échappe, et c'est bien loin, bien trop loin, bien trop au large, que nous voyons une main qui s'agite, puis tout disparaît...

Par bateau d'abord, par camion et par le train, nous arrivons cette fois, enfin, à Saigon. Sur le quai, de nombreux officiers nous attendent. Puis ce sera l'embarquement sur le *Song-Taï,* transport habituel de la Légion. Deux déserteurs — ils s'étaient enfuis du Laos, tout simplement parce qu'ils en « avaient marre » —, que nous retrouvons en Cochinchine, seront du voyage, à fond de cale, comme il se doit.

Mon caporal — mon ordonnance — est démobilisé à Saigon et regagnera peut-être son village. Je le regrette et je suis loin de penser que je le retrouverai — ou plutôt qu'il me retrouvera — quatorze ans plus tard...

Son remplaçant, à bord, sera Melon, légionnaire, vieux légionnaire. La traversée s'annonce bien : l'état sanitaire n'est pas trop mauvais. Nous n'avons pas de contact avec le petit personnel du bord. C'est tant mieux, car ces gens ne semblent pas particulièrement aimables à notre égard. Nous sommes servis par des gars de la Légion et le faste — tout relatif — cher à cette arme, reprend ses droits.

Je tombe sérieusement malade en mer Rouge, ce qui vaut le déplacement vers ma couchette des cinq ou six médecins qui font le même voyage. Une crise violente d'œdème de Quincke, fièvre, laryngite qui me coupe littéralement la voix ; je suffoque par moments. Mais, en Méditerranée, tout s'arrange et à Alger, je suis pratiquement guéri.

Heure émouvante. Les vieux soldats défilent sur le quai. Musique des tirailleurs. Musique de la Légion et le pas lent et majestueux des hommes. J'entends un garçon de cabine, en veste blanche qui dit à son voisin : « Avec ça, je suis sûr qu'on doit en " reprendre " pour cinq ans ! »

A la coupée, je suis derrière le commandant Gaucher qui salue avec superbe, mais dont l'émotion est grande. Adieu, mon commandant, vous repartirez là-bas, pour y disparaître de la mort des braves !

J'ai continué ma route vers Marseille. Le père de Neuville est allé jusqu'à Bel-Abbès avec les légionnaires, et Melon, libre de tout engagement, a pris du service au château de Neuville, à Livarot, où il a suivi le bon Père qui rentrait dans sa famille. J'ai appris que ce sacré Melon était le bourreau des cœurs au village où il a pu raconter son odyssée et en rajouter, « mon légionnaire » !

Un jour, le père de Neuville, malgré le doux climat natal de la Normandie retrouvée, est tombé bien malade. Melon a déclaré qu'il fallait faire venir un médecin qui connaissait les fièvres des pays chauds. C'est ainsi que j'ai reçu un appel du frère de mon ami et que je suis allé le voir. J'étais en service au Val-de-Grâce, et il m'était facile d'y faire hospitaliser l'aumônier de la Légion. Melon est resté au château où il a continué à servir la vieille dame entourée de respect, mère du vieux broussard missionnaire.

Le Père guérit. Mais un jour, lui qui avait échappé à plusieurs accès graves de paludisme, à deux bilieuses hémoglobinuriques, fut atteint de tuberculose pulmonaire dont il mourut à l'hôpital militaire Percy, à Clamart. Il voulait tant repartir sous les Tropiques. Dieu ne l'a pas voulu.

8.

Au Congo
de Youlou à de Gaulle — 1950

Que les hommes entre eux soient égaux sur la terre,
Je n'ai jamais compris que cela pût se faire.

MUSSET

J'ai retrouvé l'Afrique à Brazzaville, au Congo... encore français.
Au dispensaire de Potopoto, se presse un groupe compact de
malades, présentant tous la même affection : des ulcères de jambes,
des ulcères phagédéniques pour être plus « médical ». Cela
commence par une petite plaie qui s'infecte rapidement, s'étend
peu à peu, pour prendre la taille d'une pièce de cinq francs, mais
ne s'arrête pas là, creuse, suppure, dégage d'horribles odeurs et
rend bientôt le malade impotent. On a installé au mur une
quinzaine de bocks laveurs. Sur des bancs, quinze patients alignés,
dirigent sur leur pansement, pour le décoller, un jet de perman-
ganate. D'autres attendent leur tour. La pénicilline, qui commence
à nous parvenir, sera là, comme dans beaucoup d'affections, le
médicament miracle.

Certains jours, la consultation est réservée aux lépreux. Malheureusement, ils se cachent souvent. On essaie de les attirer, mais le
traitement est long : on fait ce qu'on peut pour eux.

Le service d'hygiène mobile et de prophylaxie organise une
campagne dans tout le pays. Le médecin-colonel Richet — sur les
pas d'Eugène Jamot, le père de la méthode de dépistage en masse
pour la trypanosomiase — se lance à la recherche des lépreux.
Pour ma part, je découvre bien des malades supplémentaires
dans les agglomérations de Potopoto, de Bacongo, de Ouenzé.
J'ai compris qu'il ne suffisait pas de leur fournir des médicaments

antilépreux, mais que, trop souvent, peu et mal alimentés, parasités, paludéens, ils étaient sensibles aux autres soins que nous leur donnions et à l'apport de nourriture que nous pouvions leur fournir.

C'est à cette époque que, avec Pierre Richet et bien d'autres camarades, nous faisons connaissance d'un homme qui nous aidera beaucoup dans notre tâche : Raoul Follereau.

Il commençait à être connu en Afrique. Chez les médecins coloniaux qui servaient « hors cadres », ne s'occupant exclusivement que des populations autochtones et qui constituaient la quasi-totalité du corps de santé de l'outre-mer, on s'interrogeait sur ce Raoul Follereau. Il n'inspirait pas, *a priori,* une grande confiance. Qu'était-ce que ce personnage dont on avait vu, de-ci, de-là, la silhouette ?

Coiffé d'un chapeau de rapin à larges bords, le cou orné d'une cravate « Lavallière », une large cape sur les épaules, que voulait-il faire avec « ses » lépreux, lui qui n'était pas médecin ! Qu'il nous laisse nous occuper de « nos » lépreux, de nos trypanosomés, de nos pesteux, de nos paludéens, de nos aveugles, que sais-je encore ? Nous avions, pensais-je, assez à faire, sans nous pencher sur les problèmes de cet avocat. De quoi se mêlait-il ?

Il arriva un jour à Brazzaville. J'étais, à ce moment, médecin-chef de l'agglomération, chargé des dispensaires et des centres de P.M.I. — Prévention maternelle et infantile — dans les grands quartiers africains.

Raoul Follereau demanda à me voir. Peut-être étions-nous un peu, tous deux, sur la défensive. Comme je le comprends, plus de trente ans après... Pour partir seul en croisade — car c'était une véritable croisade qu'il entreprenait —, il faut vraiment être animé d'une volonté peu commune et d'une foi sans bornes, dans ce que l'on entreprend. On ne saute pas de joie en vous voyant, on ne vous attend pas comme un sauveur.

Il était persuasif et je compris rapidement que les problèmes médicaux n'étaient pas les siens. Combien de fois, par la suite, ne l'a-t-il pas répété, jusque dans ce film dont je me rappelle, je crois, à peu près les paroles : « Non, je ne suis pas médecin, je l'ai dit cent fois, mille fois... Ce n'est pas une raison pour ne pas les aimer ! » Oui, aimer les lépreux, ces pauvres abandonnés pour lesquels il consacra son existence « afin que les bien-portants cessent de garder cette peur ridicule qu'ils ont de la maladie », et pour que les lépreux deviennent « des hommes comme les autres » !

Une contre-visite au dispensaire de Potopoto fut suivie d'une longue halte à celui de Bacongo.

Et Follereau, dont j'allais admirer l'esprit de décision et la façon d'écarter les obstacles, voyant plusieurs dizaines de malades qui attendaient de recevoir des soins, un peu à l'écart des autres consultants, me dit soudain : « C'est bien petit ici, pour tous ces pauvres gens. » C'était bien petit, en effet, et d'autant plus que les autres malades, les femmes avec leurs enfants en particulier, ne souhaitaient guère la promiscuité qui leur était imposée.

Oui, mais comment faire ? Agrandir le dispensaire, avec quels moyens ? C'est alors que Raoul Follereau qui venait, depuis plusieurs années déjà, de remuer les foules de son verbe, de son éloquence si persuasive, me fit comprendre que ce problème pouvait rapidement trouver une solution... grâce à lui.

Je me souviens encore de ses paroles : « Je pars pour quelques jours en Angola. Voyez un entrepreneur et donnez-moi, à mon retour, un devis pour la construction d'une aile nouvelle à ce dispensaire. Nous prendrons aussi, si vous le voulez bien, une photographie de nous deux, sur l'emplacement choisi : il faut bien que je fasse comprendre ce que je veux à mon conseil d'administration ! »

Comme je faisais une légère objection sur l'autorisation de construire que nous n'avions pas demandée, il répliqua : « Ne vous en occupez pas. Je dîne ce soir avec le haut-commissaire et c'est lui qui viendra certainement inaugurer ce que nous aurons bâti ! »

Devant tant de sûreté, de fermeté et de résolution, il n'y avait qu'à s'incliner. Ce que je fis, bien entendu, avec joie et empressement.

Tout se passa comme l'avait proposé et prévu Raoul Follereau.

Et c'est ainsi que quelques mois plus tard, une petite fête réunissait une bonne centaine de lépreux de la région de Bacongo, lors de l'inauguration du pavillon Follereau.

En tenue blanche, le médecin-général, directeur du service de santé de l'Afrique équatoriale, le médecin-colonel Pierre Richet, et moi-même, recevions, précédé de ses motocyclistes, le haut-commissaire de la République française...

Il existait à Brazzaville, à l'extrémité de ce que l'on appelait « le jardin botanique », de grands étangs abandonnés, presque entièrement recouverts de plantes aquatiques, particulièrement de ces jacinthes d'eau aux fleurs bien délicates, mais terriblement envahissantes.

Quelques rares poissons ne pouvaient évidemment venir à bout des myriades de larves de moustiques qui grandissaient dans la paix la plus grande. De là, s'envolaient par vagues innombrables les insectes ailés dont les femelles avides de sang prélevaient leur nourriture sur les habitants des deux collines qui bordaient, à quelques centaines de mètres plus loin, les rives d'un clair ruisseau.

D'un côté logeaient les familles des Français qui travaillaient à la recherche scientifique ; de l'autre, vivotaient comme ils pouvaient, dans un petit village de paillotes, quelques dizaines de misérables lépreux.

Mettre en valeur ces étangs, n'était-ce pas déjà suffisant du point de vue de la beauté du paysage ? Il semble que le service intéressé n'y avait point pensé.

Mais le service d'hygiène ne pouvait-il pas intervenir contre cette carence ? C'est l'idée qui nous vint.

Vider les étangs, ce ne fut certes pas si facile. Mais ils n'étaient guère profonds et les seuls êtres vivants de quelque importance qu'on y rencontra furent deux énormes serpents noirs qui finirent leurs jours dans la marmite des manœuvres, ravis de l'aubaine. Toutes les plantes furent arrachées. Nettoyée, curée, apparut enfin une charmante pièce d'eau : le paysage était transformé.

Ce n'était pourtant pas le seul but recherché. Comme nous nous trouvions à une époque où l'administration française de la colonie du Congo encourageait la pisciculture, plusieurs milliers d'alevins de tilapias, une espèce qui grandit très vite, nous furent remis.

On sourit un peu partout. De quoi se mêlait ce nouveau

médecin ? Allait-il broyer les poissons pour en faire des médicaments ?

Et pourtant le problème était bien d'ordre médical. Nos petits poissons étaient d'excellents destructeurs de moustiques, dont les larves ne trouvaient plus d'abri parmi les feuilles et les racines de jacinthe.

Combien d'accès de paludisme furent ainsi évités, combien d'enfants ont-ils été sauvés ?

Mais il y avait aussi derrière ces réalisations, un autre projet : on vit un jour se dresser sur la rive de l'étang poissonneux une pancarte :

> RÉSERVE DU SERVICE DE SANTÉ
> AU PROFIT DES LÉPREUX.

Il fallait y penser.

Parmi les multiples activités dont est responsable le médecin-chef de l'agglomération brazzavilloise — c'est un titre ronflant —, la Prévention maternelle et infantile (la P.M.I.) n'est pas la moindre.

Un centre à Potopoto, un autre à Bacongo portent le nom de Mme Renard, femme d'un ancien gouverneur général de l'A.E.F. Chaque centre est dirigé par une infirmière française, secondée par une dizaine de Congolaises.

Les mamans se pressent le jour de la consultation, pour assister au « kilo » comme elles disent, c'est-à-dire la pesée des nourrissons. Excessivement nombreuses, les jeunes femmes, revêtues de leur plus beau pagne — c'est une véritable fête —, attendent leur tour avec patience.

Mais voici qu'arrive avec son bébé, une mère affolée. Le diagnostic est presque toujours évident : accès palustre grave, accès pernicieux. Avec calme, le personnel sait ce qu'il faut faire et, bien souvent, la « piqûre » sauve l'enfant que l'on nous a confié.

Plus âgés, les enfants manquent parfois de protides dans leur nourriture. Dans les écoles s'organisent des distributions de lait que nous envoie l'U.N.I.C.E.F. Ce n'est peut-être pas tout à fait indispensable ici où ne sévit guère le kwashiorkor, mais c'est un appoint toujours valable.

L'hygiène de la ville est aussi dans mes attributions. L'hygiène, c'est avant tout la lutte contre le paludisme. Il est toujours possible, certes, de distribuer de la quinine et bientôt de la nivaquine. Mais en faire absorber régulièrement dans les « chaumières », tous les jours aux enfants, c'est un peu une gageure.

Alors, sus aux moustiques !

Un total de plus de cent manœuvres, bien encadrés, cela fait du bon travail. Les ruisseaux sont désherbés, les trous d'eau bouchés. Mais nous sommes à l'époque où le D.D.T. est roi. Les équipes de désinsectisation se répandent dans les villages. Par camion, par bateau, par avion et par hélicoptère, la lutte est engagée.

L'hélicoptère m'est prêté par nos amis belges de Léopoldville. Ils fournissent l'insecticide que je dois leur rembourser. Comme d'habitude, les pouvoirs publics se demandent avec quel argent. Puis-je avoir l'air si misérable, que la France ne puisse acheter trois ou quatre tonneaux de D.D.T. et que je sois dans l'obligation de décliner l'offre qui m'est faite d'un hélicoptère et de son essence... gratuite ? Messieurs les financiers, débrouillez-vous comme vous voudrez ! Il en va de la santé de la population dont j'ai la charge.

Les résultats sont brillants. Mon camarade Maillot, l'entomologiste, vient me trouver. Il enrage car il ne trouve plus d'anophèles à moins de plusieurs kilomètres de Brazzaville. Navré pour lui, mais je ris de bon cœur.

Quand je palpe le ventre des écoliers, je m'aperçois que les rates — on dit l'index splénique — diminuent de grosseur. C'est un signe capital. Dans le sang, les hématozoaires disparaissent. Le rapport naissance-décès qui était de 2/1 il y a cinq ans, est passé à 5/1.

Les tombes d'enfants se raréfient.

J'ai gagné. Oui, j'ai gagné. Mais est-ce si sûr ? Nous avons fait partout dans nos colonies notre devoir de médecin, avec conscience, avec entrain. Les pays devenus indépendants nous en sont-ils reconnaissants ? D'autre part, cette surpopulation est-elle un bien ? L'intendance a-t-elle suivi ? Le médecin est peut-être allé trop vite. Il faut aussi trouver à manger pour toutes ces bouches supplémentaires.

Au cours d'une visite d'inspection dans le grand village de

Potopoto, je vois courir partout des enfants. Les braves gens sont contents. Et je m'aperçois que la destruction des moustiques les a beaucoup moins impressionnés que la vue des centaines de cafards qui gisent sur le sol des cases, leurs six pattes en l'air !

Quand je partirai, mon infirmier le plus ancien lira une belle page que j'ai conservée : « Le docteur Merle est un bon chef. Il a mérité les hommages de la population. »

Un autre jour, le bulletin *Liaisons* écrivait : « Le commandant Merle est aussi à peu près le premier qui ait bien voulu traiter à domicile les Africains qui l'ont désiré. Il s'est fait africain avec les Africains. »

Pourquoi faut-il que, parce que ces Congolais avaient pour moi de l'affection, il y eût quelques Blancs, et non des moindres, qui cherchèrent à me discréditer ? Parce que la population semblait m'apprécier je devais être communiste (je ne vois d'ailleurs par pourquoi cette référence !). Peut-être ces messieurs de l'administration — certains du moins — étaient-ils jaloux en apprenant que l'abbé Fulbert Youlou, au moment où il était question d'élections municipales, m'avait demandé d'être en tête d'une liste franco-africaine. « Vous serez le maire, me disait-il, jusqu'au moment où j'aurai appris suffisamment de choses pour en assumer les fonctions. » La liste opposée ayant pour chef de file Opangault, frère de mon meilleur infirmier, désirait aussi que je me joigne à lui. Les choses ont traîné. Il n'y a pas eu de sitôt des élections et je suis rentré en France. Un jour, comme chacun sait, l'abbé Fulbert Youlou devint le président de la République, tandis que son adversaire, Opangault, devenait le vice-président : il y avait de la place pour tous !

Quelques années plus tard, un congrès de l'O.M.S. sur la variole, auquel j'assiste, se tient à Brazzaville. Entre deux séances, j'essaie de faire une visite à mon ancien malade, à mon ancien petit curé.

La présidence est installée dans le vieil hôpital. Elle n'a pas pris l'importance théâtrale, l'enflure souvent assez ridicule d'autres présidences : un décor et rien derrière. On en est au temps de la bonne franquette, au Congo du moins. Je me nomme, on me fait entrer aussitôt dans un salon d'attente et deux minutes ne se sont pas écoulées qu'apparaît le président. Certes, il a grossi, et, dans sa belle soutane neuve, les deux mains tendues vers moi, il a quelque chose d'un prince de l'Eglise. Mais il est resté celui que j'ai connu et qui m'accueille avec le « Ah ! mon docteur » d'autrefois.

Hélas, viendront les jours sombres. J'apprends que des « révolutionnaires » ont pris le pouvoir. C'est la règle dans les jeunes républiques que nous avons enfantées. Le président Fulbert Youlou est emprisonné, peu de temps après.

Le hasard me fait retourner à Brazzaville pour une mission de l'O.M.S. Je rencontre le nouveau ministre de la Santé. J'ai autrefois soigné son père.

Comme je lui demande ce qu'est devenu le président Youlou, il m'apprend qu'il est sous surveillance et qu'il occupe une case de l'ancien casernement des parachutistes français. Et il ajoute, ce qui montre que l'on n'est pas trop sévère à l'égard du président déchu : « Voulez-vous le voir ? » J'aurais bien voulu, mais il ne me paraît pas convenable de le faire, alors qu'envoyé par un organisme international, je suis l'hôte d'un gouvernement « révolutionnaire ».

Je passe devant le camp où, après notre départ du Congo, quelques éléments de la nouvelle armée congolaise ont été logés et qui n'est plus maintenant que la prison de Youlou.

Pourtant on a conservé curieusement au-dessus du portail d'entrée, une grande pancarte où l'on peut encore lire : « Camp Fulbert-Youlou ».

Je vais de surprise en surprise. Un infirmier me parlant d'une personne de mauvaise vie, me dit d'un air réprobateur : « C'est une femme qui fait son cul boutique ! » Expression qui dit bien ce que cela veut dire, mais je trouve que mon brave Congolais « parle mal par la bouche », comme dit son voisin.

Quant à cette jeune fille du collège, elle enrichit notre langue d'un verbe. Comme on lui demande où est sa camarade, elle répond : « Elle cabine. » Tout, d'ailleurs n'est pas toujours du meilleur ton.

M. Ouedraogo, fonctionnaire, accompagne sa femme à ma consultation. Ils sont assis tous deux devant moi. Je m'adresse à lui, ne sachant si cette personne revêtue de ses plus beaux atours parle le français. Le fonctionnaire est un brave homme que je connais un peu : « Vous pouvez interroger Madame, elle comprend très bien. » Je me tourne alors vers l'épouse et les questions habituelles fusent :

« Où avez-vous mal ? »... Deux claquements de la langue sur le palais. C'est non.

« Avez-vous de la fièvre ? »... Même claquement de langue.

« Dormez-vous bien ? »... Même « réponse ».

« Ne toussez-vous pas ? »... Toujours le même double claquement.

Ah ! voyons :

« Allez-vous bien à la selle ? »... La « dame » du fonctionnaire, c'est visible, n'a pas compris. Elle me regarde d'un air étonné. Alors, l'époux, excédé, s'adresse à elle : « Voyons, réponds, le docteur te demande si tu chies bien. »

Evidemment entre le langage de mon abbé, président de la République congolaise, et celui-ci, il y a un abîme !

Les lettres que l'on reçoit parfois ne manquent pas de sel. Telle celle-ci que m'a écrite un Congolais inquiet pour sa virilité :

« Sauvez-moi, mon docteur, mon bengala ne salue plus le chant du coq ! »

Qu'en termes galants...

Mais voici la plus belle, la plus aimable, la plus reconnaissante missive qu'il m'ait été donné de lire.

Dans un certain milieu, en contact avec les Français, on me demande assez souvent des consultations gynécologiques. Ce jeune préparateur est marié depuis deux ans, mais point de jeune préparateur futur à l'horizon. La chance m'aidant, après un traitement qui semble avoir favorisé le début d'une grossesse, je perds de vue ma cliente et son mari, quand je reçois une lettre à laquelle je ne m'attendais pas.

« Mon docteur, tout le monde est heureux à la maison, même le grand-père a dansé, depuis que tu as fait un enfant à ma femme ! »

Hélas, quelle idée, il a fallu que j'accepte — aussi — de remplir les fonctions de médecin légiste. J'ai horreur de cela. Un chef de village, chez les Batékés, en pleine brousse, a été tué par une décharge de chevrotines, il y a au moins deux mois. Crime ou non ? Comment le saurais-je ?

Nous sommes partis avec deux gendarmes au village perdu de la victime. Le cadavre, entouré de plantes, de paille, de bandelettes multiples qui doublent, triplent son volume, est enfermé dans une case, assis sur un tabouret. Mais l'enveloppement est tellement énorme qu'il est impossible de sortir le mort par la porte. Il faut détruire la paillote. Alors tandis que les parents enlèvent des mètres et des mètres de bandelettes, on voit de tous côtés sortir des vers repus. Comment voulez-vous que je m'y retrouve ?

Fort heureusement, il y a aussi dans cette vie de médecin colonial des compensations. A Brazzaville, on a construit une piscine rudimentaire, mais qui, par ces températures tropicales, sera la bienvenue. Me voilà président du club... des « Caïmans congolais ».

En attendant, nous offrons un « pot » au général de Gaulle, de passage au Congo, dans sa « traversée du désert ». Chacun de nous lui est présenté. De Gaulle serre la main à tous les officiers et j'entends ceci : « Bonjour, Merle, comment allez-vous ? » Comme s'il m'avait déjà vu maintes fois. « Lui connaisse bien manière », n'est-ce pas, comme me dit l'un de mes infirmiers.

Une promenade est organisée aux rapides du Congo, impressionnant spectacle. La route passe tout près d'un affluent du grand fleuve, le Djoué. Chaque soir, à 17 heures, un hippopotame fait son numéro dans la rivière, au même endroit. On a installé des bancs où les curieux attendent la sortie de l'eau du comique. Pauvre hippopotame, tu as été trop familier. Tu t'es promené sur la route, tu es allé défoncer toutes les tables et toutes les chaises du café qui s'était ouvert dans les parages. Plus grave, tu as piétiné la plantation d'un villageois qui n'a pas admis tes plaisanteries. Il s'est armé d'un fusil et tu ne fais plus tes lourdes cabrioles.

Tu as eu tort de te fier aux hommes !

Si j'ai fait un deuxième séjour à Brazzaville, c'est bien parce que les Africains ont appuyé leurs demandes de toutes leurs forces. Les chefs élus et les chefs coutumiers ont écrit lettre sur lettre au ministre français. Après un temps réparateur à Paris où j'ai eu la chance de retrouver mon maître et ami, le professeur Crosnier, au Val-de-Grâce, j'ai été affecté au Congo, comme je le désirais d'ailleurs.

Le temps n'est plus où l'on faisait un long voyage de tout repos sur un paquebot, en première classe. Le charme de ces traversées s'est envolé et, en quelques heures d'avion, on se retrouve au fond de l'Afrique.

Quelle surprise de voir, en descendant de l'appareil, tout un groupe imposant de notables... Et comment ne serais-je pas ému devant cette manifestation spontanée de la reconnaissance de gens que rien n'obligeait à venir m'accueillir.

Bien sûr, des médecins, mes camarades, sont venus m'attendre, et, je crois, tous mes infirmiers, toutes mes infirmières, blancs et noirs. Une réception a été organisée, et tout le monde se porte chez Faignon, le grand café de Potopoto, où à notre entrée, l'orchestre-jazz local nous gratifie d'une aubade.

Je ne crois pas me souvenir que l'administration française ait pensé à me faire saluer par le moindre petit fonctionnaire. Pourtant, ceux-là, je les ai soignés — aussi — pendant deux années, du moins tous ceux qui habitaient dans la moitié des quartiers européens qui m'étaient confiés.

Quand nous sortons de chez Faignon, après quelques coupes de champagne, j'ai l'impression de rêver ou d'avoir trop bu. Toute une bande de gamins est là à la porte de l'établissement pour voir ce qui se passe, et tous ont sur le nez une paire de lunettes. C'est tout bonnement la direction des « Cigarettes Brazza » qui a offert des centaines et des centaines de fausses lunettes — sans verres... — à la population.

Je fais des visites pour ma nouvelle arrivée en terre d'Afrique et je découvre la pancarte placée près de l'entrée de l'hôpital : « Hôpital-Silence ». Il paraît que le médecin-chef de la formation a reçu une lettre à lui adressée : « Monsieur le Médecin-Chef de l'Hôpital-Silence »...

Mais voici que je rencontre mon ancien, le médecin-colonel Richet, qui se dépense sans compter pour gagner ce que Follereau appelle « la bataille de la lèpre ». Pierre Richet, après une carrière remarquable, disparaîtra en janvier 1983, peu de temps avant que j'écrive ces lignes.

Nous avions eu l'occasion, quelques mois plus tôt, de présenter au public du Chesnay-Parly II, un livre fruit d'un travail collectif : *Sillages et feux de brousse.* Richet se sentait un peu fatigué, mais il m'avait dit : « Mon cher Merle, nous, vieux soldats, nous ne nous laissons pas abattre. » Personne ne s'attendait à une aussi rapide évolution du mal qui atteignait le médecin-général-inspecteur Richet, grand officier de la Légion d'honneur.

Dans le centre de la ville règne cet après-midi une certaine activité. Le fameux ténor Georges Thill vient à Brazzaville en représentation et donne dans la soirée un concert en plein air, au cinéma de la Plaine.

La population européenne vient nombreuse écouter airs d'opéras et mélodies. C'est charmant sous un ciel étoilé. Mais voilà que soudain une pluie violente s'abat sur la ville. Tout le public se presse dans la partie couverte du cinéma. Thill est obligé de chanter dans des conditions pénibles. Il a trouvé refuge contre un bar. A côté de lui, plusieurs clients se tiennent debout, un verre à la main.

Cela fait mal pour ce bel artiste (un peu sur le déclin, peut-être, pour venir se produire à... Brazzaville), de le voir sourire malgré tout à un auditoire bon enfant, certes, mais qui n'est évidemment pas celui, si attentif, si recueilli de Pleyel, Gaveau ou de l'Opéra...

Dans le pays, les postes de radio de plus en plus nombreux ont envahi les paillotes. Avides de nouvelles, de musique, dansant sur tous les rythmes, les villageois font des économies pour pouvoir acheter ces petites merveilles « manières de Blancs » qui vous parlent de la lointaine capitale.

La direction de Radio-Brazzaville a bien compris que de simples et courtes causeries médicales auraient un certain succès. Me voilà, une fois de plus — toujours pour le même prix —, engagé dans une série d'interventions extra-médicales. Comme mes multiples activités ne me laissent guère le temps de préparer des « conférences », il m'arrive d'entrer au studio en demandant : « De quoi vais-je parler ? » Il y a toujours un employé africain pour me trouver un sujet et cette fois je suivrai la suggestion de cet élégant « bipède » qui me lance dans un grand rire : « La chaupis, mon docteur ! »

9.

La ville dont le prince est Douala Bell — 1957

Je ne trempe pas ma plume dans un encrier, mais dans la vie.

Blaise CENDRARS

Au bout de mon jardin, à pic sur le Wouri, j'aperçois dans le lointain la masse énorme du mont Cameroun. C'est une chance malgré la pluie et les brumes qui le cachent presque tous les jours. Un vol de perroquets bavards passe au-dessus de moi, tandis qu'au bord du fleuve rêve un pélican, immobile et mélancolique, du moins je le crois...

J'ai pris possession de ma case dans ce Douala que je ne connaissais pas encore. Les pluies sont diluviennes, l'eau passe à travers le toit. Les vêtements, les chaussures moisissent en une nuit. Mais la maison est grande et remarquablement située devant l'hôpital général dont, un jour, j'assumerai les fonctions de médecin-chef, conjointement à celles de l'hôpital Laquintinie, l'hôpital indigène.

Je viens de faire une découverte. Il paraît que la case que j'occupe fut autrefois — en 1914 — le cercle des officiers allemands, lorsque le Cameroun était leur colonie. J'ai trouvé dans le parc, près des grands arbres qui le peuplent, un vieux bouton d'uniforme en cuivre. Je l'ai nettoyé et j'ai pu lire « Kriegsmarine ». Qu'est devenu le marin qui portait la veste d'où est tombée cette relique, il y aura bientôt un demi-siècle et où serai-je, moi-même, après tant d'années ?

L'hôpital Laquintinie occupe un vaste espace entouré de murs.

Il est constitué de plusieurs bâtiments dont certains à étage. L'impression n'est pas bonne. Comme je passe le long d'un pavillon d'hospitalisation, du premier étage tombent des peaux de banane. Je ne suis pas superstitieux au point de croire que si je glisse sur l'une d'entre elles, j'en trouverai bientôt d'autres sur mon chemin. Non, ma réaction est autre : tout malade qui lancera quelque chose par la fenêtre ira le ramasser. C'est curieux comme l'annonce de cette mesure a de l'effet sur les hospitalisés. Il deviendra rare de voir appliquer une sanction. Si elle ne l'était pas, les manœuvres du service fautif seraient dans l'obligation de faire le travail et cela suffit pour que tout rentre dans l'ordre.

Un jour, on inaugure un nouveau pavillon, très bien conçu d'ailleurs : une maternité. Dans les quelques mots que j'ai à prononcer, je ne me gêne guère pour dire aux Camerounais quelques petites vérités. Peu après la cérémonie, l'épouse du haut-commissaire, Mme Messmer, qui préside à l'inauguration, me demande si je n'ai pas peur de dire certaines « petites phrases » qui pourraient peut-être vexer nos amis africains. C'est alors que trois notables viennent à leur tour me remercier : « Vous avez raison de nous dire tout cela, ajoutent-ils, ça nous fait du bien ! »

Le tout est de savoir le dire et de pouvoir le dire.

Ce n'est pas toujours le cas. La femme d'un « petit Blanc » de N'Kongsamba répond un jour à cet Africain qui se fait connaître « Douala Bell », et qui s'excuse de ne pas avoir sur lui la monnaie nécessaire pour un modeste achat : « Ah ! s'il fallait que je connaisse tous les nègres ! »

Doigté et politesse n'ont pas toujours été, hélas, le fort de certains de nos compatriotes. Il s'agissait bien du prince Douala Bell qui en riait lui-même, mais n'en pensait pas moins. Il avait été grenadier de la reine, du temps des Allemands. On hissait ses couleurs dans son jardin et personne ne trouvait à redire. Curieux personnage, c'est lui qui écrivait dans un journal local, à un adversaire politique, une lettre en latin, et soulignait en post-scriptum : « Si tu ne comprends pas, fais-toi traduire par ton curé ! »

J'étais en bons termes avec Douala Bell, ce petit homme qui

ne semblait pourtant pas avoir la taille d'un grenadier. Le jour où il fut élu député, il vint me voir, car il désirait serrer la main de tous les malades hospitalisés à Laquintinie. J'arrivai à l'en dissuader : ils étaient plus de huit cents.

A cette époque, un autre dignitaire de Douala était d'un aspect tout différent. Il devint le maire de la ville : c'était M. Tokoto, pharmacien. Ah ! le jovial bonhomme. Je me souviens qu'un jour où l'on se réunissait, entre amis, chez M. Mausset, directeur des Douanes, Tokoto nous disait qu'il se sentait plus français que camerounais. Il connaissait bien la Bretagne dont, d'ailleurs, sa femme était originaire. Avec lui, toutes les plaisanteries étaient permises. Mausset alla chercher un chapeau breton — Dieu sait où ? — et l'on vit notre pharmacien, coiffé du « chapeau à guides », se mettre à danser et à chanter : « Ils ont des chapeaux ronds, vive la Bretagne... »

C'est lui qui, jeune étudiant en France, et se rendant à Marseille, reçut ce conseil : « Si tu vas au château d'If, dirige-toi vers le "capitaine" de la vedette et dis-lui : " Bonjour, monsieur Marius ." » Ce qui fut dit fut fait. Alors, l'autre de se retourner, étonné : « Qui c'est qui lui a dit mon nom, à ce nègre ? » Tokoto en riait encore aux larmes !

Mais laissons là les plaisanteries de Vieux-Port et retournons à Douala où le pittoresque ne manque pas non plus.

Une paillote, mais une paillote minable, avec une porte, pas de fenêtre et que la moindre tornade emporterait. A l'entrée, une grande pancarte. On y lit : « Haute Couture. »

Nous passons devant la gare des autobus. Ils portent tous un nom et étalent parfois tout un programme. Voici une vieille patache, toute tordue, toute bosselée. Peint sur la carrosserie, on lit : « A la grâce de Dieu ».

Le propriétaire de ce car, bourré de voyageurs, n'a pas hésité dans son choix. Devant c'est : « Nabuchodonosor, roi », et derrière : « Votre roi s'en va ».

J'ai reçu la visite d'un fonctionnaire accompagné de sa sœur, jeune fille de dix-sept-dix-huit ans, en congé au pays, étudiante à Paris. « Bravo, lui dis-je, et dans quelle faculté êtes-vous inscrite ? » Et de répondre : « En cinquième. »

Mais ce que l'on disait au Cameroun il y a trente ans, c'est ce que disent maintenant, dans notre France qui évolue à l'envers, nos lycéens, nos potaches qui se prennent au sérieux et se disent étudiants dès la sixième.

Lors d'observations bien différentes, j'ai été surpris et j'ai admiré parfois, à Douala, des jeunes Noirs de familles bien modestes. La nuit tombée, n'ayant probablement pas la possibilité de travailler dans la case de leurs parents où s'entassent dans le bruit, voisins, petits frères, petites sœurs, ils s'appuyent contre un réverbère, le livre ouvert, apprenant quelque texte ou s'imprégnant de quelque théorème...

A un tout autre niveau — *paulo majora canamus* —, je viens de réussir à entraîner dans des concerts classiques plusieurs de mes médecins africains, dont on fera d'ailleurs, un peu plus tard, des docteurs en médecine. Quand on ne connaît dans son enfance que le tam-tam et plus tard un peu de jazz, il faut, convenons-en, une réelle ouverture d'esprit pour s'adapter à du Beethoven, du Saint-Saëns ou du Debussy.

Et c'est ce qui arrive à mes collaborateurs grâce aux Jeunesses musicales. Avec Jean Rivière, pharmacien, lui aussi ancien de Santé navale, nous arrivons à retenir à Douala quelques artistes de passage.

Nous arrive, venant d'un autre pays africain, Philippe Entremont, qui deviendra ce que l'on peut appeler un grand pianiste. Il est certes fatigué par le voyage. On a mis à sa disposition un piano à queue, le seul de Douala, prêté par un notable local qui est tout fier d'être en vedette et s'assoit au premier rang. La salle est correctement garnie, grâce au dévouement de Rivière qui a fait du porte-à-porte pour remuer l'apathie de nos compatriotes. Des dames offrent leur concours bénévole et vendent les billets et les programmes. Nous avons fait des efforts pour accorder le piano... très sensible à la température et à l'humidité. Enfin, tout semble donc s'arranger. Mais, à l'entracte, Entremont est au bord des larmes : « Je ne peux pas jouer dans ces conditions Debussy et Ravel, c'est une casserole, ce n'est pas un piano, me dit-il. Docteur, pouvez-vous me faire rentrer en France ? » Je fais celui qui n'entend pas. L'entracte terminé, alors que le public a regagné sa place, Rivière est dans l'obligation de venir déclarer : « Philippe Entremont, victime d'une indisposition, ne pourra continuer le concert. » Le mécontentement est grand...

Bien sûr, c'est dur le métier d'artiste voyageur, surtout sous les Tropiques, mais il ne faut pas envoyer en Afrique, si remarquables soient-ils, ceux dont les nerfs sont trop sensibles !

Pour un autre concert, c'est un baryton, Jean-Christophe Benoit, sa femme Monique Linval, soprano et un excellent pianiste accompagnateur (aux nerfs moins fragiles que ceux d'Entremont), que nous accueillons. Ils paraissent, eux, « équilibrés » et tout se passera bien. Pendant un duo, je vois le baryton qui suit des yeux, tout en chantant, un coléoptère qui se grille les ailes à l'une des lampes du plafond. J'avais remarqué que Jean-Christophe portait autour du cou un lacet au bout duquel pendait une petite pince : j'étais loin de penser qu'elle était « entomologique ». Le lendemain, nous allons en forêt, à la recherche de quelques bestioles. Au pied d'un arbre creux où le chanteur va remuer quelques débris végétaux, deux serpents rentrent tranquillement dans leur trou. Nous les avons vus disparaître : notre ardeur de chasseurs d'insectes s'est envolée. Mais j'ai appris par la suite que Benoit ne craignait pas, pour sa passion, de s'enfoncer dans les plus profondes grottes à la recherche de minuscules coléoptères cavernicoles, aveugles comme on sait.

On peut être de l'Opéra, professeur au Conservatoire et à la Schola, sans pour cela négliger les petites bêtes.

Nous avons rencontré, au retour de notre expédition, un auditeur africain de la veille. Il s'est approché et a dit gentiment : « C'était vraiment beau. Est-ce que la prochaine fois vous ne pourriez pas nous envoyer M. Tino Rossi ? » Assez étonné par cette naïve demande, Benoit, qui venait d'interpréter les mélodies de Fauré, répondit avec humour, qu'à l'occasion il y penserait !

L'un des paquebots réguliers de la côte d'Afrique fait escale ce jour à Douala. Le journal annonce qu'à bord se trouve le docteur Schweitzer, qui rentre de congé de son Alsace natale et rejoint le Gabon et Lambaréné.

Sa renommée est telle qu'il me semble opportun de lui faire une visite à bord. Les médias ont tellement imprégné les gens de l'importance du personnage que nous passerions pour des jaloux, des aigris, et serions vivement critiqués par nos compatriotes de Douala en nous abstenant d'aller le voir.

Pourtant, si lui connaît l'importance du travail effectué par le corps de santé en Afrique — un jour il me le dira mais ne l'écrira jamais —, nous, nous savons que, médicalement, notre vieux confrère ne compte pas plus que le plus moyen des quatre ou cinq mille médecins sortis de l'Ecole de santé navale et coloniale de Bordeaux, certains de l'Ecole de Lyon. C'est un théologien, un organiste, mais il ne laissera à ma connaissance aucun travail médical, aucune observation valable dans une revue scientifique quelconque. A tel point qu'on raconte — mais c'est bien une boutade — que l'évêque de Libreville... ou d'ailleurs, parlant du grand homme, dit un jour : « En théologie, en musique, nous pouvons discuter, mais en médecine il n'est pas de taille ! »

Laissons là la plaisanterie. Je me plais à évoquer, pour moi, face à la publicité faite sur Schweitzer, où se mêlent jusqu'à la politique et la religion, ce qu'est, en comparaison, l'œuvre immense accomplie par le corps de santé colonial que la France ignore et ignorera toujours... ou presque ! Allons, n'y pensons pas trop aujourd'hui et n'oublions pas que nous avons choisi, comme le dit la fière devise de notre Ecole de Bordeaux, d'être « sur mer ou au-delà des mers au service des hommes ».

Quand le médecin-colonel Delage et moi montons sur le paquebot amarré au quai, nous apprenons qu'Albert Schweitzer est descendu à terre où l'attendaient des amis.

Je suis à peine rentré chez moi que sonne le téléphone. C'est Mme X, consul d'Allemagne, qui appelle : « Le docteur Schweitzer est chez nous. Il serait heureux de vous faire une visite. » Je réponds que j'en serais fort honoré ; d'autant que — j'ajoute — je n'ai pas eu le plaisir de le trouver à bord.

J'attends donc mon visiteur avec mon ami Delage. Peu de temps après, Schweitzer descend de voiture, suivi d'une fidèle infirmière — en bas de coton blanc. Il s'avance d'un pas encore alerte et je l'entends me dire de sa grosse voix à l'accent alsacien : « Je viens laver ma mauvaise conscience ! »

J'ai bien compris de quoi il s'agit. Bien des mois plus tôt, en arrivant à Douala, j'ai demandé à deux médecins-chefs d'hôpitaux aussi dissemblables que ceux de Brazzaville et de Lambaréné, ce qu'ils feraient en telle ou telle circonstance pour diriger une formation comme la mienne. Je pensais avoir certaines choses à apprendre.

A Lambaréné, c'était, disait-on, le « village nègre » intégral, avec famille et animaux divers accompagnant le malade.

A Brazzaville, la France venait de faire construire un hôpital d'inspiration moderne de plusieurs étages. J'ai toujours pensé que le pauvre Batéké avec ses 40° de fièvre, qu'on allait chercher en auto dans son village lointain et qu'on logeait au dernier étage après un passage dans l'ascenseur, devait croire qu'il partait tout droit chez le Père éternel ! Mais cela je n'ai pu le prouver. En revanche, j'ai appris rapidement que le papier hygiénique, inconnu de ces populations, évidemment, était remplacé, au cinquième comme au quatrième étage par des cailloux qui faisaient quelques dégâts lorsqu'ils retombaient le long du matériel de faïence généralement utilisé dans ce qu'on appelle les toilettes.

Les mois ont passé depuis que j'ai posté mes deux lettres. Personne ne m'a répondu.

Je connais le médecin-chef de Brazzaville. Ce n'est pas un homme rapide dans ses correspondances. Pourtant — et je compte sur les doigts — six mois c'est bien long pour une réponse !

De Lambaréné, rien non plus ne me parvient. C'est donc le sens de la réponse que vient de me donner Albert Schweitzer : « Je viens laver ma mauvaise conscience ! » Vous avez droit, « cher et honoré confrère », à ma reconnaissance et à mon admiration. J'aime tant qu'on observe les convenances et j'ai vite fait de classer celui qui me doit une lettre et ne l'écrit pas...

Je fais donc connaissance du docteur Schweitzer. Nous nous asseyons au salon. L'habitude, sous les Tropiques, est d'offrir quelque boisson rafraîchissante, alcoolisée ou non, au visiteur. Mais Schweitzer refuse, en raison probablement de son image ascétique de marque... Car il fait chaud.

Nous nous engageons dans une conversation de métier, portant sur les avantages et les inconvénients de telle formule d'agencement d'un hôpital « colonial », en fonction du degré d'évolution de la population. Personnellement, je laisse le plus de liberté possible aux familles pour faire des visites aux malades. Mais à la cloche, je ne veux plus voir personne — sauf autorisation dans les cas graves — se promener dans l'hôpital. Le repos fait aussi partie du succès possible de l'hospitalisation. Bien entendu, l'entrée des chiens, moutons ou cochons n'est pas autorisée à l'hôpital Laquintinie comme cela l'est à Lambaréné.

Mais Schweitzer a bien compris qu'entre les cinq étages de Brazzaville et son village, il y a place pour autre chose, surtout dans une ville comme Douala où la population n'est pas celle, encore bien primitive, de la forêt gabonaise.

C'est bien pourquoi, en guise de conclusion, et au moment de s'en retourner, Albert Schweitzer me dit : « Si j'étais à votre place, je ferais comme vous ! »

Quelques mois plus tard, la direction du service de santé me confie également l'hôpital — dit général. En fait, c'est une petite formation proche de ma maison, dans un vaste parc. Quelques Européens y sont hospitalisés ainsi que certains fonctionnaires et notables autochtones.

Trois ou quatre religieuses françaises, entourées d'un personnel africain, sont au travail à nos côtés. Ce matin, je parcours les couloirs tandis que, devant moi, une seringue à la main, prête pour une injection, une sœur se rend au chevet d'un malade. Elle ne me voit pas. Un brave homme, un « petit Blanc », simple et un peu timide, s'enhardit à lui demander un renseignement. La sœur, occupée par ce qu'elle a à accomplir, ne lui répond même pas. Je ne peux m'empêcher de lui faire une remarque sur son curieux comportement. Elle continue son chemin. Je n'insiste pas ; chut, cette sainte femme doit être en conversation avec le Bon Dieu...

Aujourd'hui, revenue sur terre, elle fait preuve d'un courage tranquille. Un déséquilibré qu'aucun commandant de bateau ne veut prendre à son bord, pour le rapatrier sur la France, est enfermé dans un local de l'hôpital. Il est très violent et menace toute personne qui veut l'approcher. La sœur, avec un calme parfait, dit doucement : « Mais non, il n'est pas méchant ! » Et elle se dirige vers l'homme, qui la reçoit bien gentiment et lui montre son œuvre picturale sur le mur, passé récemment à la chaux, de sa cellule. Le matériau employé est celui que l'on devine... Comme la religieuse le complimente pour son talent, celui-ci ajoute : « Ce n'est rien. Ah ! si vous aviez vu mon œuvre au Tchad ! »

Les infirmières de l'hôpital Laquintinie sont, elles, protestantes, diaconesses ou apprenties. Dévouées aussi, bien entendu. Parfois, pas tout à fait dans le bon sens. Je trouve, en allant passer ma visite, l'une d'elles, assez âgée, décorée pour son mérite, qui lave le parquet à grands seaux d'eau, tandis que deux « préposées » noires, jeunes et bien nourries, sont assises un peu plus loin, dans un complet repos. L'infirmière a entendu le son de ma voix : à chacune son travail et les malades seront bien soignés.

L'atmosphère n'est plus ce qu'elle était il y a seulement quinze ans. Le vent de l'indépendance souffle sur des têtes, trop souvent fragiles. Le directeur du service de santé, le colonel Vaisseau, a mis en garde un jeune médecin qui fait défiler ses hommes, fusil en bois sur l'épaule : « Ne fais pas de conneries ! » Il n'a pas suivi le conseil, et sera assassiné par un tueur du parti rival, à Genève, si je ne me trompe.

Malgré les premiers remous, notre tâche n'est pas terminée, loin de là. Je manque de crédits... On connaît la réponse de l'ordonnance à la générale qui le félicite d'avoir pu, avec de faibles moyens, obtenir quelques résultats excellents : « Dans la Coloniale, madame la générale, on se démerde ! » Je vais frapper à la porte des brasseries, des poissonneries, à bien d'autres encore, et je réussis à faire repeindre tout l'hôpital. Les salles porteront désormais le nom de chacun des donateurs, très fiers d'être à l'honneur. Le jour de l'inauguration, alors qu'un apéritif est servi à tout le monde — apéritif offert par une autre marque bienfaitrice —, mon nouveau directeur, le médecin-colonel Piéri, dit à l'oreille d'un invité : « Je ne veux pas savoir comment Merle se débrouille ! » Un colonel n'emploie pas, en public, les mêmes mots qu'un ordonnance, soldat de deuxième classe !

L'hôpital est impeccable... pour quelque temps, car comment empêcher ce jet de salive colorée à la noix de kola qui vient de partir de quelque bouche et va descendre lentement le long du mur tout frais repeint ? Ce n'est pas si facile de repérer le tireur : il y a des champions...

Mais sortons un peu de notre hôpital. Je ne sais pas ce que tout cela est devenu...

Il y a vingt ans, le voyageur débarquant dans le port de Douala, et qui prenait la route à son arrivée, pouvait arrêter sa voiture à quelques kilomètres de son point de départ et assister à un étrange spectacle.

Une vingtaine de Noirs jouaient au football sur un vague terrain bosselé et à peine défriché où quelques bouts de bois marquaient les buts. Curieux, le voyageur s'approchait. Surprise, le ballon était fait de vieux chiffons. Mais qu'étaient donc ces joueurs, dont les uns boitaient, les autres, en y regardant de plus près, paraissaient avoir perdu des orteils, des doigts, bref, des malades, des grands malades et des malheureux.

Pas très loin de leurs exploits, des dizaines de petites cases s'alignaient sur les pentes d'une colline.

Nous étions à la Dibamba et vous avez compris qu'il s'agissait, ne disons plus d'une léproserie, mais d'un village où trouvaient refuge, nourriture, soins et amitié, les lépreux de la région.

Des religieuses françaises, infirmières ou non, s'affairaient auprès de deux cents malades, peut-être davantage. Leur mérite était grand, car cette agglomération de miséreux, d'impotents, était parfaitement tenue. Le médecin qui s'y rendait pour la première fois et qui allait se pencher sur les « cas » qui lui étaient présentés, ne pouvait cacher son admiration pour le travail de ces femmes calmes, effacées, mais si courageuses, si dévouées.

Et puis, venait à notre rencontre un missionnaire : c'était l'âme, mais aussi le directeur énergique du village. On sentait qu'une main ferme menait le tout, malades et chères petites sœurs.

Nous nous vîmes souvent. On faisait ce que l'on pouvait pour les malades et les médicaments ne manquaient pas. Nos compatriotes du Lion's Club de Douala, le maire de la ville, M. Tokoto, faisaient le reste. Mais il manquait encore bien souvent trop de choses.

Et pourtant... lorsqu'un jour mon ami Raoul Follereau m'annonça sa visite et que je demandai aux malades ce qu'ils désiraient que leur portât l'apôtre des lépreux, ce ne fut qu'un cri : « Un ballon de football ! »

On organisa une fête. Raoul Follereau donna le coup d'envoi d'un match où ces pauvres êtres trouvaient la force de rire de leur maladresse, bien compréhensible. Mais que n'aurait-on fait pour « papa Follereau » ?

Et puis ce fut la grande distribution de pain, de lait, de cigarettes, de friandises où Françaises et Français, qui n'avaient plus peur de la lèpre, entouraient Raoul Follereau et se dépensaient sans compter pour satisfaire les plus exigeants des malades.

Le Frère missionnaire avait l'œil à tout.

Puis vint l'indépendance du Cameroun. Des individus malintentionnés trouvèrent le moyen de glisser à l'oreille des lépreux des mensonges abominables. Quelques malades, bien naïfs, les crurent et s'empressèrent, l'air mauvais, d'aller dire au bon Frère, éberlué, qu'il devait leur remettre tout l'argent qu'il recevait et qui leur appartenait, à eux, les lépreux. D'ailleurs, ajoutaient-ils : « Le gouvernement va maintenant nous donner des pensions ! »

Cher Frère, vous avez porté votre croix ce jour-là, vous que l'on avait invité, en haut lieu, à assister à la messe de Noël, à Notre-Dame de Paris, et qui aviez répondu, bien simplement, que vous ne pouviez abandonner en un tel jour « vos » malades, vos lépreux du fond de l'Afrique.

Lorsque, de la Dibamba, on revient vers Douala, on peut avoir la chance d'admirer sur le Wouri, par un jour de fête, l'arrivée d'une course de pirogues.

Longues, effilées, immenses troncs creusés, elles glissent sous l'effort conjugué de plus d'une vingtaine d'hommes, torse nu, luisants de sueur, encouragés par leur chef dont le boubou de couleur vive tranche sur le noir des corps et des bras musclés des pagayeurs.

La foule sur les rives et jusqu'aux quais de Douala, applaudit, encourage, crie sa joie. Mais sait-on si la déesse de l'onde, la « Mammie Wata », n'est pas troublée par cette exubérante démonstration primitive qui, inlassablement, se répète d'année en année depuis des siècles ?

Du pont du *Mermoz*, je regarde une fois encore des paysages devenus familiers et dont nous nous éloignons de plus en plus vite. Bientôt disparaîtront les rives limoneuses, pour des eaux plus claires où abondent les « camerones », et l'océan nous bercera sur la voie du retour.

Reverrai-je le Cameroun ? Je ne suis pas maître de mon destin. Je ne puis rien. Le hasard en décidera.

10.

Ils étaient
25 000 lépreux — 1959

Il est facile d'être une sainte
Quand la lèpre vous sert d'appoint.

Paul CLAUDEL

A la fin d'un séjour de plus de deux ans et demi au Cameroun sous le ciel chaud et humide de Douala, un congé mérité en France permet de retrouver ses esprits et ses couleurs.

Sur l'insistance du ministre de la Santé, Njoya Arouna, auprès des autorités françaises, six mois plus tard c'est le retour en Afrique. Je suis dorénavant l'un des deux conseillers techniques du ministre, et je dirige le service d'hygiène mobile et de prophylaxie, le S.H.M.P., ce qui me rend responsable de la lutte contre les grandes endémies.

C'est une nouvelle campagne d'une durée égale à la première qui s'annonce. De Yaoundé, la capitale, où je vais résider, mon champ d'action s'étend du lac Tchad à la Guinée espagnole et de l'océan à la République Centrafricaine.

Toute la période qui a précédé et qui va suivre l'annonce de l'indépendance du Cameroun est très agitée. On est loin de la « paix française » que j'ai connue. Lors d'une réunion chez le colonel, notre compatriote, qui commande pour le moment toutes les troupes du pays, celui-ci me dit : « Je reviens de chez les Bamilékés. Les luttes tribales font rage. Des villages brûlent, des gens sont assassinés tous les jours. Dans de nombreux endroits, la population apeurée se sauve dans la brousse et vit dans des conditions précaires. D'après ce que nous avons vu, les petits

enfants meurent en grand nombre. Que pourriez-vous faire ? » Je
demande aussitôt au ministre de la Santé son accord et, deux
jours après, en compagnie d'un camarade pastorien, nous partons
en Land-Rover vers ces horizons de collines que constitue le pays
bamiléké bien plus touché que les autres régions par les rebelles,
probablement parce que limitrophe du Cameroun britannique où
les « révolutionnaires » peuvent plus facilement se réfugier.

De village en village, les chefs de poste africains, dans l'affolement de voir deux officiers — nous nous sommes mis en tenue
pour la circonstance —, rassemblent la « garde » qui nous présente les armes. Notre enquête se fait de case en case : examens
cliniques de plusieurs jeunes enfants malades, prélèvements divers.
Contrairement à ce que nous pensions, ce n'est pas de paludisme
qu'il s'agit, mais d'affections pulmonaires, de pneumococcies
presque toujours. Parallèlement, nous apprenons qu'une menace
d'épidémie de variole, venant du Nigeria, se fait plus précise.
Quelques cas auraient été découverts le long de la frontière.

Il n'y a dans la région concernée que trois médecins de nos
camarades et deux médecins camerounais qui travaillent dans les
grosses agglomérations. Il faut frapper un grand coup. Du point
de vue médical, c'est indispensable. Du point de vue politique,
nous pourrons aider à ramener le calme. C'est une expérience à
tenter. C'est pourquoi je rassemble en pays bamiléké, qui n'en
a jamais tant vu, une quinzaine d'équipes de mon service mobile.
A la tête de chacune d'elles se trouve un médecin-lieutenant,
frais émoulu de l'école d'application du Pharo. Mes jeunes camarades arrivent avec leur matériel auto et technique, de Douala, de
N'Kongsamba, de Yaoundé, de Bafia, de N'Gaoundéré... C'est
une centaine de personnes qui se joignent aux éléments fixes du
pays.

En moins de trois mois, toute la population — ou presque —
est vaccinée contre la variole, tandis que le dépistage permet
d'évacuer sur les hôpitaux et les ambulances de nombreux malades.

On peut se rendre compte dans les circonstances graves du
moment de « l'indispensable complémentarité qui existe entre la
médecine fixe et la médecine mobile », comme l'écrit mon ami, le
médecin-général-inspecteur Chippaux.

Je doute que le docteur Schweitzer ait eu seulement l'idée de ce que peuvent être des « grandes manœuvres médicales » de ce genre, lui qui n'a jamais recueilli dans son village que les malades qui voulaient bien venir. Tout cela ne s'improvise pas. Et je plains les jeunes médecins sans frontières de la terre ou de l'univers, dont on nous rebat les oreilles aujourd'hui, quand, sans préparation, ils arrivent dans un pays pour un temps bien limité, sans personne à leurs côtés pour les épauler.

Qui, en France, a entendu parler de tous ces médecins et pharmaciens coloniaux et maintenant, des « armées », qui, depuis le début du siècle, ont passé le plus clair de leur vie active, jusqu'à vingt-cinq et trente ans, à soigner les populations de ce qui était l'Empire français ?

Qui connaît ces écoles de santé navale — et de santé militaire de Lyon — d'où sortaient ces élites de la nation française ? Sait-on qu'aujourd'hui encore quand s'envolent les transall avec tout leur matériel, il y a... aussi, dans les avions, tous les médecins militaires dont on a besoin sur les lieux d'une catastrophe, depuis le jeune capitaine jusqu'au médecin en chef, professeur agrégé s'il le faut. Dans toutes les spécialités, il y a toujours, au service de santé, l'homme *ad hoc,* médecin, chirurgien, réanimateur, ophtalmologiste, pastorien... prêt à partir là où il est commandé.

Mes quinze médecins sont au travail. La nouvelle de leur arrivée n'a pas tardé à se répandre : point n'est besoin de téléphoner pour cela, au fond de la brousse. Et chaque matin, dans les villages, ce sont des files ininterrompues de pauvres gens qui ne comprennent rien aux rivalités politiques qui secouent le pays, et qui viennent se faire vacciner ou présenter un enfant malade.

Un jour, toute une bande d'hommes, en rang, est venue se mêler aux gens d'un village : on ne les connaît pas. Le soir, le médecin-lieutenant Ortoli qui avait reçu la visite de ces drôles de bonshommes ne m'a pas caché qu'il était persuadé qu'il s'agissait de « rebelles ».

J'ai assisté à une scène bien pénible, bien triste : la mort de nombreux petits Noirs. Un village très atteint par la maladie m'est signalé près de Dschang où je réside provisoirement.

Je pars en Land-Rover avec infirmiers et infirmières. Un jeune sous-officier français est là avec quelques soldats camerounais. Au bruit de la voiture, à la vue de sa croix rouge, on voit sortir

de multiples cases des jeunes femmes portant leur bébé ou leur
petit enfant. Elles s'approchent de nous dans un brouhaha indes-
criptible. On arrive difficilement à obtenir un peu de calme.
Combien sont-elles ? Cent cinquante, peut-être près de deux cents.
Le diagnostic est vite fait : il s'agit pour presque tous ces petits
êtres d'affections pulmonaires si graves que trois ou quatre
mourront dans l'heure qui suit. J'ai beaucoup de médicaments,
heureusement, à ma disposition. Le personnel prépare tonicardiaques et pénicilline. J'ai indiqué au petit sous-officier ceux
des malades qui doivent passer les premiers. Au milieu des cris,
de la bousculade, il touche avec une baguette la tête des mamans
que j'ai désignées. Celles-ci se frayent un passage comme elles
peuvent, jusqu'à la « piqûre ». Infirmiers et infirmières ont
les doigts meurtris à force d'injecter les médicaments.

J'envoie notre voiture à Dschang demander une camionnette
pour évacuer les plus gravement atteints, du moins ceux qui ont
encore une chance de survivre : une quinzaine. Les moins touchés
par la maladie continuent à être soignés sur place.

Deux heures plus tard, on charge les femmes et les enfants
et la camionnette repart. Il a fallu qu'en cours de route, un
« révolutionnaire » tire un coup de feu sur la voiture, sans toucher
personne, fort heureusement.

J'apprendrai que grâce aux soins de nos camarades de l'hôpital
de Dschang, tous les petits enfants ont été sauvés. Miracle des
médicaments sur des sujets réceptifs au plus haut point...

Je vais voir sur place mes équipes au travail et encourager
mes jeunes médecins qui ne chôment pas. Dans la « boîte à gants »
de la Land-Rover, il m'a été conseillé par les militaires de poser
mon revolver à portée de main, ainsi qu'une grenade. J'espère
ne pas avoir à m'en servir. Récemment, dans les parages où je
me trouve aujourd'hui, un lieutenant a été légèrement blessé
à la jambe par un tireur caché dans la brousse.

Comme nous roulons tranquillement dans une région découverte où il n'y a guère que des « matitis », un homme se dresse
au bord de la piste, pousse un cri inarticulé et s'écroule dans les
hautes herbes. Le chauffeur s'arrête un peu plus loin. Le médecin
qui m'accompagne et moi-même descendons de voiture et nous

approchons prudemment de l'endroit où s'est produite l'apparition. Tout cela ne nous dit rien qui vaille. A notre grande surprise, nous trouvons un grand diable de Noir, la gorge ouverte et qui essaie vainement de parler. Il a été terriblement blessé, mais un concours de circonstances lui a fait certainement rejeter la tête en arrière : la trachée est largement béante, mais s'il a saigné quelque peu, la carotide n'a pas été touchée. Aidés du chauffeur, nous embarquons notre malheureux bonhomme et nous rejoignons rapidement l'hôpital de Dschang où, entre les mains de notre camarade chirurgien, il ressuscitera. Mais quelle chance miraculeuse il a eue d'être trouvé sur la route où passaient des « anges gardiens » !

Le président Ahidjo est venu jusqu'à Dschang. Comme tout président qui se respecte, il est accompagné de ses ministres. Parmi eux, S.E. Kandem Niyine, le ministre de la Santé du moment.

Curieux homme. Son père était chef traditionnel en pays bamiléké. A cette époque, Kandem faisait ses études dans un collège de la région parisienne. Il était en troisième, si mes souvenirs sont exacts. Le docteur Aujoulat, dont l'œuvre au Cameroun mérite d'être soulignée, était son correspondant. Kandem avait moins de vingt ans lorsque son père disparut. La tradition voulait qu'il lui succédât, ce qui fut fait et il rentra au Cameroun où ses actions déplacées lui valurent d'être condamné à vivre dans l'un des départements les plus éloignés du lieu de sa naissance.

Au moment de l'indépendance, il fit surface, bien entendu, et commença à se manifester en pays bamiléké. Tant et si bien que le gouvernement d'Ahidjo pensa que, pour le calmer, le mieux serait de lui offrir un « bon fromage ». « Que veux-tu ? lui demanda-t-on... On peut te confier un portefeuille : la Santé. »

Le premier qui ait occupé ce poste était, si je ne m'abuse, un infirmier vétérinaire auxiliaire de deuxième classe, que pour la circonstance on éleva à la première. D'un volume redoutable, on ne le trouvait pas assez présentable et on lui conseilla de maigrir. Ce qui le fit succomber à des « overdoses » de médicaments, l'Excellence ayant jugé bon de se confier à plusieurs médecins à la fois, pour maigrir plus vite, évidemment.

N'Joya Arouna lui succède. C'est un homme originaire du pays bamoun, distingué et d'une grande correction vestimentaire. Il est très facile de travailler à ses côtés. On lui donne, je suppose, un ministère plus important pour faire une place à celui qui devient mon ministre. Le gouvernement sait bien que le travail sera fait par les deux médecins-colonels, mon vieux camarade Direr, pour la médecine fixe, et moi, pour le S.H.M.P.

Avec Kandem, tout va bien dans les premiers jours. Mais il faut se faire à ses méthodes. Devant sa porte se tiennent deux individus, d'aspect patibulaire, armés de revolvers. Ceux-ci suivent le ministre pas à pas, lorsqu'il se dirige vers... le bout du couloir. Un jour, avant d'arriver à son isoloir, Kandem fait signe à ses sbires de l'attendre et il entre dans mon bureau : « Je voudrais, me dit-il, que vous me prêtiez un certain nombre de vos manœuvres pour nettoyer un terrain que je viens d'acheter. Vous savez que j'ai été bien longtemps tout au fond du pays... et je voudrais maintenant construire une maison. » Je ne peux vraiment pas refuser ce que mon ministre me demande si gentiment.

Hélas ! on ne le voit plus bien souvent. Direr s'en accommode comme il peut. Je suis moins placide que lui, car je n'arrive pas à savoir si je peux disposer de tel ou tel crédit. Un jour, las d'attendre, je me dirige vers son bureau. Premier barrage : le directeur de cabinet qui ne tient pas à se heurter à son ministre. Je passe outre. Les sbires me connaissent et ne disent rien. Je frappe, j'entre et explose. Puisqu'il n'est pas capable de m'aider à faire fonctionner correctement le ministère, je vais demander mon retour en France. Et du même pas, je vais expliquer la situation à Direr. Nous allons tous deux voir le directeur de la mission française qui ne trouve à me dire que ces paroles consolatrices : « Qui va-t-on mettre à votre place ? » Ce qui me fait bondir, tandis que Direr cherche à me calmer et, assis près de moi, tire sur le pan de mon veston.

L'après-midi, le premier ministre me convoque. Brave homme d'un certain âge, il n'est pas de ceux qui se gonflent de leur promotion inespérée, comme beaucoup d'Africains de ces débuts de l'indépendance. Je me souviens qu'un soir, nous dînions chez lui lors du passage de Raoul Follereau, venu voir « ses lépreux ». Il y avait là plusieurs Français et plusieurs Camerounais. A la fin du repas, remerciant Follereau de sa visite, le premier ministre ajoute : « Dans ma carrière, ce dont je suis le plus fier, c'est d'avoir été l'infirmier du médecin-colonel Jamot. » Ces paroles partant du cœur, je n'ai jamais oublié cet hommage à notre illustre grand ancien.

L'ancien infirmier n'a pas oublié ce que son pays doit aux médecins coloniaux, et lorsque je me retrouve dans son bureau il me dit : « Ne partez pas. Je vais arranger tout cela ; il y a un congrès à Accra, allez-y. Pendant ce temps, je vais envoyer Kandem faire un petit voyage dont il me parle sans cesse. A son retour, je vous promets que tout ira bien ! »

Et voilà comment on peut être soutenu par un Camerounais, tandis que vos compatriotes des « ambassades », plats comme des limandes, ne cherchent qu'à vous remplacer quand vous voulez réussir dans votre tâche : surtout pas d'histoires, le « Quai » n'en veut pas !

Je suis allé à Accra où j'ai rencontré le docteur Aujoulat à qui j'ai raconté mon aventure, lui l'ancien correspondant de Kandem Niyine.

Aujoulat n'a pas toujours été apprécié à sa juste valeur par les médecins de notre corps. Et pourtant voici ce qu'il fit. Muni d'un aller-retour en première classe, pour la France, il demanda à être déclassé pour pouvoir venir jusqu'à Yaoundé et voyagea en « touriste ». Il voulait absolument rencontrer son ancien pupille, car il me donnait raison.

Et c'est ainsi que le calme revint à Yaoundé.

Nous voici à Dschang où le président Ahidjo est venu voir la population. Sa visite terminée, Kandem me demande d'aller avec lui dans son propre canton. Nous prenons la piste pour une longue randonnée. A ses côtés, pendant les discours qu'il pronnonce dans chaque village — en français, pour m'honorer —, il ne manque pas de souligner les efforts que font en ce moment, sous ma conduite, chez les Bamilékés, tous ces jeunes médecins militaires venus de France.

Il n'empêche que, quelques semaines plus tard, le sous-préfet ne m'autorise à me rendre sur les terres de mon ministre que sous forte escorte de gendarmes qui suivront dans une deuxième voiture. On se méfie toujours, car on dit que Kandem a mis le feu à une case où dormaient tranquillement deux villageois qui n'ont pu échapper à l'incendie.

De plus, une autre affaire vient de se produire dans la même région, affaire qui se terminera par la mort d'un des chefs de la rébellion. Surpris avec deux de ses acolytes, ainsi qu'une femme et un chien, alors qu'ils sortaient d'une piste camouflée en pleine brousse, le meneur et ses deux adjoints sont tombés sous les balles des gendarmes tandis que s'enfuyaient la femme... et le chien.

Le coup était de taille.

Sur la place de la sous-préfecture, je viens de voir les trois cadavres que l'on a exposés, « pour l'exemple ». Le chef a reçu une balle en pleine tête, un œil a éclaté.

Kandem est chez le sous-préfet ; il me dit : « Ça fait quelque chose de voir ainsi un ancien compagnon. » Je n'ai jamais su qui avait signalé la cache des rebelles. Peut-être lui ?

Kandem Niyine sera bientôt remplacé au ministère par le docteur Tchoungui qui deviendra un véritable ami et que j'ai toujours plaisir à rencontrer.

J'ai appris que Kandem, avec un pied au gouvernement, un autre dans la rébellion, comme le disait le président Ahidjo, avait continué à faire parler de lui, jusqu'au jour où, paraît-il, il avait été emprisonné, condamné et exécuté. Mais je n'étais plus au Cameroun depuis longtemps.

Les événements qui se succèdent en pays bamiléké incitent la population à la prudence, ne sachant plus s'il faut rester ou fuir à l'arrivée des gendarmes.

C'est ainsi qu'en pénétrant dans un marché, tout le monde s'est mis à courir. Il a fallu quelque patience pour voir revenir peu à peu les « mamas », portant leur étal sur la tête, leur frayeur apaisée pour un temps.

Sur le chemin du retour, alors que les gendarmes ont pris une autre direction, je fais stopper le chauffeur près d'un autre marché où je suis curieux de voir si le hasard me fait découvrir quelque objet d'artisanat valable. Il n'y a rien. L'accueil n'est pas antipathique, mais c'est un peu imprudent de s'arrêter là.

Nous passons près d'un ancien village complètement détruit, brûlé par les rebelles il y a quelques mois. Je m'aventure au milieu des poutres calcinées où la végétation commence déjà à ensevelir la trace des hommes. Je fais une découverte. Eparses, voici trois statues en bois, grossièrement travaillées, plus ou moins cassées : deux femmes, un homme. J'arrive à reconstituer, morceau de bois par morceau de bois, ce qui fut le siège — le trône — d'un chef local. Il y a là aussi, approximative, la panthère, totem du village. Quelques lambeaux d'étoffe, quelques rangées de « perles » sont encore collés aux trois personnages.

Je me figure que j'ai fait là une découverte importante. Ces sièges seraient, m'a-t-on dit, assez rares.

Toutes les pièces seront clouées, collées de façon rudimentaire à mon retour à Yaoundé. Fier de ma trouvaille ainsi réparée, je la mets dans la véranda de ma case. Il ne faut pas longtemps pour qu'on vienne me dire de l'enlever : superstition, cela pourrait me porter malheur de conserver cet objet.

J'ai retrouvé ma découverte, à nouveau en pièces, les clous ayant sauté, à mon retour en France. Rien de semblable n'existe au musée de l'Homme. J'en fais don à mon école du Pharo, le nouvel « Institut de médecine tropicale des armées ». Grâce à un travail remarquable d'ébénisterie, le trône dans toute sa « splendeur » primitive — moins les perles et les vêtements — a été reconstitué. Il manquait bien, par-ci, par-là, quelques morceaux, en particulier la partie mâle de la statue, probablement tranchée par un coupe-coupe vengeur. La création étant œuvre d'art, l'ébéniste s'est tourné vers l'un des anatomistes distingués de l'Institut, pour lui demander la longueur à donner à l'objet. Un peu plus tard, il est apparu que la dimension était délibérément... démesurée ! C'est pourquoi, dans la bibliothèque du Pharo où trône le siège (ou bien... siège le trône), on peut voir, offerts au regard du visiteur, les seins horizontaux, arrogants et provocants des deux statues femelles, tandis que la statue mâle se tourne pudiquement vers le mur.

Il n'a pas quinze ans. Assis sur les marches du dispensaire, il a posé sur ses genoux un instrument de musique qui ne le quitte pas : une sorte de guitare à deux cordes qu'il a fabriquée lui-même, grossièrement. Il me voit et, comme chaque jour, son faciès figé s'anime un peu. Tout en « s'accompagnant », le voici qui chante, inlassablement : « Vive médecin-chef, médecin-colonel, vive médecin-chef médecin-colonel. » C'est tout. Quand on lui dit de se taire, il pleure. Il ne s'arrête de verser des larmes, parfois, que lorsqu'on lui donne son « cadeau », en l'occurrence quelque pièce de monnaie. Voilà des années que cela dure. Chez lui, tous les traitements ont échoué. Il est atteint de la trypanosomiase.

Nous sommes à Yaoundé, en 1958, au centre de traitement de la redoutable maladie du sommeil.

Cette affection n'est plus, fort heureusement, le fléau qu'elle était dans une grande partie de l'Afrique intertropicale, il y a encore trente ans.

Des populations entières étaient en voie d'extinction, quand nos anciens mirent tout en œuvre pour venir à bout du mal : parmi beaucoup d'autres, le médecin-général-inspecteur Muraz et le médecin-colonel Jamot. Autour de ces chefs prestigieux, travaillaient d'un même cœur tous ces jeunes médecins des troupes coloniales détachés auprès des populations indigènes et dont plus d'un devait contracter à son tour la trypanosomiase. Tel Montestruc, atteint à deux reprises et qui devint plus tard le directeur de l'Institut Pasteur des Antilles et un léprologue mondialement connu.

Il est réconfortant, à une époque où tout ce qu'a fait la France est systématiquement critiqué par certains, de constater que dans les jeunes républiques d'Afrique, la mémoire de ces pionniers est honorée comme elle ne l'est pas dans leur propre patrie.

Vainqueur de la maladie du sommeil, la France n'a pas su célébrer le centenaire de Jamot par l'émission d'un timbre à son effigie. C'est le Cameroun et la République voltaïque qui ont réparé cet oubli !

Lorsque les équipes de dépistage et de traitement des grandes endémies, plus axées aujourd'hui dans la lutte contre la lèpre, s'arrêtent dans les plus lointains villages de la brousse du Cameroun où sévissait autrefois la maladie du sommeil, les vieux ne manquent jamais de rappeler le temps où le docteur Jamot et ses équipes rassemblaient toute la population sur la place du marché, dressaient les tentes, examinaient tout le monde, soignaient les malades et protégeaient les bien-portants.

Les résultats des campagnes furent si remarquables que, dans certaines régions où les sommeilleux se comptaient par dizaines de milliers, il n'existe plus aujourd'hui que quelques cas connus.

Rassemblement de la population, dépistage des malades, suivi du traitement médicamenteux, telle fut la méthode employée. Mais on pouvait aussi s'attaquer aux glossines, ces mouches vectrices du trypanosome.

A la saison sèche, quand toute la brousse est désespérément brûlée, les mouches se réfugient à l'ombre encore légèrement humide des arbres des galeries forestières où il est assez facile de les détruire.

Au Nord-Cameroun, une recrudescence de trypanosomiase est décelée récemment : trente nouveaux malades dans un village de quelques centaines d'habitants. Cela nous incite à tenter l'expérience le long du Logone, rivière dont les eaux, en se jetant dans le Chari, vont alimenter le lac Tchad, cette immense, mystérieuse et secrète mer intérieure, dont les rives mouvantes se confondent dans l'infini de ses îles de papyrus.

Par une chaleur torride, l'expérience commence. Dans une matinée, un « captureur » réussissait sur certains points à prendre jusqu'à deux cents glossines. Cette connaissance de base devait permettre, par la suite, de contrôler les résultats. La zone choisie avait plus de trente kilomètres de long. D'un côté le Cameroun, de l'autre le Tchad. Un avion militaire effectuait, avec les techniciens, des vols de reconnaissance.

Dans la brousse, dans le fouillis des arbres et des arbustes, des équipes tracent une piste là où jamais personne n'est passé. Des antilopes, étonnées, regardent les intrus, puis s'enfuient un peu plus loin. Une troupe d'éléphants, deux ou trois cents bêtes, barrait récemment la route. Un chasseur tua l'un d'eux, les autres finirent par s'en aller. Lorsque je passai sur la piste un peu plus tard, quelques morceaux d'oreilles et quelques os avaient attiré de nombreux vautours. Certains tournaient encore dans le ciel avant de s'abattre sur les reliefs du festin.

Au bord de l'eau, la pêcherie du sultan de Logone-Birni était installée. D'énormes poissons, ouverts en deux, séchaient au soleil ardent. Une odeur épouvantable s'en dégageait.

Aujourd'hui, les chefs d'équipe européens, coiffés de grands chapeaux de paille indigènes, sont couverts de sueur. Les hommes coupent les herbes ou les brûlent. D'autres aspergent de dieldrine les lieux épais de verdure et les troncs d'arbres, en particulier ceux où se pose plus volontiers la tsé-tsé. Au médecin et à l'entomologiste s'est joint un vétérinaire fort intéressé par le problème, car la maladie sévit aussi sur les troupeaux et rend l'élevage impossible.

Plein d'optimisme, l'entomologiste explique que la destruction des glossines sera obtenue. Le fait que ces insectes ont une descendance très peu nombreuse — au contraire des moustiques par exemple —, est un gage de succès, nous dit l'homme de l'art.

Toujours est-il que les premiers résultats sont remarquables, brillants, étonnants. Les « captureurs », après la désinsectisation, ne trouvent plus pratiquement une seule mouche. Si le succès persiste, il faudra, l'an prochain, à la même saison, continuer plus loin l'œuvre accomplie.

Nous rentrons au campement que construisit il y a longtemps le docteur Jamot, au village où l'alerte récente fait reprendre, cette année, sous une autre forme, une lutte nouvelle contre le terrible danger.

Nous venons de voir le sultan. Nous lui expliquons le but de notre campagne. Il sourit. Comprend-il pourquoi, nous les Blancs, nous nous acharnons avec un enthousiasme toujours intact à détruire la tsé-tsé pour que ses frères ne meurent pas ? Il fait si chaud ! Trois petites panthères jouent sur le sable, dans la cour du « palais »...

Nous retournons à la case Jamot. De la terrasse, nous contemplons un instant l'immense paysage et ces pêcheurs — ils sont une centaine —, nus dans le Logone, que leur filet barre entièrement. Le souvenir de Jamot, médecin français qui fit tant pour eux, est parmi nous. J'ai accroché son portrait dans la haute salle commune du campement. Et puis, après une douche bienfaisante de quelques calebasses d'eau froide sur la tête, nous nous sommes assis, médecins, entomologiste et vétérinaire autour de la même table où, il y a plus de trente ans, notre grand ancien réunissait ses collaborateurs. En savourant quelque boisson fraîche bien méritée, nous avons continué à travailler.

Une pirogue glissait sur le fleuve, silencieuse, irréelle.

Quelques heures plus tard, la nuit des Tropiques s'étend sur le Logone. J'aperçois encore, dans son cadre, la photographie de Jamot : je voudrais qu'il soit heureux de nous voir poursuivre son œuvre. Il avait dit, quand on lui confia sa mission : « Je réveillerai la race noire. » Et pourtant, il savait déjà les difficultés innombrables qui se dresseraient sur sa route : une tribu de 12 000 âmes n'avait plus que 800 survivants.

Que faire ? Plusieurs centaines de milliers de Noirs sont voués à une mort certaine si l'on n'intervient pas avec force, avec méthode.

Jamot prend la responsabilité de la lutte. Entouré de ses jeunes médecins, tous animés d'un idéal et d'une foi profonde, il prépare sa campagne. On forme des infirmiers. Illettrés souvent, cela n'a aucune importance. A l'école d'Ayos où Jamot a les pleins pouvoirs, tous les obstacles tombent. Les infirmiers sont sélectionnés et formés de façon impeccable. Les uns apprennent rapidement à ponctionner les ganglions pour en extraire le suc qui contient les trypanosomes, les autres préparent les lames où ils vont apprendre à découvrir le parasite au microscope. Il faut aussi examiner de nombreux liquides céphalo-rachidiens.

C'est pour Jamot et ses compagnons une œuvre exaltante que de former ainsi de modestes mais si précieux collaborateurs.

Et puis un jour, la prospection débute. Pas de voitures pour s'enfoncer dans la brousse ou dans la forêt... A pied ou en filanzane : les chevaux ne vivent pas dans ce pays, eux aussi ont leur maladie du sommeil. Et la première équipe, médecin en tête, suivie de ses infirmiers et de ses nombreux porteurs, quitte sa base pour plusieurs semaines, pour plusieurs mois. Vie de devoir, pénible, harassante, où plus d'un y laissera sa vie.

Sous la tente ou sous la paillote, le travail a commencé. Les habitants d'un village, en longue file, sont tous rassemblés, examinés un à un. Le dépistage se poursuit. Les malades sont soignés sur place ou évacués sur le centre de traitement. Les autres reçoivent le médicament qui les protégera d'une atteinte ultérieure.

Le miracle se produit. Peu à peu les cas de maladie du sommeil se font moins nombreux. Mais c'est une lutte incessante, car, contrôlé, vaincu, le trypanosome n'attend qu'une faiblesse pour faire sa réapparition.

L'équipe poursuit sa route, heureuse, satisfaite. « C'était le temps, écrit l'un des jeunes médecins d'alors, où dans une seule tournée, je sauvais plus de vies humaines que pendant tout le reste de ma carrière ! »

Ces campagnes de masse créées par l'ingéniosité de Jamot, toujours sur la brèche, mais vainqueur de la maladie du sommeil et de ce fait bassement jalousé, devinrent peu à peu le seul mode de traitement valable contre les autres grandes endémies des pays africains ou asiatiques.

L'Organisation mondiale de la santé le comprit bien vite. Quel magnifique hommage à la mémoire de notre ancien et à l'action civilisatrice et humaine de la France, que ces paroles prononcées par le professeur Gay-Prieto, chef du service de la lèpre à l'O.M.S., lors d'un congrès panaméricain de léprologie en 1958 : « Il n'y a qu'une seule méthode de lutte contre les grandes endémies dans les pays sous-développés : c'est celle du docteur Jamot, que les médecins militaires français continuent à appliquer magnifiquement en Afrique ! »

A Yaoundé, au sommet d'un monument sobre, aux bas-reliefs évocateurs de la lutte contre le fléau, apparaissent, remarquablement sculptés dans la pierre, les traits pleins de bonté et de bonhomie souriante de Jamot. Un passant, parfois, y dépose des fleurs. Un jour, c'est Raoul Follereau, l'apôtre des lépreux. Une autre fois, devant plus de vingt médecins français des troupes de marine, servant encore dans un Cameroun devenu indépendant, c'est le ministre de la Santé, le docteur Tchoungui, qui renouvelle le geste du souvenir.

Avec l'indépendance et le laxisme — comme on dit aujourd'hui — qui s'ensuit, il devient plus difficile de rassembler les villageois, lors des visites de dépistage et les séances de vaccination. Cependant, le Cameroun est l'un des pays parmi les nouvelles républiques, où l'autorité se maintient correctement, et il faut féliciter les autorités locales de la compréhension qu'elles manifestent pour le plus grand bien de leurs concitoyens. Car comment croire à un résultat positif quand on ne réunit que 50 ou 60 %

des habitants d'une région ? C'est laisser délibérément de côté les individus que l'on veut justement examiner — et je pense particulièrement aux lépreux.

Un jour, je quitte Yaoundé pour me rendre en province dans le lieu de rassemblement fixé par l'un de mes jeunes médecins. Ceci se passe en pays bamoun, dont est originaire le ministre de la Santé de l'époque, M. Njoya Arouna. Comme j'arrive sur le terrain, le médecin est en conversation animée avec le chef de canton. Le lieutenant lui dit : « D'après les statistiques, nous n'avons pas réuni 60 % de la population, ce n'est pas sérieux ! » A mon retour dans la capitale, je vais rendre compte au ministre de ces faits que je juge déplorables. « Je vais passer un savon au chef de canton, qui est mon cousin », me dit-il. J'ai promis de retourner en pays bamoun pour cette nouvelle séance.

Quand j'arrive au lieu du rendez-vous, je suis environné d'une foule très dense que j'estime être le double de celle que j'avais vue auparavant. Le chef de canton, tout joyeux, drapé dans d'immenses boubous et coiffé d'une splendide toque brodée, vient à ma rencontre. Avec un large sourire, il s'écrie : « Tu vas être content, mon docteur, cette fois-ci, j'ai réuni plus de 120 % de la population ! »

Etre l'un des successeurs de Jamot m'oblige à donner à ce S.H.M.P. tout ce que je peux de dynamisme et de vie : mes jeunes camarades ne demandent que cela.

La durée d'immunisation moyenne due aux vaccins que nous utilisons — antivariolique et antiamaryl — étant de trois ans, il faudra vacciner un million de personnes par an, pour être sûr d'avoir protégé correctement les trois millions de Camerounais, lorsque je devrai quitter le pays. De plus, si la trypanosomiase est actuellement... en sommeil, il y a un gros effort à fournir envers un autre fléau : la lèpre. Que ce soit au Congo ou à Douala, le problème m'a toujours intéressé tant du point de vue médical que du point de vue humain. Et c'est en cela que l'action d'un Raoul Follereau me passionnera. Il faut avoir vécu au milieu de ces villages de lépreux pour comprendre ce douloureux sujet.

Dans le numéro de Noël 1961 de *Match*, François Mauriac accordait une interview qui se terminait par un « hélas ! »...

condamnant en fait la colonisation. Je ne résistai pas au désir de lui répondre et de lui parler de l'œuvre des « médecins coloniaux » élèves de son frère le professeur Pierre Mauriac qui avait été mon président de thèse. J'étais navré que tranche ainsi un esprit si brillant, l'un de nos plus grands écrivains. François Mauriac m'écrivit un mot aimable... où je lus : « Il ne faut pas confondre une conversation, une interview, avec un article. Tout ne s'y dit que rapidement », et puis, et puis : « Il est bien certain que malgré tout, nous aurons apporté beaucoup aux populations de l'Afrique. » Il est dommage que cela n'ait figuré que dans les quelques lignes qu'il m'adressait.

A mes lecteurs qui ne seraient satisfaits ni de ma prose ni de mes idées, elles pourront peut-être faire découvrir un François Mauriac ignoré.

J'ai maintenant la responsabilité d'au moins quinze mille lépreux. Les équipes, avec leur médecin colonial à la tête, sont lancées dans un travail de dépistage qui nous fera découvrir plusieurs milliers d'autres malheureux pour atteindre le total de vingt-cinq mille malades, trois ans plus tard.

C'est mon ami et ancien, le médecin-général-inspecteur Pierre Richet, fervent admirateur d'un Jamot, d'un Muraz, qui transposera leurs méthodes de lutte contre la trypanosomiase à celle, plus ingrate, de lutte contre le bacille de Hansen, le bacille de la lèpre.

La découverte des sulfones et les résultats remarquables obtenus dès le début de leur large diffusion, permettent à chacun de nous de blanchir, bientôt de guérir des quantités de malades. Certes, il est plus difficile de traiter des lépreux que des sommeilleux : deux ans, trois ans de soins sont souvent nécessaires. Mais jusqu'à ces dernières années où, malheureusement, le bacille est devenu dans bien des cas résistant aux sulfones, la bataille paraissait presque gagnée.

Voici que des malades, peu ou pas contagieux, vont pouvoir venir, à jour fixe, se faire soigner dans les lieux de rassemblement où passera l'infirmier distribuant ses médicaments. Si les coutumes locales ne le font pas rejeter de sa famille et de son village, le hansénien pourra vivre au milieu des siens comme un autre homme.

Cependant, la vieille méthode des villages agricoles n'a pas, à cette époque, vers 1960, perdu de son importance. Les lépreux y vivent entre eux. Groupés, quelquefois à plusieurs centaines, il est facile, pour une mission ou pour un infirmier, de donner des soins constants, particulièrement aux contagieux et aux impotents. Le médecin du secteur a ses malades « sous la main ».

Si les villages ont des inconvénients — ce n'est pas ici que nous pouvons en discuter —, ils ont bien des avantages, et le fait qu'il faudra dorénavant — en 1984 — appliquer dans le traitement de la lèpre une polythérapeutique... en attendant une nouvelle découverte, voire l'apparition d'un vaccin, vient appuyer ce qui ne semble pas évident à première vue. Bien entendu, il ne s'agit en rien de retrouver l'ancienne léproserie, condamnée à jamais pour son caractère inhumain, mais de permettre de soigner pendant un certain temps, sous la surveillance d'un médecin et de ses auxiliaires, des malades pour lesquels le traitement par un seul produit n'est plus valable et, devenu compliqué, ne peut être laissé à la responsabilité d'un modeste distributeur de comprimés.

C'est vers ces villages agricoles que les circonstances me conduiront souvent et que je pourrai non seulement traiter les lépreux ou donner des conseils aux responsables, mais aussi voir vivre ces pauvres êtres et quand cela sera possible, leur apporter quelque réconfort.

Près d'une mission catholique, aux abords de Mokolo, dans le nord du pays, se trouve un grand village de lépreux. Ce sont les religieuses qui prennent soin des malades que voit régulièrement le médecin du secteur.

J'ai fait une halte à Mokolo, pour visiter le nouvel hôpital que la France vient de faire construire. Comment se fait-il que les plans et l'aménagement de cette petite formation soient l'œuvre de gens qui, à n'en pas douter, n'ont jamais quitté leur bureau parisien ? C'est ainsi que sur ces terres lointaines, aux populations primitives, s'il en fut, on a installé des lits avec sommier et matelas... comme à Pantin ou à Gennevilliers ! Le résultat ne s'est pas fait attendre : les lits sont en place, et les malades ont posé leur natte sur le sol.

Allons, les lits serviront bien le jour où quelques fonctionnaires, venus du sud, seront affectés dans ce « grand nord » du pays... si du moins ils veulent bien s'y rendre. J'ai assisté récemment dans le bureau du ministre à une scène pittoresque. Après dix années d'efforts soutenus, un médecin camerounais quitte la France où il a enfin terminé ses études et rejoint — à contrecœur — son pays. Le ministre me consulte pour savoir quel poste on pourra lui confier. Je propose celui-ci, celui-là, généralement appréciés de nos jeunes médecins français : notre savant a toujours quelque raison valable pour refuser l'affectation proposée. Le ministre a une nouvelle idée : « Et si c'était Maroua ? » Je crois encore entendre la réponse : « Mais je ne connais pas la langue, me fournira-t-on un interprète ? »

Nous reprenons la Land-Rover et partons à la découverte du camp de lépreux de Mokolo, formé de nombreuses petites cases rondes ne différant en rien de celles des autres villages de la région. A l'entrée, les enfants, tous habillés par la mission d'un petit vêtement bien propre, sont rangés de chaque côté de l'allée centrale. C'est imprévu et touchant. Les religieuses viennent à notre rencontre, souriantes. Leur joie fait plaisir à voir quand un ami qui m'accompagne offre de faire construire à ses frais quelques cases supplémentaires. Et mon ami n'a pas été oublié puisque ces nouvelles demeures portent son nom, inscrit à la porte : case Pierre Servy. Ici, les dons seront bien placés et pas un franc ne sera gaspillé. Comme on est loin de ces misérables lépreux en haillons que l'on rencontre si nombreux, mendiant dans les villes de l'Inde et d'ailleurs... Malgré leurs souffrances, malgré leurs infirmités, soignés et aimés comme ils le sont, ces malades ont peut-être des moments de bonheur, si le mot n'est pas trop fort pour parler de lépreux.

Le long déplacement qui m'a conduit à Mokolo m'incite à poursuivre ma route vers le dernier poste tenu au nord du Cameroun par un autre jeune Français, médecin-capitaine. C'est le Fort-Foureau de l'époque, face à Fort-Lamy, la N'Djamena actuelle. Heureux Fort-Lamy, que l'on atteignait avec la petite embarcation à moteur du service... Tout y était calme et le drapeau français flottait encore dans le ciel bleu du Tchad.

Le médecin de Fort-Foureau fait une partie de ses tournées le long des cours d'eau avec un autre bateau, beaucoup plus grand, où l'on embarque toute l'équipe de dépistage. On se loge le plus possible à l'arrière car l'avant fait eau, signe de vieillesse de ce vieux rafiot qui a rendu bien des services.

Il me transporte cette fois jusqu'au lac Tchad, lac... façon de parler, car lorsqu'on quitte les rives du Chari, on circule au milieu d'îles de papyrus qui ne permettent guère d'apercevoir le moindre horizon. Crocodiles et hippopotames se sont donné rendez-vous tout au long du voyage. Des milliers d'oiseaux s'envolent de toutes parts. Hélas ! alors que s'éloignent de nous ces merveilles de la création, nous attirons de moins agréables bestioles, et c'est par centaines que les tsé-tsé nous attaquent méchamment. La récolte de ces insectes nécessaires aux recherches de nos entomologistes sera fructueuse. Un Noir, qui ne semble pas éprouvé par leurs piqûres, s'assoit tranquillement dans un coin du bateau et capture les mouches qui viennent se poser sur ses jambes en les coiffant simplement, lorsqu'elles aspirent son sang, avec un tube à essais. Quant à moi, je me gifle constamment pour éloigner les indésirables qui me piquent sans arrêt dans le cou.

Les villages de lépreux n'ont pas tous, tant s'en faut, l'aspect serein de Mokolo. J'ai raconté plus haut les difficultés qui étaient apparues à la Dibamba, à côté de Douala, lors de l'indépendance du Cameroun. Grâce aux dons qui provenaient de différentes sources, la Dibamba, comme beaucoup d'autres « léproseries », continuera à vivre pour le plus grand bien des malheureux.

Ici, c'était surtout le Lion's Club de Douala qui se penchait sur le sort des lépreux. Dans tout le Cameroun, les Lions' Clubs — il y en avait quatre — avaient en effet axé leurs efforts sur la lutte contre la lèpre et voulaient bien, comme ils l'écrivaient un jour, en plaisantant, me baptiser leur « conseiller ès charité ». Ils ont droit à la reconnaissance de leurs protégés tout autant qu'à la mienne, en raison de l'aide qu'ils m'apportaient dans ma tâche.

Mais à cette époque le club de Douala ne s'en tient pas là. Voici que l'on construit maintenant, tout près de l'hôpital Laquintinie, un dispensaire réservé aux lépreux et dont les plans ont été dessinés par un architecte, membre du club. Les lépreux vont y être entre eux, ne gênant personne et n'étant gênés par personne. C'est très joli, en effet, de proclamer que la lèpre est très peu contagieuse et que les malades peuvent côtoyer tout le monde. Mais dans la « pratique », c'est bien autre chose, même en France. Combien de fois n'ai-je pas entendu, lors de conférences que je fais encore, les organisateurs me dire : « Il pourrait y avoir un peu plus de monde, mais le sujet fait un peu peur. » Que dire, quand j'annonce la projection de quelques diapositives !

Cette dame est pharmacien. Il y a déjà longtemps qu'elle a laissé son officine de France entre les mains d'un confrère, pour venir soigner les lépreux, dans cette région où ils sont très nombreux. Oh ! il y a beaucoup de braves gens — ils n'ont pas peur *a priori* de la lèpre et c'est un bon point — qui viennent un jour ou l'autre, pour sauver leur âme peut-être, vous dire : « Je voudrais partir en Afrique soigner les lépreux ! » Pourquoi, d'ailleurs, plutôt les lépreux que les sommeilleux, les paludéens, les aveugles de toute origine ? C'est encore, dans un subconscient peut-être inavoué, croire que la lèpre est une punition divine.

En ce qui concerne notre pharmacien, il est certain qu'elle a créé véritablement, non seulement un village, mais un petit hôpital pour ses protégés.

Elle les soigne admirablement ; le médecin responsable du secteur ne peut que se louer de ses activités. Je suis allé la voir, bien entendu. Mais comme avec d'autres, j'ai quelques problèmes, car chacun a « ses » lépreux, et il n'y a que ceux-là qui comptent. Aussi frappe-t-on à la porte des Lion's Clubs de M. Follereau, d'Emmaüs-Suisse, de l'ordre de Malte, que sais-je encore ? Parfois on cache ce qu'un organisme a pu donner, ou bien on n'hésite pas à faire croire que « l'autre m'a donné le double »... Comme dans l'opérette et les fameux couplets de : « Mon Dieu, que c'est bête un homme ! » Même en charité, il y a des petits « maquereaux » !

J'ai proposé à l'ordre de Malte, lors de mes rencontres avec le prince Guy de Polignac, de lui confier un ensemble village-infirmerie à Bafia. C'est le comte Decazes qui est venu signer un protocole de reconnaissance d'Etat à Etat à cette occasion, puisque le Cameroun est devenu indépendant. De l'autre côté de la table, on trouve, pour le Cameroun, le ministre des Affaires extérieures, le ministre de la Santé... et moi, l'étranger ! J'ai apprécié de la part du gouvernement camerounais ce geste courtois à mon égard.

Les tournées chez les lépreux se multiplient. Cette fois, c'est une mission protestante du Sud-Cameroun qui me reçoit ainsi que deux de mes jeunes médecins responsables de la région visitée.

Nos hôtes font du bon travail sur place où ils ont hébergé une bonne centaine de malades. Tout autour de la mission, c'est la grande forêt équatoriale. Les missionnaires ont « adopté » un jeune gorille dont la mère a été tuée. Une laisse bien solide, glissant le long d'un câble attaché à deux arbres, lui laisse une liberté relative. L'un de nous s'approche et caresse le petit animal. Le pauvre orphelin, voyant sous une chemise largement ouverte la poitrine velue de son visiteur, rend de ses mains assez maladroites la caresse qu'il a reçue, tandis qu'il pousse des petits cris que je crois plaintifs. L'autre médecin plaisante son camarade et lui montrant le singe, lui dit en riant : « C'est petit frère pour toi ! »

Pourquoi faut-il que l'homme détruise tout ce qui vit ? J'ai beaucoup d'amitié, *a priori,* pour tous mes condisciples de l'Ecole de santé navale et qui font le même métier que moi. Mais j'éprouve toujours une gêne lorsque j'apprends que pendant leur carrière, ils ont tué des panthères, des lions ou des éléphants. Quand il faut se nourrir, c'est indispensable de tirer sur une antilope, puisque la nature nous a faits tels que nous sommes. Mais tuer pour tuer, ou pour mesurer la longueur d'une défense, non, ça ne passe pas ! Je sais, je sais que m'intéressant à l'entomologie dès ma plus tendre enfance, j'ai sacrifié insectes et autres papillons par centaines. Je n'en suis pas plus fier pour autant. Que dire quand j'apprends que des gens sont capables d'abandonner un chien, de l'attacher à un arbre pour l'empêcher de suivre la voiture des vacances et que c'est monnaie courante, en France, dans un pays dit civilisé !

A quelques kilomètres d'un chef-lieu, on a construit autrefois ce qui aurait pu s'appeler primitivement une léproserie, car on a tout fait pour éloigner les lépreux des autres habitants. Ce ne sont certes que des cases comme toutes les autres cases ; mais un

jour, une mission de quelques religieuses est venue apporter son
aide, son affection aux malheureux malades isolés. Leur maison
est bien bâtie et, sans parler de confort, on peut y vivre. Mais
en saison des pluies, il ne faut pas moins d'une puissante Land-
Rover pour ne pas s'enliser sur la piste à peine tracée qui y
conduit. C'est bien de passer dans ces lieux, comme je le fais,
comme le fait le médecin du secteur. Mais y vivre toute l'année,
toutes les années, quelle foi vous engage pour cela, chères sœurs ?
Et pourtant je vous vois heureuses : le caractère souvent difficile
et récriminateur de vos lépreux n'a pas de prise sur vous.

Quel est donc, dans cet autre village, ce qui amène les malades
à manifester une joie sans pareille lorsque j'y entre avec des
caisses de lait, de sardines, de cigarettes... C'est, à n'en pas
douter, la présence d'un chef — lépreux lui-même — intelligent,
débrouillard, travailleur. Le village est devenu le grand fournisseur
d'ananas de la ville voisine. J'ai vu des champs à perte de vue.
Toutes les cases sont balayées, les gens sont propres. L'infirmerie
est tenue par un garçon dévoué que j'envoie tous les jours donner
des soins. Je ne quitterai pas ces amis sans avoir choisi au
milieu d'un plein panier de fruits magnifiques, le plus gros, le
plus lourd, le plus odorant des ananas. Tout cela au milieu des
you-you des femmes et des applaudissements de pauvres gens...
qui n'ont plus de doigts.

Pour le taquiner, j'ai répondu à ce chef d'une petite communauté de lépreux qui me demandait si je lui avais porté des
« cadeaux » : « Tu sais bien que, maintenant que vous êtes
indépendants, c'est ton ministre qui te fera des cadeaux. » Il a
réfléchi et il m'a dit : « Oui, mais, toi tu es blanc ! » Ce qui
semblerait laisser entendre qu'un Noir n'a pas tellement confiance
en un autre Noir. Mais au fait, avons-nous toujours confiance en
notre voisin... blanc ?

Mon interlocuteur ne savait sûrement pas que le jour de
l'indépendance, un député m'avait demandé si, dans mes stocks,
je n'avais pas quelques provisions à lui donner pour qu'il puisse
les distribuer dans la léproserie de sa circonscription. Et sans
aucune gêne, il avait ajouté : « C'est que maintenant, ces gens-là,
ils votent ! » S'ils votaient, c'était probablement, comme je l'ai
raconté ailleurs, grâce aux efforts d'un Raoul Follereau qui avait

passé sa vie à crier dans le monde entier que les lépreux étaient des hommes comme les autres.

C'est peut-être pour cela qu'ils n'auront plus, comme certains que je connais et que l'on veut priver de certaines terres, à menacer de mordre les gens qui s'approchent d'eux. Si l'on veut tout savoir, la principale ressource des « mordeurs » est faite de chanvre indien, que les plus valides vont vendre au marché lointain de Douala. Tout le monde ne peut pas cultiver des ananas. Mais en mordant, transmettraient-ils la lèpre ? C'est un mode de contagion qui ne figure pas dans les traités de médecine.

La terre n'étant pas peuplée de saints et les malades de la lèpre appartenant à l'espèce humaine, il est normal de trouver chez eux des bons et des mauvais. Je classerai dans la deuxième catégorie, avec les circonstances atténuantes dues à sa maladie, ce chef de village : nous lui avons fait parvenir tout le matériel nécessaire pour recouvrir, remettre à neuf la plupart des cases du camp dont il est responsable. Tout cela, j'ai pu le faire grâce à un don assez important provenant de France. Quelques mois plus tard, je me rends au village : tout est resté, entassé, sous la pluie, pourri.

Pourtant, ce ne sont pas les hommes à moitié valides — grâce aux soins que nous leur prodiguons — qui manquent, pour effectuer ces réparations. Comme je m'étonne de l'inertie de tous ces gens, le chef de village me répond : « Mais tu ne m'as pas donné d'argent pour faire ce travail. »

Et là, on touche un peu du doigt — j'allais dire l'envers de la médaille — l'inconvénient de garder trop longtemps les malades à ne rien faire : ils deviennent ce qu'on a baptisé des « fonctionnaires de la lèpre ».

Yaoundé... J'arrive de France. Quelques personnalités sont réunies à la table du haut-commissaire pour recevoir Raoul Follereau et Mme Follereau, de passage au Cameroun.

Les conversations vont bon train. Entre la mangue et le fromage, l'évêque de Yaoundé, s'adressant à Raoul Follereau, lui demande s'il ne pourrait pas faire « quelque chose » pour un groupe de lépreux, abandonnés de tous et qui vivent dans de misérables paillotes aux environs de la ville. Sans lui répondre,

Raoul Follereau se tourne vers moi et avec la promptitude à agir qui le caractérise, me dit : « On y va ? — On y va ! bien sûr ! »

Et c'est ainsi que pour mes débuts au S.H.M.P., je vais faire connaissance de l'un des plus pauvres hameaux de quelques dizaines de lépreux que je connaisse.

La Land-Rover s'engage sur une route tracée dans la forêt tropicale, si prenante et si étouffante à la fois par le mystère qui s'en dégage. Rien ne distingue pratiquement l'entrée d'une piste que le guide assis à l'avant de la voiture, désigne au chauffeur. La Land-Rover passe entre les branches. La voûte se referme derrière nous. Et puis, peu après, voici qu'apparaît une clairière. Au fond, un petit bâtiment où on lit encore « infirmerie », et de chaque côté de l'« allée centrale », une dizaine de « cases » en bien mauvais état. Personne.

Nous arrêtons la voiture devant l'infirmerie. La porte est ouverte. Sur les étagères, deux ou trois boîtes de médicaments : vides. Un flacon contient un peu d'alcool à brûler.

Alors que nous ressortons, voici qu'apparaît, assis sur le sol et cherchant à nous rejoindre en s'aidant de ses mains, un homme vêtu de haillons et dont les jambes sont recouvertes de pansements faits de feuilles qui cachent sans doute d'abominables plaies fétides.

Qui sont ces gens venus dans cet endroit perdu où seul passe, de temps à autre, un missionnaire qui ne peut guère donner que son amitié ? (Et pourtant, c'est déjà beaucoup pour ces malheureux, pour ces bannis.)

A l'entrée d'une autre paillote, se traînant sur les genoux, une créature sans âge vient à notre rencontre, lève vers Mme Follereau sa pauvre figure émaciée, s'appuie sur une main sans doigts et, de l'autre, tend à « maman Madeleine »... un œuf, bien modeste offrande, mais si émouvant présent.

Deux ans ont passé... Raoul Follereau m'a promis de revenir au Cameroun. Nous irons de village en village de lépreux et, bien entendu, nous retournerons au hameau de Yaoundé. Oh ! je n'ai pas voulu que la piste cachée qui y conduit devienne une grande route. Laissons un peu en paix nos malades, si isolés auparavant et un peu étonnés par ce qui leur arrive...

Et pourtant, n'ai-je point vu, l'autre jour, l'un d'entre eux, damant la terre de ses mains atrophiées, pour que ce sentier d'accès au village soit digne de nous accueillir.

Ils étaient nombreux tous ces « Blancs » du Lion's Club de Yaoundé, et ces personnalités africaines qui venaient en visite, les bras chargés de cadeaux.

Le village apparaissait dans la clairière. Toutes les cases avaient été refaites. A l'infirmerie, passée à la chaux, l'un de mes infirmiers camerounais, en blouse blanche, était tout heureux de montrer les étagères garnies de boîtes de sulfones qui voisinaient avec les pansements. Deux fois par semaine, dorénavant, ce brave garçon se rendait à bicyclette au village pour y donner les soins courants, faire les injections et distribuer les médicaments.

La renommée de ce modeste centre s'était étendue et une vingtaine de nouveaux lépreux, cachés jusque-là, étaient venus prendre place à côté des anciens malades. Certains que l'on avait pu opérer attendaient leur guérison complète, en convalescents.

Et tandis que l'allée centrale de la « léproserie » — mot que l'on allait oublier — resplendissait de centaines d'hibiscus en fleurs, un grand espace avait été conquis sur la brousse et la forêt. Les malades les plus valides plantaient désormais mil, maïs et ananas.

Bien entendu, ce n'est pas de leurs mains trop souvent mutilées qu'étaient nés ces champs. Un ingénieur des Travaux publics, M. Muraccioli, nous avait prêté un de ces puissants engins qu'on nommait alors un « caterpillar », et la bonne terre, propre aux semences, était apparue aux yeux de nos protégés.

Raoul Follereau, ému, manifestait sa joie. Et peut-être pensait-il à l'aide précieuse, non seulement de ses amis du Lion's Club de Yaoundé, mais aussi à celle de tant de braves gens anonymes qui avaient répondu aux appels que, d'année en année, de son éloquente persuasion, il avait lancés dans le vaste monde pour ceux qu'il nommait lui-même « les plus malheureux des hommes ».

Cet après-midi, Follereau prend la parole devant les grandes élèves du collège de jeunes filles de Yaoundé, pour les sensibiliser aux problèmes de la misère et de la souffrance que nous venons d'entrevoir dans ce centre de lépreux.

Lorsqu'il monte sur une petite estrade, sa large cravate d'un autre âge, ses grands gestes de tribun font sourire et même rire cette jeunesse si prompte à la moquerie. Mais voici que sous l'emprise du verbe, quelque chose se passe chez ces jeunes qui ne demandent qu'à comprendre, qu'à savoir.

Les petits mouchoirs sortent de leur poche et essuient furtivement la larme qui vient d'apparaître dans leurs yeux, les yeux de ces enfants qui ne se doutaient pas que, si près de chez eux, il pouvait exister un monde de douleur et de désespoir.

Au cours des tournées, on ne voit pas, fort heureusement, que des lépreux. Il peut vous arriver, en revanche, dans ces pays tropicaux, pas mal d'avatars imprévus. Je traverse aujourd'hui la Sanaga sur un bac dont un Français a la charge. Mon compatriote tire un peu la jambe à la suite d'un accident qui lui est arrivé il y a quelques mois. Il me raconte son histoire.

Le bac vient d'accoster. Il a parfois son hélice encombrée de végétaux arrachés au rivage. Pour les enlever, il n'est pas d'autre solution que de se mettre à l'eau. Il n'est pas plus tôt au travail — il y a à peine à cet endroit, un mètre cinquante de profondeur —, qu'il est happé par le fond de son short : un crocodile, tout simplement. Oh ! pas plus de deux mètres de long, autant qu'il a pu en juger. Mais le voilà entraîné pour un futur festin au fond de la rivière. Excellent nageur, il se débat jusqu'au moment où le saurien lâche prise et où le passeur se retrouve en surface, dans un bain de... sang !

La plupart des Noirs qui se trouvent là n'ont d'autre réflexe que de s'enfuir, mais certains heureusement réagissent et l'on conduit le blessé jusqu'à une petite agglomération voisine où, par chance, un Blanc possède un avion. La nuit va tomber. Pas d'hésitation, l'appareil s'envole avec son passager jusqu'à Yaoundé. Il tourne au-dessus de la ville, descend vers le terrain. La nuit est complète. Le brave gardien camerounais de l'aéroport s'est endormi profondément. L'avion tourne et ne repère pas la piste. Des membres du club local d'aviation entendent le moteur, s'étonnent : pas d'avion normalement la nuit. Qu'est-ce ? Ils foncent en auto et éclairent la piste de leurs projecteurs, au moment où le pilote se demande s'il va enfin pouvoir se poser. Transporté à l'hôpital, le blessé est sauvé. Mais quelles belles dents devait avoir le crocodile. Le passeur m'a montré sa fesse : une vraie... passoire !

Arrivée sur ce marché : ces deux messieurs qui s'y promènent d'un air avantageux ne me montrent pas la même chose. C'est le côté face qui est présenté à qui veut regarder. Ils portent tous deux le calot d'anciens militaires de l'armée française — ça pose — et, pour vêtement, une peau de bique nouée au cou et qui leur descend le long des reins. Devant : rien. Et ils offrent à l'admiration des foules, ce qu'on appelle un « bengala », dans bien des régions d'Afrique dite francophone, pour, paraît-il, que les jeunes personnes du marché n'ignorent en rien que ces messieurs peuvent faire des époux convenables.

Ce ne sont pas les seuls mâles que j'ai rencontrés ainsi vêtus... si l'on peut dire. Le médecin-chef de l'hôpital que je vois peu après, me demande s'il me serait agréable de me faire présenter le frère d'un ministre en visite dans la formation. Bien sûr que oui ! Lui aussi, s'exhibe dans les couloirs hospitaliers, habillé de sa peau de bique, dont le rôle justement est, lorsqu'il s'assoit, de protéger des fourmis et autres bestioles... son postérieur.

Après ces petites surprises, je me suis arrêté chez ce puissant sultan moyenâgeux du Nord, dont l'autorité est sans appel mais — me dit son fils, très évolué au demeurant —, qui se doit totalement à ses sujets, en compensation. S'il n'était plus à la hauteur de ses fonctions, il pourrait être supprimé — ce n'est pas une image — purement et simplement, sans que personne n'y trouve rien à dire.

Les esclaves — oui, bien sûr, des esclaves — qui entourent le potentat, se prosternent et, sans le regarder, c'est interdit, lèvent la tête de notre côté pour nous faire signe d'avancer.

Entre parenthèses : oui pour la justice, mais non pour l'esclavage. On n'est jamais content !

Celui qui n'est pas content, non plus, d'être resté au volant de la voiture, tout seul, lui, l'homme du Sud et de la forêt, c'est mon chauffeur. Il m'a dit, lorsque nous l'avons rejoint : « J'avais bien peur, car si le chef avait dit de me tuer, c'était fini pour moi ! » Et d'appuyer sur l'accélérateur.

La chaleur est intense. Je n'ai plus que trois morceaux de

glace dans ma bouteille Thermos. Je les prends un à un, les fais fondre à moitié sur ma tête et je suce ce qui reste, simplement.

Nous approchons de la frontière Cameroun-Nigeria. C'est par là qu'un malade atteint d'une variole sévère, en pleine évolution, est entré au Cameroun, et, avant de mourir trois jours plus tard, a créé un petit foyer qui me préoccupe. Certes, presque toute la population a été vaccinée l'an passé, mais il y a toujours des irréductibles. Le mal sera jugulé, mais je viens de voir un malheureux bonhomme couvert de pustules.

Les villageois l'ont isolé. Ils l'ont placé dans une paillote à quelques centaines de mètres de l'agglomération et chaque jour quelqu'un dépose une calebasse de soupe devant sa porte. Que faire d'autre dans ce pays perdu et que faisait-on avant l'arrivée des Blancs et d'une poignée de médecins ? La variole s'abattait sur des populations entières qui étaient décimées. La vaccination fut vraiment l'un des principaux bienfaits que nous apportions. Point n'a été besoin d'attendre l'Organisation mondiale de la santé et ses déclarations fracassantes de victoire pour venir pratiquement à bout du fléau, du moins en terre française. A croire ces messieurs de Genève, rien n'avait été fait avant qu'ils n'apparaissent et n'éliminent variole, peste ou trachome, de leur bureau, en admirant le lac Léman.

Mais de certains, qui vont sur le terrain, je dis grand bien. C'est grâce au professeur Gay-Prieto et à son adjoint, ce si aimable médecin espagnol, que le Cameroun reçoit tout ce lot de Land-Rover et de 2 CV Citroën si utiles dans les circuits de traitement de la lèpre et qui proviennent de dons de l'U.N.I.C.E.F. comme de l'O.M.S. Voyant le travail remarquable effectué par nos jeunes camarades et leurs équipes, plusieurs véhicules destinés à un autre pays que je ne nommerai pas, mais dont le service de santé paraît déficient, viennent renforcer notre parc automobile pour la plus grande satisfaction de nos médecins et le bonheur — probablement ignoré — des populations.

Avec ces médecins de l'O.M.S., nous avons parcouru des milliers de kilomètres. Un jour, nous allons jusqu'à l'ex-Guinée espagnole, nous rendre compte des méthodes de lutte de nos voisins contre la lèpre. Notre confrère espagnol a été pendant une dizaine d'années le médecin-chef d'un immense village de la colonie. Il y a peut-être là plus d'un millier d'âmes. Quel spectacle à la vue de notre ami, reconnu par des quantités d'anciens malades qui viennent se jeter dans ses bras. Quelle chaleur, quelle reconnaissance envers leur médecin... Il avait dû beaucoup les aimer...

Pour nous, un de mes jeunes médecins et moi-même, ce sont les Espagnols qui nous accueillent avec une spontanéité, une amabilité que nous, Français, avons de moins en moins, ce qui est bien dommage. Chez un capitaine, chef de poste à la frontière, je me souviendrai toujours de ces apéritifs dînatoires qui n'en finissent pas. A Bata, la capitale, après que les religieuses de l'hôpital nous eurent fait les honneurs de la chapelle — c'est l'Espagne catholique, n'est-ce pas? —, le médecin-chef, à la tête de ses médecins, nous fait visiter tous les services. Ces voisins, si sympathiques, faisaient du bon, du profond travail en faveur des populations indigènes. Qu'est devenu tout cela ? Sont-ils, eux aussi, aux yeux de leurs compatriotes, des colonialistes ?

Colonialiste, ce jeune médecin, isolé à Yokadouma dans l'est du Cameroun, qui voit, avec sa jeune femme, dépérir leur petit enfant et qui n'a que des moyens réduits pour le traiter ? Il décide de l'évacuer en Land-Rover vers l'hôpital de Yaoundé — il n'y a pas encore d'hélicoptère disponible à cette époque — et recueille son dernier soupir, dans l'auto qui les transporte.

Colonialiste ? pour une solde de médecin-lieutenant ?

Aujourd'hui, après quelques centaines de kilomètres, c'est le retour à Yaoundé. Je suis toujours étonné des réactions imprévues de mon chauffeur. Tout en roulant, il vient de me montrer du doigt plusieurs antilopes qui batifolent au loin. Elles courent, elles sautent, joyeuses, et le spectacle de ces gracieux animaux est d'une grande beauté. Le chauffeur laisse tomber ces mots : « La viande ! »

Je viens d'apercevoir, sur le côté de la piste, un serpent qui semble plus ou moins endormi. Cela ne semble pas troubler le chauffeur qui continuerait sa route, imperturbable, si je ne lui faisais signe de s'arrêter. Nous avons dépassé le reptile de quelques mètres. Il est toujours là. Grâce à une marche arrière bien dirigée, nous lui passons sur le corps. C'est à n'en pas douter un volumineux bitis, la tête large comme la main. Le corps a l'aspect d'un énorme boyau terminé par une courte queue. Le passage d'une roue de Land-Rover sur ses muscles ne semble pas avoir eu le moindre effet. Nous descendons de voiture, mais nous ne nous risquons pas trop à l'approcher. Un indigène apparaît au loin sur la piste. Le chauffeur lui désigne le serpent. Le Noir prend son coupe-coupe et taille une branche dont l'extrémité sera vite transformée en « fer de lance ». D'un geste précis, l'arme de jet a atteint le reptile qui, bien vivant, se tord, se déploie, la lance dans le corps. Quelque temps plus tard, la bête semble terrassée. L'arme sur l'épaule avec sa victime au bout, le Noir, sans un mot, poursuit sa route. Il y aura, ce soir, un bon repas au village.

Entre deux voyages à travers ce grand pays, il faut maintenant penser un peu au travail de bureau, au travail administratif. Au milieu du nombreux courrier auquel il va falloir répondre, j'ai mis de côté certaines lettres qui me laissent perplexe ou demandent réflexion.

Voici la missive d'un de mes médecins à qui on a donné pour l'aider un nouvel infirmier, récemment « breveté », ce qui le classe dans l'élite. Mais M. le breveté a décidé que son nouveau titre ne lui permettait plus de se rendre à son travail avant qu'on ne lui ait affecté une automobile.

Il est quand même moins prétentieux que celui-ci. Je relève dans sa lettre : « Maintenant que le médecin-capitaine est rentré en congé en France, il faut me nommer médecin-chef. » Je sais bien que dans l'administration, les secrétaires, depuis l'indépendance, ont pris le titre de sous-préfets, mais pour nous, les choses ne sont pas les mêmes. C'est parfois difficile à faire comprendre.

Le ministre m'a confié une demande. Je m'arrache les cheveux. Malgré les vingt et quelques années qui nous séparent du jour où j'ai lu cette prose, je me garderai bien de nommer son auteur. Je ne voudrais pas lui faire de peine, car il a peut-être appris depuis cette époque qu'il est des formes, des expressions, qui n'ont pas leur place dans la langue française. Mais ils faisaient déjà un bel effort si on les compare à certains bacheliers français

qui ne sont pas encore parvenus à maîtriser la simple ortho-
graphe de leur langue maternelle.

Certes, il est facile de rire — ce n'est pas méchant — à la
lecture de ces quelques lettres que j'ai conservées. Mais elles
montrent au moins que leurs auteurs ont un souci constant, le
dictionnaire à portée de la main, d'enrichir leur vocabulaire. De
plus, cette prose, au fond de l'Afrique, dans le « contexte vital »
de la grande brousse ne produit pas du tout le même effet que sa
découverte dans un livre. Enfin n'oublions pas que le « latin de
cuisine » importé en Gaule par les légions de César, s'est affiné
peu à peu jusqu'à devenir cette langue immortelle qu'honore si
bien... Léopold Senghor !

« Le 26/1/1961

« A mon cher ami B... Ministre de la Santé

« Cher ami,

« J'ai depuis ma détention fais un projet de mariage avec une
fille, bien que les opinions des femmes soivent toujours dissidents,
mais cela ne peut démoraliser les opinions populaires.

« Cette fille la nommée B.N... Margueritte, actuellement assistante mobile vienne d'effectuer un concour afin de faire le stage
d'infirmière d'Etat.

« Mon cher, je viens personnellement vous demander d'avoir la
bonne foie que vous aviez eu en moi par myriade de l'affecter à
H... pour faire le stage de sage-femme.

« Cher ami, compte recevoir une suite la plus voluptueuse de
vous.

« Veuillez agréer Mon cher l'expression de ma plus considération.

Toujours vôtre P... Z... »

Comme si les fléaux que sont la lèpre, la maladie du sommeil,
le paludisme et bien d'autres, ne suffisaient pas, les maladies
vénériennes viennent compléter avec une agressivité constante
la gamme des maladies africaines.

Le dispensaire antivénérien de Yaoundé est débordé. On y vient
pour recevoir l'injection de pénicilline qui, comme sait chaque

Africain, est un bon médicament pour les maladies du « pénis ».
Le médicament est gratuit — comme tous les autres d'ailleurs —
et il est donc certain que celui que l'on achète bien cher à la
pharmacie, en ville, doit être meilleur. C'est une réaction qui n'est
pas réservée aux populations de ce pays, loin de là. Malheureusement, comme on n'a que cinq ou six francs à dépenser, on achète
pour cinq ou six francs de pénicilline, ce qui est insuffisant.
On crée une résistance et l'on passe à la chronicité.

J'ai l'idée de lancer une campagne semi-mobile de lutte contre
la gonococcie — c'est l'affection vénérienne qui domine —, tout
autour de la capitale, pour commencer. Des équipes restent huit à
dix jours dans une importante localité pour permettre de mener
à bien les traitements. Un haut-parleur a été installé sur une voiture
qui parcourt les « rues » et s'enfonce jusque dans les plus petits
hameaux. L'affluence est grande. Il a été exigé que tout « chaude-
pissard » soit accompagné de sa partenaire, ce qui n'est en rien
un obstacle, et bientôt les équipes sont au travail.

Hélas, les résultats, excellents au début, ne dureront pas. Et
ces messieurs reviendront nous voir au dispensaire de Yaoundé
avec une ou plusieurs autres partenaires. J'aurais dû y penser !

Bien entendu, j'ai désigné, au début de la campagne, deux
médecins qui n'ont pas manqué, à chaque déplacement, d'aller
saluer les autorités locales.

Enchantée, cette autorité, cordiale et simple, reçoit mes deux
collaborateurs et ne trouve rien de mieux que de leur dire :
« Vous arrivez bien, mes docteurs, je vais être votre premier
client ! » Et de baisser son pantalon.

Mais laissons là cet aspect un peu imprévu de notre lutte
contre les grandes endémies : la France nous a désignés pour une
immense tâche dans son Empire colonial. Le Cameroun indépendant, comme bien d'autres anciennes colonies, a vite compris
que ces médecins de l'outre-mer n'étaient pas remplaçables du
jour au lendemain. Et combien je suis heureux de savoir que, de
nos jours, ils sont toujours aussi nombreux à servir « hors
cadres », en coopération, ces jeunes, mes cadets, à leur sortie de
l'Institut de médecine tropicale de Marseille où, à leurs côtés,
viennent se perfectionner les jeunes médecins des pays restés
amis.

Il est des valeurs professionnelles et morales qui ne se perdent pas au fil des années quand les traditions sont toujours vivaces.

Il manquait au Cameroun en 1960, un centre, si petit fût-il, de chirurgie réparatrice de la lèpre. Nous avons pu le créer à Yaoundé, et il porte le nom de Raoul Follereau, car ce sont les dons qu'il fit parvenir de France qui permirent sa construction.

La chirurgie de la lèpre doit beaucoup à nos camarades comme Carayon, Bourrel, Cornet, parmi ceux que je connais. Les médecins de nos secteurs ont vite fait de diriger sur Yaoundé des malades atteints aux membres supérieurs et inférieurs, de paralysies multiples.

Après quelques soins d'hygiène, un déparasitage, un traitement de paludisme tout cela joint à un régime alimentaire correct, « nos » lépreux sont opérés par nos amis de l'hôpital qui ont à leur disposition une petite salle d'opération bien équipée.

Quelques mois plus tard, on revoit des malades qui n'étaient que de pauvres hères, achever leur rééducation, vêtus de beaux pyjamas qu'ils n'avaient jamais imaginés. Après une convalescence dans un village spécialisé voisin, ils repartiront chez eux, parfois méconnaissables.

Cette lutte acharnée contre la lèpre a son couronnement lors de la journée mondiale des lépreux, créée par notre ami Follereau. J'entraîne cette année, qui sera ma dernière au Cameroun, tout ce qui compte dans le pays, pour célébrer cette fête, car c'en est une. J'ai glissé au président Ahidjo un petit appel qu'il voudra bien lire à la radio. Le ton est donné : sept ministres, treize préfets, vingt-quatre sous-préfets, dix députés et quatre ambassadeurs se rendent, ce jour-là, dans les villages de lépreux avec, bien entendu, tous mes médecins de secteurs qui ont réalisé des merveilles dans les villages dont ils ont la responsabilité. Dans cinquante centres de traitement, plus de sept mille malades reçoivent chacun un colis, « gagnent cadeau », comme on dit ici.

Mieux que cela, et de loin, ils ne sont plus des bannis.

Un de mes médecins a été assailli dans une rue de Yaoundé. Un accident venait de se produire, voiture et piéton, je crois. Un Noir était allongé sur la chaussée. Le docteur O., passant par là, descend de voiture et se penche sur le blessé. Un Camerounais, sans savoir de quoi il s'agit, s'attaque à notre camarade, déjà à terre, et le laboure de coups de pied et de coups de poing. Ce n'est pas la réaction d'un homme, c'est celle d'une bête qui, imaginant une bagarre entre ses congénères, se jette dans la mêlée. Malheureusement, ce Camerounais est un personnage considéré comme appartenant à une certaine élite. C'est donc assez grave. Plainte est portée pour coups et blessures et l'attaquant écope d'une bonne amende. « Ça ne valait pas toute cette histoire », dit-il en sortant du tribunal. C'est à voir...

Il y a là des instincts, hélas, de l'espèce humaine qui ne sont pas près de s'effacer. Nous en avons d'ailleurs, en France, tous les jours des exemples de plus en plus nombreux : ce qui laisse à penser que nous nous « décivilisons », lentement... mais peut-être sûrement.

Si nous en sommes bientôt là, nous aussi, de quel droit, bien entendu, ne pas avoir donné l'indépendance aux peuples d'Afrique ? Au fond, ils ne nous ont jamais appelés et l'on ne peut pas trouver tous les jours des Savorgnan de Brazza pour libérer les esclaves qui viennent de toucher le drapeau tricolore et voient de la France son « visage généreux et humain ». Toujours est-il que s'il est une présence indiscutablement bienfaisante sur ce continent, c'est bien celle de nos médecins.

Mais que de fautes ! Que n'avons-nous su limiter la surpopulation de certaines régions. Tout faire pour leur donner la santé quand des enfants sont nés, mais ne pas en mettre au monde en si grand nombre quand on n'a pas l'alimentation nécessaire pour les nourrir !

D'ailleurs, bientôt ces masses africaines noires ou blanches — l'Algérie passant de un million d'habitants à notre arrivée, à plus de dix millions à notre départ —, et ces foules innombrables de l'Asie, ne finiront-elles pas par submerger les populations européennes, les Russes compris ?

Quand j'étais jeune — bien jeune — je voyais un jour tous les peuples de nos colonies, groupés autour de nous et du drapeau français : tous frères, tous à égalité dès que notre civilisation aurait été assimilée. « Malheureux jeune homme », comme disait le professeur Sabrazes, à la faculté de Bordeaux, mais nous aurions depuis longtemps subi la loi du plus grand nombre, assimilés ou non, et nous ne serions plus qu'une minorité dans l'union française de mes rêves, comme nous le sommes désormais dans le vaste monde.

Pourquoi ne pas se tourner en priorité vers l'Europe, vers ces peuples qui nous ressemblent, qui ont presque tout inventé, dont les arts sont parmi les plus éclatants et dont la musique a conquis le monde... jusqu'à la Chine, jusqu'au Japon !

De toute façon, si nos anciens protégés ont digéré le complexe du colonisé — et cela se voit de plus en plus —, sachons reconnaître dans ces populations le degré d'évolution des uns et des autres et évitons, comme certaines dames des ambassades ou de nos consulats, de faire des ronds de jambe à de braves autochtones qui crachent encore sur les murs ou, comme dans un certain hôtel des Députés, attachent moutons et chèvres sur les balcons et font nager les canards dans les baignoires.

Accueillons enfin en amis ceux qui se comportent en amis et n'oublions pas ces quelques mots du médecin-général Pierre Richet, l'un des épidémiologistes qui firent le plus pour les populations africaines : « N'est-ce pas un peu vanité que de vous aimer, non seulement pour ce que vous êtes, mais aussi, et peut-être surtout pour tout le bien qu'on vous a fait... »

Dans une ambiance bon enfant, on célèbre l'indépendance du Cameroun. Pourtant quelques scènes de pillages et, hélas, quelques meurtres ont eu lieu. Deux missionnaires ont été assassinés. Il vaut mieux être sur ses gardes. Mon ami Muraccioli a fermé sa maison et est venu loger chez moi. A deux, il est plus facile de se défendre et pendant quelques nuits, à tour de rôle, armés, nous faisons des rondes — comme beaucoup d'autres — dans le quartier.

Le comportement des Camerounais n'a guère changé, du moins ceux que nous côtoyons tous les jours. Un peu plus de laisser-aller peut-être dans le service, mais aucune animosité à notre égard.

C'est tout à leur honneur, car sûrement plus que l'évocation des grands intérêts et des « grands principes », ce sont les petites vexations subies de la part, généralement, de ceux qu'on appelle les « petits Blancs » qui auraient pu faire naître des sentiments de haine et de vengeance.

La cérémonie des couleurs est empreinte de dignité. Avec un petit pincement au cœur, nous voyons descendre notre drapeau, mais le bon sourire d'Eugène Jamot au haut de sa stèle veille toujours sur la santé du Cameroun.

Une grande et belle réception est donnée dans la soirée. On n'est pas tranquilles. De nombreux policiers se camouflent comme ils peuvent — ils sont en blanc — dans les bosquets. On ne sait jamais... Mais tout se passe bien.

Un grand défilé est organisé. La petite armée camerounaise naissante — un bataillon —, encadrée par des officiers français, défile superbement.

Je pense à ces soldats, leurs anciens, qu'on appelait indistinctement des « tirailleurs sénégalais » qui combattirent à nos côtés sur tous les fronts.

Je pense aussi à ces régiments qui, peu avant la guerre de 1940, s'arrêtaient dans les camps de Fréjus. Pauvres gars, sensibles en diable au pneumocoque, ils payaient dès leur arrivée en France, un lourd tribut à la maladie. Combien, hélas ! mouraient de pneumonie ! Je revois ce brave garçon, avec sa « bonne bille », souriant malgré tout, et que le chirurgien devait amputer en ne pouvant que lui dire : « Tu retourneras bientôt dans ton village ! »

Je revois tous ces malheureux tués par la mitraille qui ne demandaient qu'à vivre tranquilles dans leur forêt ou dans leur savane et qui chantaient :

> « Dans mon pays, je cultivais la terre,
> Dans mon pays, je gardais les troupeaux.
> Et maintenant que je suis militaire
> Halte-là, halte-là, vous ne passerez pas ! »

Le défilé s'achève. Après les sociétés de gymnastique, les délégations de ceci, de cela, voici, montées sur un camion, assises devant leur machine à coudre, les « bonnes ménagères », chantant sur un rythme à la mode, un refrain imprévu :

« Indépendance, tcha, tcha, tcha...
Indépendance tcha, tcha, tcha... »

Et pourquoi pas, après tout, si elles croient y trouver le bonheur ?

11.

Quand Saigon
voulait vivre — 1963

*Un homme qui a faim n'est pas un homme
heureux.*

STEVENSON

A mon retour à Paris, le médecin-général-inspecteur Pieri, qui
fut le dernier directeur français de la santé au Cameroun et,
de ce fait, mon patron lors de mon premier séjour dans ce pays,
me convoque à son bureau des Invalides. Je serai bientôt au
tour de départ outre-mer, et le médecin-général dont j'ai gardé
le meilleur souvenir, va certainement me proposer un poste, que
j'espère de choix : c'est l'hôpital Grall à Saigon.

Dans notre ex-empire, réduit telle la peau de chagrin, dépen-
dre, en coopération d'un ministre étranger, de culture primaire
— c'est le cas trop souvent en Afrique —, est un manque de
dignité manifeste qu'on vous impose et il faut voir les choses
de Paris pour ne pas sentir douloureusement les coups de pied
qu'on nous destine ou pour ne pas étouffer, à force d'avaler des
couleuvres.

Alors l'Asie, l'Indochine, un hôpital de prestige, où je n'aurai
à rendre des comptes qu'à notre ambassadeur, c'est bien l'affectation qui me convient.

On me dit : « Attention ! — et ce sera vrai —, pendant les
deux années de ton séjour, il y aura une révolution ! » Nous
verrons bien, et je prends l'avion pour Saigon.

Comme le temps a passé depuis qu'en 1938, j'embarquais sur
ce vieux *Cap-Saint-Jacques* pour n'atteindre Haiphong, après de
belles et longues escales, qu'un mois plus tard ! Sans transition,

à notre arrivée sur le terrain de Than-Son-Nhut, c'est la chaleur moite des Tropiques qui s'élève et nous étouffe. Mais l'accueil est sympathique. Tandis que mes camarades médecins et pharmaciens de l'hôpital Grall viennent à ma rencontre, l'un des attachés de l'ambassade de France s'est dérangé pour me saluer. Amabilité et courtoisie se rejoignent sur cette terre d'Asie : c'est un bon présage.

Hélas, sur le chemin qui nous conduit en ville, j'aperçois là-bas, sous les plis de nos couleurs, ces longs alignements de petites croix blanches qui, brutalement, me rappellent l'affreuse réalité des dures années passées.

Je viens de retrouver, dans des papiers jaunis, un journal viet-namien, écrit en langue française. Il s'agit de *Viêt-nam Presse - Viêt-nam Thông Tan Xa*, daté du 17 octobre 1963. Le Vietnamien y fait un reportage sur l'hôpital Grall ou « Nha Thuong Dôn Dâo », comme on l'appelle dans le petit peuple. Je relis avec émotion le texte élogieux que je compare, malgré moi, avec celui, odieux, d'un de ses confrères algériens qui venait de visiter l'hôpital Maillot d'Alger où l'on m'affectera, un peu forcé, trois ans plus tard.

A Saigon, un journaliste français n'aurait pas été si aimable que ce Vietnamien envers « Grall ».

« Grall », ce nom tout d'abord qui ne dit rien aux Français, ce médecin du corps de santé colonial dont les recherches ont ouvert des horizons nouveaux sur l'étiologie des maladies tropicales.

Il n'est pas, de nos jours, un Saigonnais réfugié en France, qui au nom de cet hôpital, prestigieux dans son pays, ne vous déclare qu'un de ses parents y a été soigné. Il vous le dit un peu par reconnaissance, un peu parce que cela posait d'avoir été hospitalisé à l'hôpital français. N'est-ce pas le même snobisme qui envoie une clientèle riche à l'hôpital américain de Neuilly... Il est vrai que depuis quelque temps, les princes qui nous gouvernent — même ceux qui ne sont pas particulièrement nos amis, à nous les « militaires » — ont découvert le Val-de-Grâce, la valeur et le dévouement de nos camarades, métropolitains, d'outre-mer, marins ou aviateurs, de ce qui est devenu le « corps commun du service de santé ».

Grall est demeuré français et lorsque j'y arrive, notre drapeau côtoie amicalement le jaune et le rouge du pavillon vietnamien. Mais écoutons notre journaliste :

« ... Cet établissement se compose d'une série d'importants pavillons, reliés entre eux par des portiques, et bâtis au milieu d'un parc immense où l'ombrage et la verdure constituent un décor reposant et créent autour des malades une atmosphère de fraîcheur salutaire, même aux heures les plus ensoleillées de la journée. »

Il s'étend ensuite sur les services de médecine :

« ... Le pavillon Calmette a été construit en 1895 pour l'Institut Pasteur qui l'occupa jusqu'en 1907, date de son transfert à son emplacement actuel, rue Pasteur. Ce service est tellement chargé qu'il est difficile de réserver des lits à tous les malades qui se présentent. On entretient d'excellentes relations avec le sanatorium militaire Ngô-Quyên et le service de pneumologie de l'hôpital Hông-Bang. »

Cette collaboration est là pour prouver l'intelligence et la largeur d'esprit de nos confrères vietnamiens qui n'ont pas oublié, comme l'écrit Pasteur Vallery-Radot, que « parmi les pionniers qui permirent aux populations de l'Asie et de l'Afrique françaises de vivre dans des conditions sanitaires bien différentes de celles qu'elles avaient connues, il est trois noms qui dominent en Extrême-Orient : Calmette, Yersin, Noël Bernard ».

Et l'illustre académicien, rendant hommage à Noël Bernard, de poursuivre :

« Passionné de l'œuvre civilisatrice de la France en Extrême-Orient et en Afrique, il publia en 1951 un ouvrage auquel devraient se reporter tous les détracteurs de notre œuvre coloniale : *De l'empire colonial à l'Union française.* Ils y verraient ce que fut le travail admirable effectué par nos médecins coloniaux. Si la paix a régné sur d'immenses régions soumises à notre contrôle, si les épidémies comme la variole, le choléra, la peste, le typhus n'y sont plus qu'un souvenir, si la mortalité infantile et la morbidité en général ont décru dans des proportions étonnantes, si le paludisme, la syphilis, la maladie du sommeil, le pian ont régressé, si des travaux d'assainissement ont pu être entrepris, de grandes villes être construites, des ports parmi les

plus beaux du monde être ouverts, c'est aux médecins du corps
de santé colonial qu'on en est redevable. Ils ont été dans
l'ombre de nos soldats et de nos administrateurs, à travers nos
possessions d'au-delà des mers, accomplissant une tâche toujours
rude, parfois surhumaine, insoucieux des périls auxquels ils étaient
chaque heure exposés, prenant pour devise la parole de Pasteur :
« La vie au milieu du danger, c'est la vraie vie, c'est la vie du
sacrifice, c'est la vie de l'exemple, celle qui féconde. » L'initiative
de ces médecins coloniaux, leur dévouement, leur compréhension
de l'âme indigène et leur volonté de créer le bien-être où n'était
que la misère, ont transformé la condition de tribus qui étaient
la proie docile de la maladie et de la mort. »

Calmette, figure de légende, ne se destinait pas à la médecine.
Il préparait l'Ecole navale en 1876 au lycée de Brest, quand une
épidémie de fièvre typhoïde ne l'épargna pas — dix élèves du
lycée en moururent —, et lui fit interrompre ses études. Il s'en
remit à peine. La limite d'âge impérative ne lui permit pas de se
présenter au concours.

Sa soif de l'aventure le dirigea vers l'Ecole de médecine navale
de Brest. Devenu médecin de marine avant d'entrer dans le corps
de santé colonial, il sera « captivé, dès sa vingtième année, par la
grandeur de la mission de la France dans son expansion au-delà
des mers et les devoirs qu'elle impose. Il restera toute sa vie un
animateur de la défense sanitaire des populations acquises à
notre influence ». (Noël Bernard.)

Après plusieurs campagne navales, son désir de découvrir
le conduit vers les recherches de l'Institut Pasteur, où le grand
savant le distingue parmi tous ceux qui se pressent dans les
laboratoires. Lui, le marin, ne pourrait-on l'envoyer à Saigon
créer un Institut Pasteur, ou du moins diriger un laboratoire de
microbiologie avec comme objectif la fabrication de vaccin antivariolique dont on a tant besoin ? Il lui faudra aussi traiter les
cas de rage contre lesquels aucune thérapeutique n'avait encore
de prise, avant la célèbre découverte de Pasteur. Calmette accepte
la proposition, s'embarque avec un matériel important et arrive
à Saigon.

Il a eu probablement le temps, pendant la longue traversée
en paquebot, de s'imprégner des vues d'un ministre de la Marine,

Chasseloup-Laubat, qui écrivait : « Il ne s'agit pas de fonder une colonie telle que nos pères l'entendaient avec des colons d'Europe, des institutions, des réglementations, des privilèges, non. C'est un véritable empire qu'il faut créer, une sorte de souveraineté, avec un commerce libre, accessible à tous et aussi un établissement formidable d'où notre civilisation chrétienne rayonnera sur les contrées où tant de mœurs cruelles existent encore. »

Comment un jeune Français de sa classe, prêt à s'associer à tous ces efforts qui vont tenter d'effacer les désastres de 1870, ne répondrait-il pas à l'appel de Jules Ferry : « Les nations ne sont grandes que par l'activité... Rayonner sans agir, sans se mêler aux affaires du monde, en se tenant à l'écart de toutes les combinaisons européennes, en regardant comme une aventure, comme un piège, toute expansion vers l'Afrique et l'Orient... pour une grande nation, croyez-le bien, c'est abdiquer... Dire que vous avez voulu une France grande en toutes choses, grande par les arts et par la paix, grande par la politique coloniale. »

Je ne résiste pas au plaisir de reproduire la description de ce Saigon d'un autre temps faite par Noël Bernard et que retrouvait Albert Calmette, puisqu'il y avait déjà séjourné lorsqu'il était embarqué sur la *Triomphante* en 1884 et que son navire était en réparation dans le port de la Cochinchine :

« Saigon. Création de la première filiale de l'Institut Pasteur.

« Le 11 janvier 1891, Albert Calmette et Mme Calmette prennent passage sur le paquebot *Natal* des Messageries maritimes à destination de Saigon. Ils y arrivent le 7 février. Ils sont, disent-ils à leur famille, dans l'enchantement de la traversée, des escales, de l'accueil qu'ils reçoivent à leur débarquement, des facilités offertes pour leur installation, de leurs premières impressions sur Saigon, le fourmillement de sa population, la vie qui les attend.

« Elle ne devait pas les décevoir. Certes, dès la première heure Calmette se " lance, suivant son expression, vers les horizons pleins d'attraits " de l'œuvre qu'il se propose d'accomplir. Mais dans le cadre des usages reçus. Sans rien retrancher aux heures de travail, le rythme de cette nouvelle existence permet la détente si nécessaire de la promenade en voiture, au moment où le crépuscule

172

tempère la lourde chaleur du jour. Dans ce pays plat de Cochinchine qui donne au ciel étoilé une extraordinaire expression
d'immensité, sur ces routes sans fin, au milieu des rizières — où
se disséminent les îlots de villages indigènes, les touffes de coco-
tiers, d'aréquiers, les bananiers, les manguiers, les flamboyants —,
le trot rapide des petits chevaux annamites produit l'illusion
d'un souffle d'air rafraîchissant. Elle se prolonge sous le panka
à la lumière des lampes à pétrole, pendant le repas du soir. Pause
bienfaisante après la fatigue des journées accablantes. Lorsque,
à la saison des pluies, se déchaînent les cataractes du ciel, ce sont,
à la nuit tombante, dans la petite maison sans étage au milieu
d'un jardin, les réunions amicales sous la véranda, décorée de
plantes vertes sur leurs socles d'éléphants ou de dragons en céra-
mique chinoise, et d'orchidées se balançant sur une branche de
bois mort, pendue au bout d'un fil. La Cochinchine des temps
révolus, avant l'électricité, les ventilateurs, l'automobile, les
maisons à étages ! A ce train de la vie de chaque jour, quelques
dérivatifs : l'arrivée de France des grands courriers de la Chine
et du Japon, rendez-vous habituel de la petite colonie française
d'alors, sur le quai d'accostage, la large hospitalité traditionnelle
offerte aux nouveaux débarqués, les flâneries dans la cité chinoise
de Cholon toute proche ! »

Paul Simond, l'une des figures les plus marquantes du corps de
santé colonial — c'est lui qui a fait dans l'Inde la découverte
capitale du rôle des puces dans la transmission de la peste —,
écrivait de son côté en 1900 après plusieurs séjours en Cochinchine :

« Le climat de ce pays est un des plus néfastes à la santé de
l'Européen qui soient à la surface du globe. L'atmosphère est
saturée de vapeur d'eau pendant la saison pluvieuse et conserve
un degré hygrométrique élevé, pendant la saison sèche. Il ne
saurait en être autrement sur ce sol alluvionnaire sillonné par de
nombreux cours d'eau, cultivé en rizières, véritable marécage,
surchauffé par le soleil tropical. Les variations thermiques sont
réduites par une évaporation continue. Elles oscillent entre 25
et 34°. L'insuffisance du confort ne permettait pas à l'Européen

à la fin du siècle dernier d'accomplir de longs séjours sous ce climat chaud et humide. Chez les autochtones eux-mêmes sévissent de redoutables maladies endémiques, affections intestinales diverses, dysenterie et leurs complications, paludisme, variole, choléra, peste bubonique, etc. Fléaux contre lesquels les services sanitaires sont à cette époque à peu près sans défense.

« C'est dans ce milieu que, deux ans à peine après l'inauguration à Paris de l'Institut Pasteur, Albert Calmette a mission de fonder le premier Institut de microbiologie créé dans les colonies françaises.

« Calmette dès qu'il débarque connaît parfaitement les objectifs de sa mission.

« La variole tue. Parmi ceux qui en réchappent, apparaissent de nombreux aveugles, si nombreux qu'ils constituent parfois la population de villages entiers. Grâce à la pulpe vaccinale qu'il récolte sur des bufflons, un vaccin est rapidement mis au point et en un an, 500 000 personnes sont protégées. Quelques années plus tard, la variole est presque vaincue. Profondément imprégné de culture pastorienne, ses succès se multiplient de la même façon dans le traitement de la rage.

« Calmette mène de front de nombreux travaux et avance avec méthode. Le hasard peut aussi aider à faire d'autres découvertes. »

Dans une fort belle conférence donnée en 1943 à Hanoi, par notre ami le professeur A. Rivoalen, j'ai relevé cet épisode qui mérite d'être raconté :

« En octobre 1891, l'administrateur de la province de Bac-Liêu, en Cochinchine, télégraphie à Calmette pour lui proposer des cobras vivants. A la suite d'une inondation, une multitude de ces dangereux reptiles, fuyant devant les eaux montantes, ont cherché un refuge dans les maisons d'un village bâti sur un tertre. De nombreux paysans ont été mordus et quatre d'entre eux ont rapidement succombé. Un sorcier annamite a réussi à capturer dix-neuf cobras vivants.

« Après accord, ils sont expédiés dans un baril à l'Institut Pasteur de Saigon. Tel est le point de départ d'une étude qui va se poursuivre pendant près de quinze ans, mais avec des résultats rapides puisqu'en moins de six ans le sérum antivenimeux sera découvert et répandu dans le monde.

« Ces serpents étaient, je vous l'ai dit, des cobras. Ils appartenaient à l'espèce *Naja tripudians* plus connue sous le nom vulgaire de serpent à lunettes. C'est un des reptiles les plus redoutables puisque 25 à 30 pour 100 des sujets mordus et non traités meurent dans un délai de 2 à 12 heures après la blessure. A l'époque où se place cet épisode, il exerçait de sérieux ravages dans tout l'Extrême-Orient. Je n'ai pas de statistiques concernant l'Indochine, mais je sais qu'aux Indes, il tuait chaque année 20 000 personnes et 2 000 têtes de bétail.

« En possession de ce lot imprévu, Calmette se met à l'ouvrage ; il sacrifie onze serpents pour prélever le venin et recherche la nature et les effets de ce poison naturel, en s'inspirant des travaux récents de Roux et Yersin sur les toxines microbiennes.

« C'est ainsi qu'après des recherches remarquablement pensées et conduites, naît un sérum antivenimeux qui va sauver des milliers de vies humaines. »

Tous ces souvenirs d'un passé glorieux pour la science française nous assaillent devant ce « pavillon Calmette » de l'hôpital Grall, qui fut l'Institut Pasteur de Saigon pendant une douzaine d'années.

Sa création en 1895 « couronne, comme l'écrit Noël Bernard, la première phase, en qualité de marin et de colonial, de la carrière de Calmette ».

L'Institut Pasteur de Lille et le B.C.G. illustreront, par la suite, la vie du grand savant.

Poursuivant notre périple dans l'hôpital Grall, nous voyons ensuite les services d'électroradiologie, de chirurgie, installés dans des bâtiments modernes. Puis c'est la visite des laboratoires, construits en 1952. Là aussi se trouve : « la banque de sang qui ne fonctionne en principe que pour l'hôpital mais il arrive que les hôpitaux de la ville sollicitent des prêts qui ne sont jamais refusés. En 1958, 40 litres de sang ont été mis de côté mensuellement. Actuellement, ce chiffre se monte de 100 à 120 litres par mois ».

On aurait pu ajouter que viennent donner leur sang Vietnamiens et Français et que le complément est prélevé, moyennant rétribution, sur les coolies qui repartent chez eux après un copieux repas.

Il faut relever aussi, dans ce journal purement vietnamien, cette phrase où n'existe aucune fausse honte à dévoiler, aux yeux des lecteurs, l'origine militaire du personnel français qui sert à Grall et qui « comprend 25 Européens appartenant au service de santé des troupes de marine, dont les médecins, le pharmacien et les gestionnaires ainsi que les spécialistes manipulateurs radio, chimistes, préparateurs, anesthésistes, tandis que 400 agents sont recrutés localement ».

Je me souviens qu'en arrivant à Saigon, je m'étais étonné que la catégorie la moins fortunée de nos malades ait été nourrie à la française.

Une vue rapide des choses ne permet pas de se faire une opinion sur un pays — je dis cela pour les touristes et certains journalistes — car j'appris un jour ceci : l'hôpital Grall était payant, mon budget ne me permettant d'hospitaliser gratuitement qu'un certain nombre de malades graves, qualifiés de cas scientifiques, ainsi que des miséreux. Or de nombreux patients n'étaient certainement pas très fortunés : la famille — cela compte au Viêt-nam — se cotisait pour celui de ses membres dont l'état nécessitait l'hospitalisation. C'était souvent une personne âgée, n'ayant jamais goûté à la cuisine occidentale. J'apprenais qu'à l'heure de la visite, parents et amis, cela était courant, apportaient à leur « vieux » la bonne soupe « nha-qué », tandis que la famille goûtait avec curiosité aux mets de chez nous que l'on avait soigneusement mis de côté...

On relève enfin dans l'amical journal vietnamien : « Signalons que l'action humanitaire de l'hôpital Grall s'étend au-delà de ses murs et que le professeur Cornet et le docteur Petrucci opèrent bien souvent des lépreux qui leur sont envoyés de Saigon, de Bên-San, de Nha Trang, etc. »

J'étais pour ma part obligé d'employer des ruses de Sioux pour hospitaliser ces malheureux et les mettre à l'abri des regards indiscrets car, si cela s'était ébruité, nos cinq cents lits auraient certainement cessé d'être tous occupés. On n'efface pas la peur ancestrale et irraisonnée de la lèpre d'un seul trait de plume...

Le tableau que nous peint, de l'hôpital Grall, le jeune reporter

vietnamien traduit la très ancienne réputation de notre établissement. Nombreux sont nos camarades, parmi les plus remarquables,
qui y ont été en service et se sont dépensés pour faire reconnaître
la valeur de nos soins. Plusieurs médecins et pharmaciens furent
tués à l'hôpital Grall lors d'un bombardement sans aucune préci-
sion de l'aviation américaine contre les Japonais.

Il y a près de cinquante-trois ans que sœur Philomène vit au
Viêt-nam et bien longtemps qu'elle n'est pas revenue en France...
Elle s'est ridée et desséchée comme ces vieilles Indochinoises de
Saigon, mais son sourire a gardé quelque chose de sa jeunesse,
un peu perdu sous sa grande cornette blanche.

Sœur de charité, sœur Philomène s'est toujours penchée sur
les misérables et sur ceux qui souffrent.

Pendant les tristes événements qui nous ont conduits à lutter
contre le Viêt-minh, dans ce pays que nous aimions tant, la chère
sœur s'est dépensée auprès des blessés et des malades qui emplis-
saient les salles de l'hôpital Grall.

Les convalescents se promènent dans le parc : soldats des
troupes de marine, légionnaires, aviateurs, marins, tirailleurs indochinois confondus.

Sœur Philomène est chez elle ; tout le monde la connaît. Elle a
au bras un grand sac plein de bonbons à l'anis. Et c'est bien
pourquoi, à son approche, chacun en venant lui dire bonjour, l'a
baptisée — irrévérencieuse jeunesse —, elle et ses bonbons à
l'anis : sœur Pastis !

L'hôpital a perdu son aspect militaire de la période de guerre.

La « clientèle » se presse à ses portes : Français, mais surtout
Vietnamiens de toutes les classes de la société, Laotiens, Cambodgiens, Indiens, Polonais...

Sœur Philomène passe dans les salles, réconforte celui-ci, a
un mot aimable pour tel autre. Puis elle va voir les lépreux à
l'hôpital de Cho-Quan, fait le tour des prisons, comme elle le fait
depuis plus de cinquante ans.

Un jour, Raoul Follereau, venant du Pacifique, s'arrête à
Saigon. Comme je lui parle de sœur Philomène qu'il a déjà eu
l'occasion de rencontrer au cours de ses périples autour du monde,

il me montre une médaille bénie par le pape et me dit : « C'est pour elle. »

Et voilà comment sœur Philomène reçut à l'hôpital Grall cette sainte médaille qu'elle devait conserver pieusement quelques années encore, avant de s'éteindre doucement, après une longue vie de missionnaire bien remplie.

La relève est assurée : élèves des sœurs, ces jeunes filles vietnamiennes préparent leur diplôme d'infirmière d'Etat français. Les médecins de Grall complètent l'enseignement des religieuses et l'on enregistre des notes qui sont loin d'être médiocres. Les meilleures de ces auxiliaires seront immédiatement recrutées par nous. Mais les autres ne seront jamais au chômage, car leurs connaissances les classent tout de suite parmi les bonnes infirmières.

J'ai reçu de France une grosse enveloppe cachetée avec, à l'intérieur, la liste des questions à poser pour l'examen. Mais en France, on n'a pas encore appris que depuis vingt ans, il s'est passé quelques petits événements en Indochine ! C'est pourquoi le pli est destiné à « Monsieur le Directeur départemental de la Santé de Cochinchine-Saigon ». Quoi d'étonnant quand on sait qu'en dehors de la télévision et des « grandes » vedettes de la chanson qu'elle nous offre, trop de Français, dits majeurs, ne s'intéressent à rien, sinon à leurs vacances. Et ce n'est pas seulement la secrétaire chargée du courrier qui se perd en histoire et en géographie. Aux questions de culture générale posées à de jeunes Vietnamiennes dont on a oublié que le français n'était pas la langue maternelle, on ne peut pas s'étonner de l'extravagance des réponses. On en est toujours à « nos ancêtres les Gaulois »...

Voici quelques exemples :

Q : Qui est le dernier personnage enterré aux Invalides ?

Les réponses varient entre Gary Cooper et M. Prassat, président de l'Inde.

Q : Qu'est-ce que le Barreau ?

R : C'est la prison.

Q : Connaissez-vous l'abbé Breuil ?

R : Oui, c'est le père et le chef bien-aimé des enfants de chœur du monde entier.

Q : Qui est Francis Poulenc ?

R : Celui qui a ouvert un grand laboratoire pour fabriquer des médicaments.

Presque... mais ce n'était pas lui.

Il faut croire que l'hôpital Grall conserve une bonne réputation, si j'en juge par les personnalités qui viennent le visiter ou qui s'y font soigner.

Certains de mes camarades n'aiment pas beaucoup être dérangés de leur tour d'ivoire de médecin-chef. Personnellement, sachant que je n'aurai pas honte de mon établissement et que mes médecins me feront honneur, j'éprouve plutôt de la satisfaction à faire le cicérone.

Je revois encore l'ambassadeur d'Allemagne, le baron von Vendland, assez étonné de la belle ordonnance de nos services.

Un jour, je prends un appel téléphonique : « Ici Emily Lodge ». C'est l'épouse de l'ambassadeur des Etats-Unis bien connu, Cabbot Lodge, qui demande à être reçue. Je sais pertinemment que les Américains ne détesteraient pas s'installer dans nos murs. Je fais bien comprendre quels sentiments de fidélité nous attachent à Grall depuis plus d'un demi-siècle. On n'insiste pas, et l'on me fait un grand bonjour le dimanche suivant sur la plage du cap Saint-Jacques, alors que sur les dunes, des G.I. en armes protègent l'ambassadeur et sa femme qui font trempette, d'une éventuelle agression viêt-cong. Ils repartiront d'ailleurs en hélicoptère, alors que mon camarade de promotion Pierre Sergent et moi, n'avons pas l'air d'intéresser les communistes ; c'est du moins ce que pense mon bon ami, quand sur la route du retour, il me dit : « Ils nous voient certainement passer, mais ils savent bien que ta vieille 15 CV Citroën est la voiture des Français de Grall ; ça leur suffit, ils peuvent avoir besoin de nous ! »

Plus inattendue aujourd'hui est la visite du professeur Sannac Kanda, de l'université d'Osaka. Voici aussi des Philippins et deux généraux laotiens, que nous hospitalisons et qui me laissent en souvenir un bambou incrusté d'argent, bâton de commandement.

Le président de la République du Dahomey, de passage au Viêt-nam s'est blessé à une jambe. Il vient recevoir des soins de nos chirurgiens. Deviendrions-nous un hôpital vraiment international ?

Tous écrivent sur le « livre d'or » quelques lignes encourageantes, comme « les sentiments de vive admiration pour le travail que l'on accomplit », du professeur Lépine, de l'Institut Pasteur.

Nous sommes heureux, les uns et les autres, de contribuer au rayonnement de notre pays, si loin de la métropole... mais probablement dans l'indifférence et l'ignorance des Français.

Le professeur Debré, dont la réputation est grande, me dit qu'il a vu d'autres hôpitaux de Saigon et qu'il est frappé par la propreté du nôtre : « Comment faites-vous ? » interroge-t-il... « Nous imposons un peu de discipline, ce n'est pas plus difficile que cela », lui répond l'officier d'administration.

Notre visiteur vient de signer le livre : « Robert Debré, de l'Académie des sciences. » De sa large écriture qui pourrait être celle d'un homme très jeune, se détachent ces mots : « En hommage d'admiration et de vif témoignage de sympathie. » Accompagné par notre ambassadeur Roger Lalouette qui aurait dit que Grall était son plus beau fleuron, l'académicien examine en connaisseur tout ce que contient l'hôpital, s'arrête au chevet de plusieurs enfants malades, interroge le médecin traitant. Tout le personnel en blouse blanche est impeccable, médecins, techniciens, infirmiers. C'est pour moi une récompense après les longs et constants efforts qu'exige la tenue de l'établissement de la part des Français comme des Vietnamiens.

J'ai une admiration certaine pour cet homme de plus de quatre-vingts ans qu'est Robert Debré. Quelle clarté d'esprit et quelle résistance ! Je le reverrai le lendemain de sa longue visite à l'hôpital. Parti le matin à Dalat, où, au cours d'un repas, il prendra la parole, puis visitera plusieurs établissements, il sera de retour à Saigon pour une leçon magistrale prononcée devant tout ce qui compte dans les milieux médicaux et scientifiques de la ville. Puis ce sera un grand dîner chez le président de l'Assemblée, Truong Vinh Lê, aux côtés de notre ambassadeur et du ministre de la Santé Tran Dinh Dê. Sans se soucier d'une fatigue que l'on imagine, nos hôtes trouvent le moyen de demander au professeur, après le dessert, d'examiner un enfant dont la santé pose des problèmes. Lorsque je reconduis notre visiteur, je quitte un homme toujours aussi frais, courtois, souriant, présent.

La visite d'une sommité comme le professeur Debré n'est pas sans laisser de traces dans l'esprit des Vietnamiens qui continuent à avoir confiance dans la médecine française et dans ses représentants. Comme lui, notre ami Rivoalen est toujours un professeur très respecté et très écouté à la faculté de Saigon. Par ailleurs, lorsque des questions sont débattues au ministère de la Santé, on ne manque jamais de faire appel à celui de nos camarades le plus qualifié, le plus spécialisé.

Advienne un congrès des médecins catholiques du Sud-Est asiatique, le ministère me demande de constituer une délégation... française. Elle sera composée du professeur Rivoalen pour la faculté, de nos camarades Vandekerkove pour l'Institut Pasteur et, à mes côtés, pour Grall, du professeur Cornet, chirurgien, et du docteur Ricossé, microbiologiste.

Les autres pays occidentaux ne présentent qu'un médecin de langue française pour le Canada, et deux infirmières pour les U.S.A. Allons, la France est toujours à l'honneur grâce à ses médecins et il ne tient qu'à nous de lui conserver son influence en Extrême-Orient.

Pour l'instant, hélas, on ne peut oublier cette guerre qui sévit sans arrêt dans toute l'Indochine depuis si longtemps. J'étais à peine arrivé à Saigon, que j'en découvrais, une fois de plus, les cruels aspects.

Un Français imprudent était parti en bateau pour une promenade en rivière avec sa fillette et son petit garçon. Il s'éloignait de Saigon, le temps était clément et rien ne pouvait laisser croire qu'un drame surviendrait. Tout à coup, des hautes herbes de la rive, une rafale d'arme automatique le couchait dans la barque, touché à mort. Le petit garçon gisait à ses côtés, une balle dans la tête. La fillette, affolée, hurlante, était indemne. Des « maquisards » s'approchaient, regardaient et s'en allaient. Qu'avaient-ils cru, nul ne le saura jamais. La fillette, en larmes, mais reprenant son sang-froid, s'enfuyait sur la rive à la recherche de quelque secours. Quand le petit garçon blessé fut admis à l'hôpital, tous les soins s'avérèrent d'emblée inutiles. On le maintint en survie artificielle jusqu'au jour où il fallut bien tout abandonner.

Les attentats ne s'arrêteront pas... Je vois arriver à l'hôpital deux jeunes filles vietnamiennes dans un état pitoyable, couvertes de sang. Une bombe a explosé dans un cinéma de la ville. L'une des blessées a une jambe pratiquement arrachée, l'autre a de nombreuses blessures profondes. Il faudra amputer la première, sœur d'un médecin de l'Institut Pasteur de Nha Trang. Avec la réserve qui caractérise ce peuple, le docteur Nguyen Van Bâ m'écrit un peu plus tard : « Je ne puis vous exprimer combien je suis sensible aux marques de bonté et de gentillesse que vous avez témoignées à l'occasion de l'accident survenu à mes sœurs... »

Avec mes chirurgiens, je regrette de n'avoir pu éviter cette amputation, mais combien j'admire ces simples mots de reconnaissance qui, pleins de dignité, cachent une peine profonde...

Ce matin-là, comme je range quelques papiers sur mon bureau, Mme Ly, secrétaire de la chefferie, vient me dire qu'un ancien militaire qui, paraît-il, m'a très bien connu — il n'a pas dit où ni quand —, demande à être reçu par « mon capitaine ». Tout cela me rajeunit et je suis un peu intrigué. La porte s'ouvre et je vois entrer, à ma grande stupéfaction, mon ancienne ordonnance de la colonne de Chine, en 1946... C'est ce brave garçon honnête qui, à Sam-Neua, au Laos, m'a toujours assisté avec dévouement. De midi à deux heures, il s'en allait, je ne sais où, capturer des papillons, destinés à ma collection. Au cours d'une marche, il m'aurait bien fait arrêter la colonne, si je l'avais écouté, parce que, sur le bord de la piste, deux papillons « faisaient mariage », et il voulait me les offrir.

Il claque les talons et, sans préambule, comme s'il m'avait quitté la veille, me fait comprendre qu'il cherche du travail, qu'il a appris que « mon capitaine » — il aura du mal à me donner du « colonel » — était revenu... après dix-sept années passées dans un lointain continent, en Afrique, et qu'il aimerait bien être boy à l'hôpital.

Les circonstances s'y prêtent. Je ne lui demande pas ce qu'il a fait depuis que la Légion, rentrant à Bel-Abbès, l'a démobilisé à notre retour de Chine. Je l'engage, lui, impeccable et discipliné pour servir dans un pavillon qualifié de luxe, que nous venons d'ouvrir pour les hôtes de marque et dont le premier hospitalisé, admis ce jour, est S.E. l'ambassadeur de l'Inde, Goburdun, très francophile et qui sera de mes amis, à Saigon... et plus tard à Alger : mais c'est là une autre histoire.

Il y a bien longtemps qu'on n'avait vu à Saigon le moindre cas de choléra, quand une poussée épidémique violente éclate dans les villages avoisinant la cité : on parle de plusieurs centaines de morts. A l'hôpital de Cho-Quan, les hospitalisés sont nombreux et des médecins américains viennent en renfort des confrères vietnamiens. N'entrent à Grall qu'une quinzaine de malades. Une salle est aménagée rapidement dans le sous-sol de l'hôpital. Les visites sont évidemment totalement interdites. Tout se passe bien, sauf pour un enfant chinois qui nous est amené dans le coma et qui ne survivra pas.

Mais quel est cet attroupement de Chinois devant cette porte, alors que l'infirmier de garde fait de grands gestes pour les empêcher d'entrer ? Ce petit monde — une quinzaine de personnes — rit à gorge déployée, et Dieu sait si les Chinois peuvent être bruyants dans ce genre de manifestations où, en même temps, on se racle la gorge et on crache dans tous les azimuts ! A ma vue on se calme un peu et je réussis à connaître la cause de cette hilarité. On a vacciné tout le quartier de Cholon où habitent ces gens, des commerçants. Toute la famille s'y est prêtée de bonne grâce, sauf... un irréductible. Et c'est bien entendu celui-là, couché entre ses draps blancs, verdâtre.

La bouffée épidémique disparaît comme elle est venue. Je récupère mon local en sous-sol ; il me sert à loger les lépreux qu'en cachette opèrent mes chirurgiens et qu'il vaut mieux qu'on ne voie pas, pour des raisons que j'ai déjà données. J'ai hospitalisé cette famille lépreuse. Le mari, eurasien, est bien malade, la femme ne « vaut » guère mieux et deux petits enfants — c'est assez rare — présentent déjà les signes évidents d'une lèpre à ses débuts. Lui, était hospitalisé au quartier des lépreux de l'hôpital de Cho-Quan. Le confrère vietnamien, pour me permettre d'expérimenter une polythérapeutique sur ce malheureux, veut bien me le confier. Toute la famille, traitée (et bien nourrie, ce qui ne devait pas lui arriver souvent), s'améliore lentement et il n'est plus maintenant que de poursuivre le traitement. C'est ainsi que tous quatre partent dans un village près de Nha Trang, où le

mari devient un aide précieux — malgré ses sautes d'humeur —,
du frère directeur de la « léproserie » dont je ferai un jour la
connaissance.

La vie à Saigon ne se passe heureusement pas qu'entre les
cholériques et les lépreux. Je sais bien que si j'avais vingt-cinq
ou trente ans, comme mes plus jeunes médecins, je pesterais
de n'avoir pas le droit de danser. C'est la guerre et Mme Nhu,
épouse de l'éminence grise du président Diêm, a interdit bals et
dancings. Alors les jeunes organisent des petites soirées avec une
musique douce qui a le mérite de ne pas crever les tympans : à
quelque chose malheur est bon. Mais attention, la police effectue
des rondes et sait bien reconnaître un rythme nègre syncopé
d'une symphonie, héroïque ou pas.

L'Alliance française est toujours florissante et Mme Phang
Missao, épouse d'un confrère chinois, sympathique s'il en est,
l'anime de sa brillante personnalité. Les conférenciers — j'en
suis —, s'ils ne sont pas Cicéron, font des efforts méritoires
pour intéresser le public, le public franco-vietnamien. Tout ce
qui touche à la civilisation française est fort prisé d'une élite.
Combien de fois ne me demande-t-on pas mon appui pour faire
admettre un enfant dans l'un de nos établissements scolaires...
Cette constance est fort louable et réchauffe un peu le cœur.
Peut-être pense-t-on aussi qu'un jour, la France redeviendra ce
qu'elle était et que se rejoindront la culture française et la culture
vietnamienne : elles se marient si bien !

Jusqu'à ces gosses de la rue — ces « nhôs » — qui ne nous
prennent pas pour des Yankees, puisqu'ils nous interpellent en
français, à Saigon comme à Cholon.

Ah ! Cholon, la ville chinoise, où le soir après dîner — nous
ne risquons rien, car ces quartiers sont interdits aux Américains —... nous allons d'antiquaire en antiquaire, discutant le
prix d'un « magnifique bleu, époque Ming, docteur », fumant
une cigarette et acceptant avec joie la tasse de thé traditionnelle.
Mon ami, le docteur Sergent, entasse des merveilles qui feront de
sa villa, à Mougins, un véritable musée. Pauvre Pierre, tu n'en as
pas profité longtemps...

Le « Grand Monde » où, paraît-il, à l'époque du corps expéditionnaire, on trouvait « tout ce que l'on peut souhaiter », est fermé. Le riche propriétaire, en reconnaissance des soins reçus à Grall, y invitait souvent les médecins de l'hôpital. Je n'ai pas eu la chance de le connaître : peu après mon arrivée en Indochine, le montant d'un chapiteau de cirque lui tombait sur la tête, et nos chirurgiens ne purent être, hélas, à la hauteur de l'amitié qu'il nous témoignait.

Le plaisir des yeux remplace fort heureusement celui de la table. Chaque semaine, ou presque, des expositions de peinture, œuvres d'artistes vietnamiens, attirent, rue Catinat, beaucoup de nos compatriotes. Je vais assez souvent à ces vernissages et je découvre la présence de vrais peintres, quelquefois d'inspiration extrême-orientale, souvent de facture occidentale. Il y a du bon et du moins bon, mais on est toujours étonné par la façon dont ces artistes ont assimilé notre art. C'est toujours pour moi un plaisir de retrouver, longtemps après, quelques-unes de ces toiles peintes dans cette ville inoubliable de Saigon que je ne pourrai jamais me résoudre à appeler Hô Chi Minh-Ville !

Pour une fête — la fête nationale du Viêt-nam —, j'ai été invité à une grande réception. Hélas, au loin le canon tonne et des gens meurent.

Chez les ministres, les dîners sont nombreux. Nos médecins y sont souvent conviés. L'ambiance est très sympathique. Mais je préfère celle que je trouve chez ce vieux Ton Doc, notre « client ». On laisse parfois les baguettes pour parler d'un temps révolu. L'un de ses fils, officier de la marine vietnamienne, possède une culture française à faire pâlir des élèves de l'Ecole navale.

Les médecins vietnamiens sortis de santé navale de Bordeaux sont encore assez nombreux dans la marine du Sud-Viêt-nam. Lors d'une escale de la *Jeanne d'Arc*, j'ai réuni à l'hôpital, avec un menu du jour amélioré, certains d'entre eux, les camarades de la *Jeanne*, les médecins français, anciens navalais, établis à Saigon, et bien entendu tous les médecins et pharmaciens de Grall. C'est, comme il fallait s'y attendre, la chanson de l'Ecole qui termine ces joyeuses agapes de plus de trente toubibs, si heureux de se retrouver, bien loin de la mère patrie.

Mais voici que je reçois — médecin le plus ancien dans le grade le plus élevé — une invitation au « baptême » de la dernière promotion des médecins de l'armée vietnamienne. Fichtre ! je ne les savais pas si nombreux. La tenue, l'allure générale ne sont pas celles que décrit une certaine presse française, qui emboîte le pas derrière le Viêt-cong. Il n'y a rien de « fantoche » là-dedans. Le baptême à Bordeaux — et j'y suis très sensible — n'a pas plus d'allant.

Avant de me rendre à la cérémonie, j'ai fait demander en haut lieu vietnamien, si je devais me mettre en tenue : nous servons en effet à Saigon comme des civils et sommes toujours en tenue dite « bourgeoise ».

On reconnaîtra tout de suite l'extrême courtoisie, la politesse de nos hôtes, lorsqu'on saura que la réponse qui parvient est la suivante : « Nous serons très honorés si le médecin-colonel veut bien revêtir son uniforme. »

Je n'ai qu'un regret, c'est de ne voir en tenue, la nôtre, que les deux attachés militaires français, tandis que, par dizaines, les uniformes américains nous ont remplacés.

Le défilé est très au point, si la musique ne vaut pas celle de France. Mais que sont loin mes souvenirs ! Comme ce navalais qui passait devant le Grand-Théâtre de Bordeaux, le 14 juillet 1933, était fier d'une France souveraine et orgueilleuse de son Empire. Qu'ai-je vu depuis... et que verrai-je encore !

Allons, chassons cette mélancolie. Je rentre chez moi en cette fin de journée qui m'a fait rêver. Quelque part, un gecko fait entendre son cri : « To-Ké... To-Ké. »

Nous comptons, avec le boy Bi, le nombre de fois que retentira cet appel. C'est six, c'est sept, je ne m'en souviens plus. Mais Bi m'a dit : « C'est bon comme ça, m'colonel, c'est la chance ! » Souhaitons-le.

La chance... ces deux gars ne l'ont pas qui viennent d'être tués à quelque cinquante mètres devant moi. C'est fête à Saigon, les pétards éclatent de tous côtés. Je roule assez lentement quand éclate un autre pétard, pas beaucoup plus fort que les autres. Comme une nuée de moineaux, la foule des petites gens de la rue s'enfuit, laissant sur place ses claquettes de bois, pour courir plus vite. Dans l'entrée d'un cinéma, deux G.I. gisent au milieu des gravats. De la villa voisine sort mon ami le docteur Sergent. Nous

nous penchons sur les deux « boys » : ils sont déjà morts. Les spectateurs américains, affolés, sortent du cinéma.

Il ne reste bientôt plus que deux malheureux cadavres à emporter, tandis que, par dizaines, les claquettes annamites abandonnées par la foule jonchent la chaussée.

Le lendemain matin, les sandales ont disparu. Je suppose qu'un petit débrouillard est passé par là, les a récupérées et doit les revendre au marché. Comment les reconnaître au milieu de milliers d'autres et dans cette foule qui a repris ses petites occupations... Un attentat, c'est si vite effacé, oublié, et de nos jours, en France, nous en avons pris l'habitude. Que risquent dorénavant les poseurs de bombes, même si l'explosion qui suivra tue cinquante ou cent personnes ? Quelques années de prison...

Je n'ai pas revu, bien entendu, en passant rapidement au marché, mes claquettes annamites. En revanche, j'ai été un peu surpris par les innombrables « seins » — artificiels, cela va sans dire —, étalés ou suspendus par paires, à l'attention de la gent féminine vietnamienne, peu avantagée en règle générale en glandes mammaires...

Le *De Grasse* fait escale à Saigon. Sa haute et impressionnante silhouette surplombe le quai où il est amarré, au bas de la rue Catinat. Demain, je revêtirai la tenue blanche et mettrai mon képi pour monter à bord. Le commandant m'accueillera à la coupée en « terre française », tandis que je serai honoré des modulations aiguës du sifflet traditionnel de la marine : on me remettra officiellement la rosette de la Légion d'honneur.

Pour l'instant, perdu dans la foule venue voir cette splendide unité de notre marine nationale, j'éprouve un sentiment de fierté au milieu de tous ces gens qui admirent le navire, tandis que notre pavillon étale mollement ses vives couleurs au-dessus des eaux grises de la rivière de Saigon.

Des officiers mariniers, des matelots au pompon rouge descendent à terre. Des marchands de soupe ambulants font l'article en essuyant bols et baguettes, tandis que d'autres coupent menu morceaux de viande et légumes divers. Les cyclo-pousse s'engueulent, se bousculent, pour offrir leurs services à cette clientèle inespérée. Sans attendre qu'on leur demande quoi que ce soit, par trois, par quatre, ils foncent à travers les rues, pédalant avec force et trouvant dans leurs maigres jambes des ressources insoupçonnées. Ils connaissent suffisamment notre langue pour offrir à nos marins ce qu'ils désirent peut-être : « Aller voir Mme Annamisse, ou Mme Mitisse, Madame jolie beaucoup, moi connaisse ! »

Si le coolie n'obtient pas de réponse, il paraît que son offre change de sexe. Pendant ce temps, il roule toujours à l'aventure...

Le président du Viêt-nam, Ngô Dinh Diêm, a demandé à visiter le *De Grasse*. On dit que cela n'a pas plu aux Américains... Ils devraient pourtant comprendre que la France ne laissera pas que des mauvais souvenirs sur cette terre d'Indochine.

En sera-t-il de même pour eux ?

Je ne sais pourquoi, à propos de souvenirs, c'est celui d'Alexandre Yersin qui me revient en mémoire.

Né citoyen suisse, mais d'origine française par sa mère, Yersin s'est fait naturaliser lors de sa vingt-septième année. L'Institut Pasteur l'a attiré. Il y travaille jusqu'en 1890, mais chez cet être où sommeille l'esprit de la recherche et de la découverte, l'appel de l'aventure se fait bientôt entendre : il devient médecin de la Compagnie des Messageries maritimes. Du pont de son bateau qui fait la navette entre Saigon et Haiphong, il contemple au loin les rivages qui bordent les monts de l'Annam. Connaître ces pays devient chez lui une obsession. Un jour, il débarque à Nha Trang. Peu de gens, avant lui, se sont enfoncés, par d'étroits sentiers, dans l'intérieur du pays. Il y rencontre des difficultés de toutes sortes, dues au terrain, au climat et bien souvent au peu d'empressement des gens du pays à le laisser passer.

A force de volonté, il atteindra le plateau de Dalat, cette captivante région.

Yersin avait eu l'occasion de connaître Albert Calmette. Il le retrouve à Saigon. Calmette, d'abord médecin de marine, est passé dans le corps de santé des troupes coloniales dès la création de celui-ci. Sur ses conseils, Yersin entre à son tour dans le « corps ». Et les voici tous deux lancés dans des aventures différentes, mais combien magnifiques.

La peste se réveille en 1894. Elle vient du Yunnan où elle est endémique. Les victimes en Chine sont innombrables. Les esprits des chercheurs sont tenus en alerte par le retentissement des multiples travaux de Pasteur. Découvrir le microbe de la peste, car c'est bien d'un microbe qu'il doit s'agir, comment résister à un tel appel pour un homme épris d'aventures scientifiques, comme un Yersin ? Le voilà qui part en mission à Hong Kong où sévit le fléau.

Installé dans une plus que modeste paillote, son « laboratoire », Yersin commence ses recherches : elles sont macabres. Il faut se procurer ces bubons pesteux qui doivent renfermer le germe. On peut imaginer le jeune médecin français qui, après avoir donné quelques pièces à des fossoyeurs, s'en va prélever sur des cadavres, en plein cimetière et à la nuit tombée, ces bubons qu'il emporte en cachette dans ses bocaux, jusqu'à son microscope. Et c'est après maintes manipulations, maintes colorations, la découverte du bacille qui portera son nom. Ce n'est qu'un début dans ses recherches, car à force de travail, d'application et pour tout dire, d'esprit génial, il arrive à mettre au point un sérum antipesteux.

Peut-on oublier qu'un autre de nos devanciers découvrait à son tour le rôle transmetteur de la puce dans la terrible maladie... Il s'appelait Simond.

Quelque temps après, Girard et Robic, dans la colonie lointaine de Madagascar, elle aussi victime de la peste, « inventaient » le premier vaccin antipesteux.

Qui sait que, lors de son quatre-vingt-dixième anniversaire, il y a peu d'années, le gouvernement de la grande île — pourtant peu favorable, hélas, à la France — a eu ce geste émouvant d'adresser dans sa retraite parisienne un message d'estime et de profonde sympathie au médecin-général Girard, notre illustre grand ancien.

Après sa découverte, l'Asie est devenue pour Yersin sa terre d'adoption. Cet Annam qu'il rêvait tant de connaître lorsque son bateau en longeait les côtes, le fixera pour toujours, lorsqu'il sera chargé de fonder, en 1895, un nouvel Institut Pasteur à Nha Trang.

Il a besoin pour préparer ses sérums de nombreux animaux. Près de Nha Trang, à Suôi Giao, au pied de la montagne, se présente l'endroit rêvé.

Mais la « curiosité » réalisatrice de Yersin n'a pas de limites.

Ce sera l'introduction de l'hévéa dont les plantations couvriront un jour d'immenses territoires et seront une des richesses du pays.

Il se tournera en même temps vers les problèmes de la production de la quinine, indispensable à cette époque dans la lutte contre le paludisme.

Et à ses moments de détente, il étudiera les astres. Ne va-t-il pas faire venir de France une lunette astronomique ?

A la mort du célèbre docteur Roux, Yersin règne sur les quatre Instituts Pasteur d'Indochine. En 1902, il crée l'école de médecine de Hanoi. Oui, en 1902 déjà, la France, grâce à ses scientifiques, commence à enseigner la médecine occidentale aux jeunes gens de son vaste empire. Que les détracteurs de notre civilisation au-delà des mers veuillent bien y réfléchir, et se décident enfin, s'ils ont l'excuse de l'ignorance, à ouvrir les yeux !

Il aurait été surprenant que les Vietnamiens oublient de célébrer le centenaire de la naissance de Yersin. Que nous soyons d'une discrétion absolue en pareille circonstance, nous en avons l'habitude, et c'est bien un de nos compatriotes qui a dit un jour, sous la Révolution, que la République n'avait pas besoin de savants. Mais au Viêt-nam, on sait encore, en 1963 du moins, rendre hommage aux hommes de bien qui se sont dévoués pour d'autres hommes.

C'est pourquoi la célébration du centenaire de Yersin a revêtu par son faste une importance particulière en ce temps de guerre fratricide.

Bien sûr, l'ambassade de France était, m'a-t-on dit, au courant de la manifestation qui se préparait à Nha Trang. Il est vrai que loin de l'Hexagone, l'esprit des Français s'ouvre davantage aux problèmes du monde et que ce qui touche à leur pays ne les laisse pas indifférents.

En l'absence d'Indochine de l'ambassadeur, c'est le premier conseiller qui représente la lointaine métropole. Mais quelle satisfaction pour nous tous, de voir réunis les notables vietnamiens, les vénérables bonzes et les évêques français, main dans la main.

Le directeur de l'Institut Pasteur de Saigon est à mes côtés, tandis qu'une longue procession se met en marche vers le tombeau d'Alexandre Yersin. Tambours, flûtes, cymbales retentissent dans un décor fait des innombrables drapeaux et bannières de toutes les couleurs, portés par une foule de petites gens tenant à la main des baguettes d'encens. Ils n'ont pas oublié l'œuvre immense de cet homme de bien, de ce savant qui a fait aimer sa patrie jusque sur les rives lointaines de l'Annam.

Pourquoi faut-il que, comme si une fausse note devait toujours retentir dans un concert de louanges, l'on soit dans l'obligation de placer au loin dans la plaine, des groupes d'hommes armés, chargés de nous protéger d'une attaque toujours possible du Viêt-cong ?

La peste sera-t-elle, un jour, vraiment vaincue ?

Il revenait, à mon sens, aux médecins français présents au Viêtnam, en 1963, de rendre un dernier hommage à nos deux « anciens » Calmette et Yersin, à l'occasion du centenaire de leur naissance.

C'est le sculpteur Nguyên, professeur aux Beaux-Arts de Saigon, qui voulut bien se charger de fixer dans le bronze les traits des deux médecins. Il fallut tout le talent de cet artiste pour parvenir, en partant d'une simple photographie, à reproduire dans un remarquable bas-relief l'image de nos illustres devanciers.

Sans exception, médecins et pharmaciens de la faculté, de l'hôpital Grall, médecins de l'Institut Pasteur, ainsi que nos camarades établis en ville, eurent à cœur de participer par leurs dons à la mise en place de la stèle du souvenir qui allait se dresser sur l'une des pelouses du vieil établissement que connurent Calmette et Yersin.

Une fois de plus, lors de l'inauguration, on put s'apercevoir que, au-delà des graves dissensions, il existait une profonde et durable amitié entre Vietnamiens et Français, particulièrement nombreux ce jour-là. Le ministre de la Santé avait tenu à être présent, ainsi que les ambassadeurs de plusieurs pays. Les représentants de notre ambassade et de notre consulat général étaient au premier rang. De chaque côté de l'allée conduisant à la stèle, formant la haie, les jeunes infirmières vietnamiennes de l'hôpital, en tenue impeccable de travail, accueillaient les visiteurs.

L'hôpital Grall n'est plus. Les nouvelles autorités en ont fait un hôpital pour enfants. Je craignais — en 1983 — que soit disparu à jamais le souvenir de la présence française de deux grands médecins. Un ami vietnamien vient de m'écrire qu'il n'en était rien.

Le profond regard de Yersin sonde toujours les mondes inconnus, et l'aimable sourire de Calmette s'étend aussi sur ces petits enfants qui souffrent, dans cet hôpital où il apporta dans un passé lointain le premier microscope de l'Occident.

Puisse demeurer notre stèle, pour faire connaître au passant le visage de deux grands Français, de deux hommes de bonne volonté.

Il m'arrive, dans mes vieux papiers, de trouver des lettres de malades. Vingt ans après, j'y suis encore très sensible.

C'est quelquefois très naïf, mais c'est touchant. Ainsi la lettre d'un vieux fonctionnaire qui me parle de ma « Haute recommandation pleine d'humanité envers les anciens Indochinois fidèles à la Noble Culture Française exceptionnelle... »

Il s'agit d'un nommé Nguyên (mais c'est plus commun que Durand).

Et voici d'un M. Lê (c'est... Dupont) :

« Je m'incline de l'organisation impeccable, du dévouement total de vos chers collaborateurs ; devant l'œuvre charitable et de bienfaisance laissée à mon pays. Quoiqu'il y a beaucoup de difficultés à surmonter, j'espère que la France continuera à propager cette œuvre irréprochable au Viêt-nam. La France est très fière de recevoir tout honneur et félicitations de mes compatriotes. »

D'un autre M. Lê :

« Grâce à votre bonté, vous avez déjà accepté de m'accorder une gratuité totale... Avant de quitter l'hôpital, grâce à vous je retrouve la santé... je vous offre quelques fleurs... »

Que dire de ce pauvre homme, ancien blanchisseur à l'hôpital, atteint d'une tuberculose grave (peut-être d'ailleurs contractée dans le service où il était employé), traité et très amélioré à « Calmette », pauvre s'il en fut, et qui, tout gêné, vient m'offrir à sa sortie... un glaïeul.

Et ce malade atteint de lèpre, soigné et opéré à Grall... Il venait d'un village situé à des centaines de kilomètres de Saigon. J'ai appris par la suite qu'il avait demandé à mes secrétaires ce qui me ferait plaisir de recevoir, car il voulait me faire un cadeau. Au jour de nous quitter, il déposa sur mon bureau, de ses mains encore malhabiles, une vieille cuvette émaillée. Je l'ai gardée, car, pour moi, c'est un souvenir précieux.

Il m'arrive souvent de recevoir chez moi la visite d'un missionnaire français qui ne se contente pas d'être un enseignant modèle dans le collège où il est affecté, mais profite de ses temps de loisirs pour aller voir des lépreux et leur apporter sulfones et biscuits. En auto ? Non, à bicyclette, sous la chaleur humide de Cochinchine, modestement, mais avec un cœur... gros comme cela !

A l'Institut Pasteur, on soigne des lépreux, à l'association Salve (secours aux lépreux du Viêt-nam), on en soigne d'autres, à Grall on en opère un certain nombre, à l'hôpital de Cho-Quan, tout un quartier leur est réservé et les sœurs vietnamiennes font un travail admirable. Il est à Saigon quelques dames qui se dévouent à leurs côtés. Je sais que deux Françaises et une Vietnamienne consacrent une grande partie de leur temps à les aider : leur nom est peint à côté de celui de plusieurs bienfaiteurs, sur un tableau placé à l'entrée de l'établissement. Il s'agit de Mme Fesquet, de Mme Merle et de Mme Hoan. Avec Mme Phang Missao, autre Française qui dirige le dispensaire de Salve, on ne peut pas dire que le bénévolat au profit des lépreux attire beaucoup la foule. Mais il faut bien savoir qu'il règne toujours dans ces lieux, quoi qu'on fasse, une écœurante odeur de maladie, de crésyl et d'urine. C'est peut-être pour cela que de nombreux lépreux se sont groupés, libres comme l'air, dans un cimetière désaffecté...

Pourtant, quels efforts ne fait-on pas à Cho-Quan ! Raoul Follereau, lors d'un passage à Saigon, a laissé suffisamment d'argent pour que l'on puisse construire dans le quartier des lépreux un vaste bâtiment qui va bientôt grouper un certain nombre d'ateliers.

Dans l'un, on faisait de la menuiserie, dans l'autre on fabriquait des cages d'oiseaux, des nattes. Là-bas, des femmes se penchaient sur des travaux de couture, de broderie.

Peu à peu, on vit des malades qui, au lieu de rester allongés tout le temps sur leur bat-flanc, se dirigeaient vers les ateliers, en curieux d'abord, puis qui, heureux de découvrir ces travaux divers, prenaient en main les outils les plus variés, et jusqu'à des pinceaux. Dans un « atelier de peinture », deux ou trois lépreux, artistes naïfs, peignaient de leurs doigts souvent atrophiés des scènes journalières de leur village natal qu'ils avaient peut-être l'espoir de revoir un jour...

Pendant ce temps, je fais la connaissance d'un missionnaire qui, pour moi, est plus qu'un homme de bonne volonté.

Jeune religieux, son apostolat le conduisit sur les côtes d'Annam. C'est vraisemblablement dans ce village de lépreux, tout près de la route de Dalat, qu'il contracta la maladie, sous une forme lente et atténuée. Un jour il quitte ses malades, car il est appelé à Saigon dont il deviendra l'évêque. Les années passent, il est enfin remplacé par un évêque vietnamien : c'est dans la logique des choses.

Alors monseigneur Cassaigne — car c'est de lui qu'il s'agit — reprend le chemin du village pour y retrouver, comme il me l'écrit, « ses douloureux enfants ». Je l'ai rencontré un jour : de continuer jusqu'au bout de ses forces à se pencher sur « ses lépreux » faisait de lui un homme heureux et serein.

C'est là, quelques années plus tard, qu'il s'est éteint, entouré de l'affection de tous ses « villageois ».

On peut mettre sur le même plan que monseigneur Cassaigne, ce Vietnamien, M. Hoang Kim Nha, que j'ai bien connu. Atteint profondément dans sa chair par la lèpre, à une époque où la thérapeutique, hélas, n'était pas ce qu'elle est aujourd'hui, souffrant toujours lorsque je l'ai rencontré, M. Hoang a eu la force d'écrire un livre pour les lépreux : *A ceux qui viennent après...* Il leur donne les conseils les plus judicieux, entre autres celui de ne pas se confier à des mages ou à des charlatans.

D'une longue lettre que cet ami m'adressait, je ne résiste pas à citer quelques lignes qui montrent les soucis qui assaillent parfois un homme de bien :

« ... Le malade de demain [il parle de Saigon] sera soigné comme il se doit, pas de doute à ce sujet. Reste l'individu (du moins certains d'entre eux) qui est improductif et qui est intégralement renié par sa famille, qui trouve dans ces centres un toit pour la tête et deux repas par jour, mais rien d'autre, et à qui il ne reste qu'une dernière ressource, la mendicité. Pas plus tard que le mois dernier, ils sont descendus en force sur la ville, la presse de Saigon poussa de hauts cris, la police était sur les dents. Après de furieux ramassages, tout rentra dans l'ordre. Jusqu'à la prochaine...

« ... Si l'on pouvait leur donner quelque argent de poche par mois à chacun, le problème serait réglé !

« ... Et voyez-vous, cher colonel, c'est là où le bât blesse. Il y a dix jours, j'ai reçu une lettre signée de deux malades de Cho-Quan, précisément. Je ne sais comment ils sont arrivés à se procurer mon adresse. Ils demandaient une petite somme. Leur cas est très touchant, comme toujours. Et cette tentative de se faire un peu d'argent de poche légitime. Il est facile, il est tentant d'acquiescer. Seulement, une fois commencé, il faut aller jusqu'au bout et ne pas s'aviser de dire non à tous les autres qui ne manqueront pas, la bonne nouvelle une fois répandue, de se présenter à leur tour. Je prends le parti de faire le mort et, comme prévu, je ne manque pas de me sentir affreusement coupable... »

Et, bien entendu, M. Hoang prend son bâton de pèlerin, écrit aux uns et aux autres pour essayer de venir en aide à « ceux qui viennent après ».

A quelques kilomètres de Nha Trang et des rivages d'Annam, dans une petite vallée entourée de collines, vivent en paix quelques dizaines de familles de lépreux.

C'est un village, un centre de traitement, et il ne viendrait à personne l'idée de l'appeler léproserie. Au milieu de l'agglomération, un beau bâtiment est réservé à l'infirmerie. A l'entrée, un panneau : « Pavillon Raoul-Follereau ».

Oui, c'est grâce, une fois de plus, à papa Raoul que le nom d'un Français apparaît au fronton d'une maison, dans un lieu perdu, si loin de la France.

Des enfants courent et jouent. Quelques femmes circulent ou apparaissent à la porte des « ca-nha ». C'est un village comme les autres, avec ses joies, ses peines. A la différence près... que tous ses habitants ont contracté la lèpre, un jour ou l'autre. Mais il y règne tant d'ordre, tant de propreté, que les souffrances dues à la maladie semblent s'estomper suffisamment pour que nous soyons accueillis par des rires d'enfants et des sourires de femmes.

De Saigon, j'ai pu suivre pendant toute une année, en voyant les photographies que je recevais, la construction du Pavillon Follereau. Et c'est, lorsqu'il a été achevé, que j'ai reçu l'invitation à me rendre au village.

Ce n'était pas un voyage de tout repos. De Saigon à Dalat, sur les hauts plateaux, la route n'était pas toujours sûre, le Viêt-cong y tendait parfois des embuscades. Mais on passait et de Dalat à la mer c'était l'enchantement d'un pays merveilleux.

Voici, sortant de l'infirmerie, deux hommes qui s'avancent. L'un est le frère Alix Bourgeois. C'est à la fois l'administrateur, le médecin et le « père » du village. L'autre, jeune frère vietnamien, est son adjoint le plus fidèle. Oh ! on ne roule pas sur l'or, mais on vit.

Autour du village, des rizières. Les malades, ceux qui peuvent travailler, hommes et femmes, repiquent le riz : la récolte sera bonne, espérons-le. Et puis, grâce aux économies d'une maison bien tenue, bien gérée, grâce aux dons que l'on a reçus de gauche et de droite, la communauté a pu acheter un grand bateau de pêche à moteur, qui bientôt nous conduira au large des côtes, près de ces îles aux eaux si claires où pullulent les poissons.

Pour une bonne demi-douzaine de nos « gaillards » — nourris correctement, soignés encore mieux —, qui saurait maintenant qu'ils sont « des lépreux » ?

Le frère Alix et moi, nous partons à la pêche... Ce ne sera pas « la pêche miraculeuse », mais elle sera bonne, néanmoins. Une partie du poisson sera mise de côté, pour les villageois, le reste recueilli par deux femmes, à notre retour au rivage, ira se vendre au marché.

Et c'est ainsi qu'une communauté de lépreux a chassé l'ennui mortel réservé trop longtemps aux léproseries où rien n'est

organisé et où les malades dépérissent, ne trouvant aucun sens
à la vie.

Mais nous voici à nouveau au village ; tout ce petit monde
s'est réuni devant le Pavillon Follereau. Où sont ces miséreux
qui traînent trop souvent, ces mendiants abandonnés, couverts de
haillons, qui errent dans les villes ?

Bien propres, adultes et enfants ont mis leurs beaux habits.
Les robes claires apparaissent au soleil. Un malade me lit un
compliment où il est question du « Grand Français Raoul Follereau », et l'on me remet un souvenir qui ne peut être qu'à l'image
d'une jonque de mer à tête de dragon.

La vie a continué. Hélas, un jour, des guerriers venus du nord
sont passés par là où tout n'était que calme et paix. Les représentants d'un régime totalitaire ont suivi. On a dit au jeune
prêtre vietnamien de disparaître aussitôt et l'on a donné quelques
jours au frère Alix pour quitter le pays.

Qu'avaient-ils donc fait de mal ? Ils avaient probablement trop
aimé les lépreux...

J'ai revu le frère Alix en France et il a bien voulu assister à
une conférence que je donnais sur « la bataille de la lèpre ». Au
monastère d'Amiens où il vit désormais sans espoir de retour
vers ce pays d'Annam qui fut sa deuxième patrie, il n'a pas oublié
son apostolat, et c'est maintenant vers ces pauvres gens qui fuient
leur pays, ces « boat people », que se tournent son amour, son
énergie, sa foi.

Je voudrais que le lecteur me pardonne d'avoir tant insisté sur
le rôle prépondérant que nos médecins et nos missionnaires ont
pris dans la lutte contre la misère, la maladie, les grandes endémies
dans ce qui fut l'Empire colonial français.

J'ose croire, je l'affirme, qu'ils ont contribué à étendre ou à
donner, partout où ils sont passés, ce sens de la charité que l'on
retrouve chez ce bouddhiste qu'est M. Hoang, notre lettré, lépreux,
de Saigon.

Des hommes de cœur, de race et de religion différentes, peuvent
toujours se retrouver. Mais ils ont le droit, et même le devoir,
d'écrire, comme le faisait Raoul Follereau dans une lettre qu'il
m'adressait, quelques années avant sa mort :

« D'accord aussi — ô combien ! — concernant notre attitude " masochiste " envers les pays sous-développés. Cette sorte " d'exhibitionnisme " d'une culpabilité vis-à-vis des " frères de couleur " est grotesque et malfaisante. Et ce n'est pas les aimer que de leur demander pardon de fautes que nous n'avons pas commises... »

On m'avait prédit — et je l'ai écrit plus haut — que je ne passerais pas mon séjour en Extrême-Orient sans voir au moins une révolution.

Jusqu'ici, à part les attentats, tout est assez calme, dans Saigon du moins, car chaque jour nous apporte des nouvelles souvent peu rassurantes pour la suite des événements qui se produisent dans le pays. En ville même, apparaissent peu à peu ce qu'on peut appeler les signes prémonitoires d'un grand chambardement.

On dit que la police de Diêm est particulièrement sévère et cruelle. Pour le vérifier, c'est une autre affaire. Des prisonniers politiques seraient enfermés dans des cages, au Jardin botanique, ce qui n'est pas étonnant quand on sait que les Viets ont employé les mêmes méthodes pour certains de nos soldats, prisonniers de guerre. Ne dit-on pas aussi qu'un bateau transportant des détenus à l'île de Poulo Condor, notre ancien bagne d'Indochine, avait été envoyé par le fond au large du cap Saint-Jacques avec tous ses passagers involontaires ?

Toute cette propagande est savamment orchestrée et dans tous les pays du monde, cette « guerre psychologique » a pris, nous le savons bien, une place de plus en plus importante.

Les bonzes, eux, paraissent être très pourchassés par la police, si j'en juge par les nouvelles que nous apprenons, puis par les faits qu'il nous sera donné de voir.

Arrive un jour à l'hôpital un jeune bonze, de jaune vêtu comme il se doit, le crâne rasé. Les gens qui l'accompagnent accusent la police de l'avoir torturé et fait boire quelque poison. Le religieux titube, tourne sur lui-même, très agité et montre des signes évidents d'hystérie. On l'hospitalise.

Un dimanche après-midi, je suis appelé à l'hôpital par le médecin de garde, un peu dépassé et surpris par ce qu'on lui annonce : l'arrivée d'une dizaine de bonzes en état d'hystérie manifeste.

Les voilà qui descendent d'un camion, et dans l'allée centrale de Grall tout ce monde tourbillonne, tombe, se relève. Un tableau que Charcot n'a jamais pu voir aussi bien brossé.

Mais le mal gagne de plus en plus.

Ce matin, je suis dans mon bureau. J'ai appris que la veille, quatre jeunes « bonzesses » ont été admises pour des troubles « nerveux ». Le médecin du service vient me voir et me rend compte que les quatre filles, couchées dans la même chambre, crient, hurlent, pleurent, se contorsionnent. Le docteur Cathalan ne s'affole pas pour autant, mais voici que dans les chambres voisines, les malades s'énervent et veulent quitter l'hôpital.

Nous entrons chez les religieuses, Cathalan, une infirmière et moi. Je fais sortir les curieux, je ferme la porte et administre une bonne paire de gifles à la première des possédées. Elle se tait aussitôt. Les trois autres en reçoivent autant et je rétablis le calme. Un bon sourire des quatre bonzesses me récompense de ma thérapeutique, et nous pouvons partir tranquilles.

Mais en ville, un drame vient de se produire. Un bonze s'est aspergé d'essence, a craqué une allumette, est tombé à genoux et, les mains jointes, dans l'attitude de la prière, a brûlé comme une torche. Tout cela était prévu car, quelques jours après, on m'offrait une photographie en couleurs de la scène : la robe jaune du bonze apparaissait au milieu des flammes rouges du sacrifice.

Comme une bouffée épidémique, les jours suivants voyaient s'immoler d'autres bonzes.

Une toute jeune fille vient de se frapper avec une sorte de couperet. On la conduit en salle d'opération. N'ayant certainement pas de notion d'anatomie, elle a frappé la face postérieure du poignet : vaisseaux et nerfs n'ont pas été touchés. Mais quel travail pour suturer les tendons ! Le professeur Cornet qui a passé plusieurs heures à réparer tous ces dommages a dit à sa cliente, avec un certain humour, qu'il lui conseillait de ne pas recommencer car il ne perdrait pas son temps une deuxième fois.

La jeune blessée a parfaitement guéri. Le jour prévu pour sa sortie, sa sœur aînée a demandé que je la reçoive. Affolée, cette dernière m'a déclaré que des policiers attendaient la rescapée à la porte de l'hôpital : je n'avais pas autre chose à décider qu'à reporter à plus tard son *exeat*.

A quelque temps de là, une jeune fille très élégante vient me remercier des soins qu'elle a reçus. Je ne reconnais pas d'emblée l'exaltée mal habillée et couverte de sang que nous avions hospitalisée. La « Révolution » avait éclaté, Diêm était assassiné, d'autres avaient pris le pouvoir.

Je crois que Grall a toujours eu la réputation d'accueillir ceux que la police d'Etat recherche et qui trouvent un havre de paix pour quelque maladie plus ou moins imaginaire.

C'est une tradition bien française, très valable lorsque le « réfugié » veut bien se tenir tranquille. Mais c'est une faute de le garder — l'illustre Khomeini en est la preuve —, lorsqu'il profite de l'hospitalité qui lui est offerte pour se livrer à une activité politique, et cette faute, cette faiblesse inexcusable peuvent se payer cher.

J'ai eu l'occasion, sous le régime de Diêm, de garder dans nos murs un colonel vietnamien qui s'était réfugié à l'ambassade de France. Je suppose que son cas était valable, puisque c'est le premier conseiller qui me téléphone un certain jour en me demandant de venir de toute urgence à l'ambassade : il spécifie que je dois conduire moi-même, seul dans ma voiture. Je trouve un officier assez agité. Il se fait tout petit et personne n'a pu le voir au fond de mon auto lorsque nous avons franchi la grille de l'hôpital. Je le dépose au service O.R.L. et le docteur Rit le prend en charge. Je n'en ai jamais plus entendu parler.

Pendant que brûlent les bonzes et qu'une jeune fille s'ampute, les journaux, eux, brodent comme toujours sur tous ces événements, lorsque la bride leur est laissée sur le cou. Voici ce que j'ai relevé dans la presse saigonnaise ; ceci, comme on va le voir, ne manque pas de sel :

HANH-DONG (*Action*)
n° 2 du mercredi 18/12/63

« Peut-être, par une grâce miraculeuse, le bonze Thich Thanh Tong, ayant été sauvagement torturé, n'a pas trouvé la mort : 10 grands clous enfoncés dans sa colonne vertébrale — 1 balle au ventre — absorption de l'eau de savon, de saumure.

« Le 15/12/63, à 16 heures, une visite a été faite au bonze

Thich Tanh Tong qui est actuellement hospitalisé à l'hôpital Grall, par le reporter du journal qui a déclaré que le bonze Thich Tanh Tong est le seul vivant parmi ses coreligieux arrêtés par le service secret de Diêm-Nhu.

« Le bonze Thich Thanh Tong était en religion à la pagode de Buu-Long qui se trouve tout près du marché de Hoa-Hung. Il a participé à la manifestation qui a eu lieu le 16/7/63 au grand marché de Saigon, sous la direction du bonze Thich Chanh Lac. La répression a été engagée par le directeur de police de la préfecture. Tran Van Tu, contre cette manifestation, et le bonze Thich Tanh Tong a été arrêté et amené à la direction générale de police et de sûreté où il a été sauvagement torturé jusqu'à son évanouissement.

« Croyant qu'il était mort, on l'a déposé à la morgue de l'hôpital Cho-Quan. Deux heures après, le bonze Thich Thanh Tong revint à soi et se trouva couché dans la morgue. Pris de peur, il a crié fort. Alors on l'a fait sortir de la morgue et l'a enfermé ensuite dans un cachot par suite de ses troubles d'esprit.

« Le service secret de Diêm-Nhu a ensuite exploité à plusieurs reprises le bonze Thich Thanh Tong par des scènes de torture parlées plus haut. »

Avec mes médecins, nous avons examiné « dans tous les sens » le bonze ressuscité... Le miracle a continué à se produire. Nous avons cherché en vain le point d'entrée de « la balle du ventre », et le point éventuel de sortie. Les « 10 grands clous enfoncés dans la colonne vertébrale » n'ont pas laissé de traces. Ah ! si, pardon : le bonze avait dans le dos quelques cicatrices très anciennes, peut-être de « clous », comme on dit chez nous en parlant de furoncles.

Et nous sommes restés perplexes devant le saint homme !

Le gouvernement se méfie de plus en plus d'un coup d'Etat. Toutes les fenêtres doivent être fermées sur l'itinéraire que va suivre le président Diêm pour assister, lors de la fête nationale, au défilé des troupes. Il passe devant la tribune où, avec les deux officiers de l'ambassade, nous représentons l'armée française, à côté des officiers étrangers où dominent évidemment les uniformes américains. Il nous rend notre salut.

Très beau défilé en vérité. Certaines unités n'ont plus du

tout l'allure un peu étriquée de nos tirailleurs du 3ᵉ R.T.T. — régiment des tirailleurs tonkinois —, où j'ai servi autrefois à Dap-Cau.

Leur aurait-on inculqué un amour de leur pays, à les voir ainsi bomber le torse... et ceci malgré la propagande qui les disqualifie, eux, Diêm, Nhu et leur bande de « fantoches » aux ordres des Américains, ces tigres en papier, comme chacun sait ?

De lâches attentats anti-américains — œuvre du Viêt-cong — sont de nouveau commis. En pleine rue Catinat, une bombe éclate : la police, allant au plus pressé, nous conduit deux « boys » blessés. Ils sont bientôt entre les mains de nos chirurgiens, toujours sur la brèche. Mais voici que des soldats américains ne respectant pas les lieux et sans rien demander à personne, pénètrent jusqu'au saint des saints, la salle d'opération. Tout juste si le docteur Cornet et le docteur Petrucci ne sont pas bousculés. Je suis obligé d'intervenir pour faire comprendre à ces rustres, qui se croient en pays conquis, que nous sommes des médecins français. Je me promets de signaler le fait à l'ambassade des U.S.A. Ils repartent enfin avec leurs blessés sans nous adresser le moindre remerciement : les sauvages sont partout !

Mais comment, en agissant ainsi — et ce doit être pire face aux Vietnamiens —, peuvent-ils croire qu'un jour ou l'autre ils seront aimés d'une population élégante, polie, plus civilisée qu'ils ne croient et où comptent les nuances, du moins dans les classes éduquées ?

Revenons à Diêm. Je lui avais été présenté lors d'un congrès de médecine. Il nous avait dit quelques mots aimables. C'était un homme un peu corpulent, gras, au visage sans expression particulière. On disait que Mme Nhu et M. Nhu étaient les véritables maîtres du pays et que lui n'était que la « potiche ».

En début d'après-midi de ce jour-là, le docteur Petrucci me téléphone de l'hôpital : « La révolution va éclater d'un moment à l'autre. » Peu après, en effet, la fusillade commence. Rapidement tout s'embrase et les bombardements, les tirs d'artillerie se font plus précis. Dans l'immeuble qui jouxte ma villa, trois de mes médecins et un pharmacien attendront le lendemain comme moi, pour essayer de rejoindre leur service, car on tire à tous les coins de rues. Le téléphone fonctionne. Je suis tenu régulièrement au courant des événements qui pourraient se produire à l'hôpital. J'arrive à savoir que tout le monde est à l'abri. Les combats se poursuivent toute la nuit. Une douzaine d'obus tirés de loin par une batterie d'artillerie et destinés à un bâtiment voisin de l'hôpital, tombent sur Grall. L'ensemble où logent avec leurs familles plusieurs de mes sous-officiers infirmiers est criblé d'éclats.

Dans une chambre où auraient dû dormir deux petites filles, les matelas ont été déchiquetés. Grâce au sous-sol bétonné, construit par l'armée française, pas une victime ne sera à déplorer, si ce n'est cette infirmière de l'Institut Pasteur, réfugiée à l'hôpital, blessée à la main par un éclat.

En pleine nuit — dans les moments tragiques il y a toujours place pour le comique —, un médecin souffrant de la chaleur dans son abri, décide d'aller prendre une douche, lors d'une accalmie, chez le chirurgien résident. Il commence à trouver bien agréable ce jet d'eau rafraîchissant quand un obus frappe le mur de la villa, le détruit à moitié, et tombe à terre... sans éclater. On m'a dit que le praticien était parti en courant dans le plus simple appareil.

Le lendemain matin, à part quelques coups de feu isolés, les combats cessent. Avec mes voisins, nous atteignons l'hôpital sans encombre. Le père aumônier Vilacroux a été très utile. Un char de l'armée, fidèle au régime, s'est réfugié dans l'hôpital, les chenilles emprisonnées dans un réseau inextricable de barbelés. Il allait être abandonné par son équipage quand le Père a fait comprendre, joignant le geste à la parole — vietnamienne — que ce n'était pas la place d'un tel engin dans ce lieu neutre, par essence. Avec beaucoup de difficultés, il a atteint la rue voisine et les soldats de Diêm se sont évanouis dans la pénombre.

Nous faisons le tour de l'hôpital. Les dégâts ne sont pas trop importants, et puisqu'il n'y a pas de victimes, nous pouvons nous estimer heureux.

Peu de temps après, nous apprenons que Diêm et Nhu, qui s'étaient réfugiés dans une église de la périphérie de Saigon, ont été découverts par des soldats et exécutés — je dirai assassinés —, sur-le-champ.

Le putsch — organisé par une douzaine de généraux — n'était

pas l'œuvre du Viêt-cong, ni des communistes du Nord, mais bien celle des militaires.

La foule se rue sur la place où est élevé un monument à la gloire des sœurs Trung, libératrices du Viêt-nam, il y a bien longtemps, face aux Chinois. Le sculpteur a représenté les deux héroïnes sous les traits de Mme Nhu et de sa fille. Il ne faut pas longtemps pour que les statues gisent à terre, au milieu de l'explosion de joie des « masses populaires » — comme cela se produit toujours de tout temps, sous toutes les latitudes !

Un certain nombre de soldats blessés au cours des affrontements récents ont été admis dans notre formation. Nous n'avons jamais demandé de quel bord ils étaient.

Nous avons aussi hospitalisé — il était vraiment malade — un personnage très important de la suite du président déchu. Il s'agit de son banquier. La neutralité de Grall joue toujours et l'on y recueille parfois le vainqueur de la veille, tombé de son piédestal. Ce gros financier demeurera longtemps parmi nous, se faisant le plus petit possible.

Je suis appelé, malgré moi, à faire la liaison entre les généraux du putsch et notre ambassade. Paris, en effet, ne se presse pas de reconnaître le nouveau régime. Tous nos compatriotes déclarent d'ailleurs que c'est inouï, insensé, contraire à nos usages diplomatiques. Le premier conseiller, M. Perruche, qui remplit les fonctions d'ambassadeur, est fort ennuyé : il ne peut recevoir officiellement les généraux qui ont pris le pouvoir, comme les représentants légaux du Viêt-nam. De l'autre côté, ne sachant à qui s'adresser, les généraux — très en liaison avec le dentiste de Grall, lequel semble écouté dans le nouveau gouvernement — voudraient, paraît-il, me voir. La neutralité du corps médical est bien connue, et ces officiers n'ignorent pas ce qu'est la Croix-Rouge.

Comme je suis d'accord pour les recevoir, mon dentiste me dit qu'ils tiennent à ne pas être vus et qu'ils viendront chez moi, la nuit tombée. Je vois donc arriver quatre généraux fort « étoilés ». Je connais un peu deux de ces officiers. Ils me pressent d'intervenir auprès de l'ambassade pour que soit reconnu rapidement le nouveau gouvernement, et me disent que la France peut, en l'état actuel, jouer un rôle déterminant pour obtenir une paix

avec la rébellion viêt-cong. Bref, me voilà « ambassadeur » et l'on
me jure des sentiments francophiles qui les animent tous. L'un de
mes interlocuteurs — ancien officier de l'armée française, comme
les trois autres — finit par me déclarer : « J'ai vingt ans de
Coloniale. Qui dit mieux ? »

Je suis persuadé de la valeur de ses sentiments et j'irai dès
demain porter la bonne parole à l'ambassade, car je sais que tous
nos alliés de l'Occident ont reconnu le nouveau gouvernement.

Mais là-bas, très loin, qu'en pense un autre général ? Hélas,
il ne connaît pas l'Indochine. Si seulement il prenait quelques
conseils auprès de ces vieux « Indochinois » qui ont l'Extrême-
Orient dans la peau ! Mais un de Gaulle ne se manie pas ainsi,
c'est peut-être dommage, mais ce n'est pas mon problème.

J'ai joué à l'ambassadeur ou plus modestement à l'agent de
liaison. A d'autres maintenant, s'ils sont plus malins.

Pour l'instant, j'ai fait connaître que l'hôpital était toujours
disposé à apporter ses soins les plus éclairés — bien sûr — et
dévoués aux membres de l'armée vietnamienne.

J'ai reçu la lettre suivante :

« Cher Colonel,

« Nous avons beaucoup apprécié les facilités que vous avez
l'intention d'accorder aux malades et blessés de l'A.R.V.N., comme
le général Nguyên Ngoc Lê nous l'a fait connaître.

« Chaque fois que l'éventualité se présentera, notre service de
santé militaire se mettra en rapport avec vous.

« Agréez, cher Colonel, les assurances de ma parfaite considération.

« Général de division Le Vân Kim
« Secrétaire général du Conseil militaire révolutionnaire
« Commissaire aux Affaires étrangères. »

Mais voilà que les bonzes ne veulent pas être en reste. Ils
tiennent, eux aussi, à nous remercier et nous prient de ne pas les
abandonner. C'est le vénérable Thich Tam Chau, leur évêque en
somme, qui m'écrit cette lettre :

« Notre Comité n'oublie pas votre marque de bonté et celle de tout le personnel de votre honorable hôpital à l'égard de ses religieux pour toutes les priorités que vous avez bien voulu réserver à ces derniers pendant la durée de leur hospitalisation dans votre établissement.

« En conséquence, j'ai l'honneur de vous demander de bien vouloir recevoir ici mes sincères et chaleureux sentiments de gratitude ainsi que ceux de mes religieux.

« Veuillez agréer, Monsieur le colonel-directeur, l'expression de mes respectueuses salutations.

« Signé : Vénérable Thich Tam Chau
Président
Comité d'inter-secte du
bouddhisme du Viêt-nam
Saigon - 11 janvier 1964. »

Je dois devenir l'ami des bonzes, car ils me manifestent leur reconnaissance d'une façon attachante et exceptionnelle. C'est l'année où le président Kennedy est assassiné. Une cérémonie religieuse se déroule dans la grande pagode de Saigon et marque de façon officielle le douloureux événement. Je ne pouvais pas penser qu'ayant appris, peu de temps après, le décès de ma mère survenu au fond de la Bretagne, à Morlaix, le vénérable Thich Tam Chau organiserait un office à sa mémoire. Quels sentiments de gratitude naissent en de tels hommes, sentiments qu'on ne peut imaginer chez des Occidentaux et qui paraissent naturels dans ces lointains et inoubliables pays de l'Extrême-Asie.

C'est un peu dans un rêve triste que je revois ces bonzes alignés, psalmodiant leurs prières, tandis que retentit un gong profond et grave...

Qu'à quelque temps de là, le vénérable me dise qu'il serait bien heureux si l'on pouvait construire dans l'hôpital Grall une petite pagode, ne change rien à la chose et, sur le point de partir en congé, je laisse la consigne à mon successeur. J'espère avoir été écouté...

Avec le putsch des généraux, les puissants de la veille ont

disparu. Nous savons que certains sont assignés à résidence, tel l'ancien ministre de la Santé le docteur Tran Dinh Dê. Il peut recevoir des malades et opérer dans sa clinique. Mais on lui a coupé son téléphone.

Je n'ai pas voulu quitter Saigon sans aller le saluer. Assez abattu, il a apprécié ce geste amical.

Adieu Indochine, adieu Saigon. Nombreux, outre mes compatriotes, sont les Vietnamiens venus me conduire jusqu'à l'aéroport de Than-Son-Nhut.

Puissent, un jour, Français et Vietnamiens, quand la fièvre politique et révolutionnaire sera tombée, comprendre que nous sommes faits pour nous apprécier et bénéficier mutuellement de nos deux civilisations !

12.

Le Congo
de l'indépendance — 1965

Amis, vous noterez que par le monde y a beaucoup plus de couillons que d'hommes, et de ce vous souviendrez.

RABELAIS

Ma nomination de consultant pour la lèpre à l'O.M.S., en 1963, me donne la chance, si c'en est une, de revoir l'Afrique et plus particulièrement Brazzaville où j'ai passé près de six années de ma carrière de « toubib » colonial.

Je redoute toujours de découvrir de profonds changements chez les gens comme dans les choses lorsque le temps a fait son œuvre sur les uns comme sur les autres, y compris sur ma propre nature. Et c'est souvent ce qui se passe.

Brazzaville, que je croyais pleine de vie, m'apparaît comme une ville morte. Nous sommes au mois d'octobre, la saison sèche a tout brûlé. Les jardins d'autrefois sont devenus des champs abandonnés. L'avenue de la Mairie, où je poussais la coquetterie jusqu'à faire passer à la chaux, par mes équipes d'hygiène, la bordure des trottoirs, est envahie par l'herbe. Pourtant, cinq ou six taxis y attendent le client. Voici qu'un chauffeur — plus de dix ans se sont écoulés — vient de me reconnaître et alerte ses camarades : « Docteur Merle, y-en-a-là, docteur Merle, revenu ! » Et ces braves gens viennent me serrer la main. Je ne leur cache pas ma joie.

Parmi eux et le petit groupe qui s'est formé, je reconnais Efila Nestor — ça ne s'invente pas des noms pareils — et sa bonne « gueule » ronde. C'était le boy de mon cousin Henri Boidec, capitaine dans la garnison.

Tout près, la piscine, le Club des caïmans congolais, dont j'étais

le président. Ce nom-là, il faut aussi l'inventer ! Charles Trenet, en
tournée de représentations à Brazzaville, m'avait demandé l'autorisation de venir s'y baigner. Que c'est loin, tout cela !

Les médecins militaires français — devenus des « coopérants » — sont presque tous de mes camarades de santé navale.
Certains sont heureux de leur sort, d'autres se plaignent amère-
ment, parfois, de l'état d'esprit de certains autochtones, devenus
arrogants, plus souvent des difficultés qu'ils rencontrent dans leur
travail : manque de matériel, manque de médicaments.

Et puis, j'apprends une nouvelle qui me peine. J'étais allé à
Genève, au siège de l'O.M.S., quelques jours avant de m'envoler
pour l'Afrique ; j'y avais rencontré mon bon camarade, le médecin-colonel Faure qui, lui, devait retrouver la Mauritanie où il
était directeur de la santé publique. Au moment où mon avion
se dirigeait vers Brazzaville, le D.C. 6 qui l'emportait vers Nouak-
chott, s'écrasait sur une montagne d'Espagne. Pourquoi lui, pourquoi pas moi ?

Chaque fois que je trouve un médecin, c'est toujours la même
question qui m'est posée : « Quand viens-tu dîner chez moi ? »
Qui n'a pas connu cette cordiale sympathie « coloniale » ne peut
se faire une idée de ce qu'elle était, de ce qu'elle est encore
dans le corps de santé d'outre-mer. Très vivace dans une ville
comme la capitale du Congo où les médecins de chez nous sont
nombreux, elle était à son paroxysme lorsqu'on avait la chance
de voyager de poste en poste dans la brousse. J'aurai bientôt la
preuve que rien n'a changé sur cette terre d'Afrique qui n'est plus
à nous. Comment aurais-je pu accomplir la mission qui m'était
confiée, si je n'avais pas rencontré ces « anciens navalais », souvent
les seuls Blancs dans des localités éloignées les unes des autres de
plusieurs centaines de kilomètres. Parfois, aussi, mon espoir,
jamais déçu, était de découvrir sur ma route une mission religieuse
française ou étrangère qui m'accueillait de façon touchante.

Il me faut maintenant me rendre au ministère de la Santé où
je dois voir le ministre Galiba. Le contact est excellent et il se
trouve que j'ai soigné son père, me dit-il, lorsque j'étais en service
à Brazzaville. Malheureusement — pas de chance pour moi —, le
vieil homme est mort. Son fils ne m'a pas dit si c'était à la suite
de mes prescriptions ; nos relations se sont arrêtées là !

En compagnie d'un médecin de la ville, nous allons faire le tour des dispensaires, ces dispensaires où j'ai vu passer tous les malheurs physiques des pauvres gens, les lépreux pour commencer. Les bâtiments n'ont guère changé. Nous voici à Ouenzé, banlieue de Brazzaville. Les soins aux lépreux ont lieu dans la même salle que ceux aux autres malades. Ce n'est pas fait pour attirer les uns ni les autres. De fait, sur les 162 lépreux inscrits, j'apprends que viennent régulièrement aux soins 30 à 40 malades. Quel espoir peut-on avoir de « blanchir » tous les autres, *a fortiori* de les guérir ? Aucune obligation n'existe plus, c'est l'anarchie. Si seulement on appliquait cette mesure que j'avais réussi à obtenir : exempter d'impôt les lépreux qui se présentent régulièrement dans les dispensaires. Mais tout cela s'est envolé. Les médecins s'adressent au gouvernement qui ne répond pas.

Dans les autres formations, Bacongo, Potopoto, la fréquentation n'est pas plus forte. Sur 420 inscrits dans les deux dispensaires, c'est tout juste une centaine de malades qui viennent régulièrement voir les médecins. Et comme je sais bien ce qui se passe, je peux affirmer que ce sont toujours les mêmes, les vieux malades impotents qui ne peuvent plus guérir et qui espèrent recevoir, pour leur assiduité, quelques boîtes de sardines ou de lait condensé. Les autres, ceux qui n'ont encore que quelques taches sur le corps ou quelque légère atteinte nerveuse, laissent s'accroître leur mal. C'est long à guérir une lèpre, on ne voit pas les progrès de la thérapeutique du jour au lendemain ; alors on ne se soigne pas avec beaucoup d'enthousiasme ; c'est un peu désespérant, mais c'est comme cela, et je n'ai pas voulu importuner avec ces problèmes notre camarade Demarchi, directeur de l'Institut Pasteur du Congo, qui se charge toujours des examens de laboratoire, des biopsies de lépreux en particulier, que l'on veut bien lui confier. Trouverai-je de meilleurs résultats au cours de ce mois, quand je parcourrai la plus grande partie du pays ?

Je viens de rencontrer un consultant de l'O.M.S. qui voyageait avec moi de Paris à Brazzaville où il allait faire une enquête. On l'avait fait venir de... Birmanie... pour l'envoyer dans un pays francophone, lui qui ne connaissait pas un mot de notre langue. Je l'avais aidé à plusieurs reprises au cours de notre voyage. Le docteur Moung U avait retrouvé dans ses bagages un délicieux petit coffret à cigarettes d'origine birmane et il me cherchait pour me l'offrir. Je suis touché de la délicate attention de ce confrère de la lointaine Asie.

Me rendant pour une formalité à l'aéroport de Brazzaville, je raconte à un ami que je dois partir le lendemain sur une mauvaise piste de brousse. Un employé local, qui m'écoute et auquel on ne demande rien, prend part à la conversation : « Oui, monsieur, pendant la colonisation on n'a pas construit de routes. Les Français, ce sont de grands banditts... » — et les deux « t » résonnent désagréablement. Je ne me fâche pas car mon voisin — africain — lui fait signe de se taire. Cependant, comme tout Noir qui commence à s'exciter, il élève la voix, fait de grands gestes... jusqu'au moment où je lui dis, le plus calmement possible : « Voyons, mon ami, que faites-vous des lois de l'hospitalité, si respectées dans votre pays ? Je suis français, vous vous devez d'être correct avec moi ! » Alors sa colère tombe d'un coup, un large sourire apparaît sur son visage : « Vous avez raison, monsieur ; tenez, serrez-moi la main ! »

Je terminerai ma journée en expédiant mon courrier à la poste de la ville. En entrant, je lis au-dessus d'une porte : « Bureau de vente de timbres pour collections ». Dans un cadre vitré, je distingue une trentaine de vignettes fort jolies, représentant des fleurs, des insectes. Un gros Noir somnole derrière son guichet. Je lui fais comprendre que je voudrais acheter telle ou telle série des timbres affichés. Je ne perçois qu'une réponse désabusée : « Y en a pas. » Ce qui m'amène à lui dire qu'il est inutile dans ce cas de les exposer. Le « préposé » sort alors de sa torpeur et trouve la force, en me regardant méchamment, de me dire : « Vous venez ici pour emmerder les fonctionnaires ? » Que voulez-vous que je réponde !

Comme j'étais déjà loin de mon confrère birman, de son coffret à cigarettes, de sa délicatesse et de sa courtoisie tout asiatique...

Au départ de Brazzaville en direction de l'ouest et de Pointe-Noire, nous ne tardons pas à rencontrer d'assez vastes espaces de forêts tropicales, entrecoupés de régions déboisées où la voiture s'engage sur une route très sablonneuse. Il n'a pas plu depuis quelque temps et je crains à tout moment d'être obligé de mettre pied à terre pour pousser la Land-Rover. C'est bien ce qui arrive. Le chauffeur reste à son volant et les deux passagers, le médecin qui m'accompagne et moi-même, commençons à suer à grosses gouttes. On creuse le sable devant la roue qui patine, on y jette des branches feuillues qu'on arrache aux arbres voisins. Et puis... on pousse, et l'on passe.

Sans trop de mal, on atteint la « ville » de Kinkala. Certains érudits de la radio et de la télé (les Français deviennent de nos jours si paresseux qu'ils ne peuvent plus dire télévision) ont pris l'habitude de nous présenter la moindre bourgade d'Afrique sous le nom de ville. Le sérieux avec lequel ils nous parlent de Bananaville ou de Gaumonukoutou me fait sourire quand il ne m'irrite pas. Le médecin-capitaine Fourcade me reçoit. Un bébé africain atteint d'une méningite à pneumocoques lui donne beaucoup de soucis. Nous allons l'examiner ensemble. Mais mon jeune camarade a d'autres ennuis, ceux-là créés par un sous-préfet autochtone qui trouve que ce médecin de brousse est un « médecin mondain ». Quelle épithète réserverait-il à nos confrères du XVIᵉ arrondissement... à moins qu'il ne connaisse pas la signification du mot « mondain », qu'il a découvert par hasard, accolé à médecin, dans quelque lecture. C'est encore possible...

Après la région du Pool, nous nous engageons dans celle du Niari pour atteindre Madingou et la voie ferrée Brazzaville-Pointe-Noire.

Le Congo-Océan est certainement une réalisation remarquable, et sans lui, la pénétration à l'intérieur et vers Brazzaville n'aurait pas eu l'ampleur qu'elle a pu prendre pour l'avenir économique du pays. Malheureusement, le climat, les maladies tropicales, les accidents de toutes sortes, dans cette forêt primitive qu'il fallut défricher mètre par mètre, firent beaucoup de victimes. Noirs et Blancs payèrent un lourd tribut. Il ne faut pas oublier ces trop nombreux manœuvres, ces « sans-grade », ni leurs ingénieurs, leurs chefs de chantier, dont il ne restait bientôt que le nom d'une gare : Le Briz, Favre, Guena, Jacob, Marchand, et bien d'autres... L'indépendance a-t-elle seulement conservé de ces Africains et de ces Français le pieux souvenir de leur sacrifice ? Ainsi va la vie.

Je fais arrêter la voiture, car de curieux monuments funéraires récents, bien loin de tout village, accrochent le regard. Des personnages primitifs veulent représenter les défunts. C'est peinturluré de couleurs agressives, osées, criardes et vives. Ce n'est vraiment pas beau, c'est une offense à la nature qui nous entoure, à ces arbres superbes que l'on n'a pas encore assassinés. Mais notre regard est tellement attiré que nous descendons de voiture et que nous nous approchons de ces statues de bois. Que lit-on sur cette pancarte, clouée à un arbre voisin :

« Les photographes doivent payer 300 F avant de tirer. »

En allant de poste en poste, j'ai l'impression que plus on s'éloigne de la capitale, plus apparaissent pour les médecins que j'interroge, des difficultés à s'approvisionner en médicaments comme en matériel. Toutes les suggestions qui sont faites auprès des « autorités » restent lettre morte, probablement par manque d'argent, plus que par mauvaise volonté ou incapacité.

Le préfet de Dolisie, grosse agglomération que nous atteignons maintenant, m'a connu autrefois. C'est un charmant homme qui fait tout ce qu'il peut pour aider les médecins de sa région.

En revanche, je retrouve à Dolisie les travers de ces jeunes gens d'un niveau un peu plus élevé que l'infirmier moyen et que l'on appelle des infirmiers brevetés, pleins d'une prétention maladive. Quant aux infirmiers ordinaires — il faut bien suivre le mouvement —, ils refusent sans appel de recevoir à l'hôpital local les lépreux qui se présentent ; ces derniers n'ont qu'à se faire soigner par le service mobile des grandes endémies : ils peuvent crever d'une appendicite aiguë, aucune importance. Difficile à « encaisser » !

Pendant ce temps, des gens ne perdent pas... le leur ! Un fonctionnaire du ministère de la Santé est venu à Dolisie organiser une quête au profit des lépreux, il y a de nombreux mois, mais le village des hanséniens de Dolisie n'a pas pour autant vu l'ombre d'un centime.

Que cela ne nous empêche pas d'aller rendre visite à ces malades. Une petite infirmerie impeccable, dont le docteur Ottomani me dit le plus grand bien, est placée sous la surveillance d'un infirmier. J'ai compris aussi qu'une main énergique tenait la bourgade. Tout est propre, bien balayé, quelques terrains ont été défrichés et l'on y voit de belles plantations, œuvre des moins ımpotents des malades. Je serai heureux de voir le chef de village pour le féliciter et probablement pour l'aider, grâce à un appel que je pourrai faire à Raoul Follereau ou à d'autres de mes amis ; je n'ai pas eu tellement à me réjouir de ce que j'ai vu jusqu'à présent sur cette terre du Congo.

A ma surprise, c'est une forte « mama » que j'aperçois bientôt à côté de l'infirmier en blouse blanche qui est allé la prier de me rejoindre. Oui, rareté des raretés, c'est une solide bonne femme, à la mine bien sympathique, au large sourire et aux dents blanches, mais aux doigts rongés par la lèpre, qui est le chef incontesté et énergique du village. Elle mérite bien les compliments que nous lui faisons tous.

Nous poursuivons notre route en direction du port de Pointe-Noire ; les feux de brousse et le déboisement intempestif sont la preuve de l'anarchie qui règne ici. On nous a dit d'ailleurs que tout le gibier — et Dieu sait s'il y en avait — a pratiquement disparu de la région.

En atteignant Pointe-Noire, nous nous demandons ce que peuvent être ces trois voitures qui passent dans un abrutissant concert de klaxons. Elles sont occupées par des Européens à gueules hilares. Dans l'une, un drapeau rouge en poupe, le jeune chauffeur est coiffé d'une casquette rouge vif. Ça crie, ça hurle. Les « petits Blancs » donnent l'exemple : il ne manquait plus que cela !

A l'opposé de ces « petites têtes », il m'est bien agréable de rencontrer le docteur Briant, chez qui je suis étonné de trouver toute une collection de silex taillés — des pointes de flèches en particulier. Il les a découverts — et il en cherche toujours lorsqu'il en a le temps — près des rives du Congo. Il m'explique que le néolithique s'est poursuivi dans cette région jusqu'à l'époque moderne, plus précisément jusqu'à l'introduction des métaux par les Portugais, et qu'il est vraisemblable que l'on en serait toujours à l'âge de pierre si cet apport occidental n'était venu sortir les indigènes de leur état primitif.

Mais il est évident aussi que du néolithique à l'âge atomique, il est difficile d'assimiler une civilisation en si peu de temps : d'où les réactions, parfois incompréhensibles à nos yeux, de populations « traumatisées » par une évolution si rapide qu'elle ne peut être que « mal digérée ». C'est nous qui devrions comprendre que la paix française s'étant envolée lors de l'indépendance, les luttes sanglantes entre ethnies ou entre petits chefs risquent à tout moment de reprendre, comme au temps pas si lointain de ceux qu'on appelait les rois nègres. Et n'est-ce pas pour cela que les gouvernements africains n'ont rien de mieux à faire que d'acheter, même s'ils n'en ont pas les moyens, le plus d'armes possible, comme celles que l'on décharge en ce moment d'un cargo chinois, et qui vont remplir les quarante wagons que garde la troupe, mitraillette à la main ? Quelle attention un gouvernement qui risque de se lancer dans l'aventure, peut-il accorder aux souffrances de son peuple et aux idées d'aide et de charité qui sont les nôtres. Dépister les maladies contagieuses, la lèpre en particulier ? On le veut bien, si cela peut vous faire plaisir. Alors, quelques files de volontaires vont se faire examiner par le médecin. Oui, mais... fini le déshabillage, nous garderons notre vieux froc et notre chemise crasseuse.

Parfois aussi se produiront des réactions auxquelles nous n'aurions pas pensé. M. l'inspecteur des écoles de Pointe-Noire a prescrit au docteur Genet — qui a refusé — d'examiner toutes les filles des écoles, de lui signaler celles qui sont déflorées et, à plus forte raison, celles qui seraient enceintes, pour les mettre en prison et leur infliger des amendes...

Mais voici que des réactions nouvelles apparaissent dans la population. Des discussions s'élèvent dans les villages. Le départ des troupes françaises n'est pas apprécié de tout le monde. Quelle perte sèche pour le commerce, quelle désillusion pour un petit personnel de boys et de cuisiniers, jetés au chômage... sans indemnité, évidemment.

Alors les gens disent : « Pourquoi ne pas couper le pays en deux ? Ceux qui veulent, ceux qui ne veulent pas vivre avec les Blancs. »

De ma chambre d'hôtel, j'entends, dans une chambre voisine, un perroquet qui, inlassablement, répète les premières notes de l'air fameux du « Pont de la rivière Kwaï ». Cela devient énervant... et je préfère me diriger vers la plage, une plage infinie de sable fin que n'a encore souillée aucun passage humain. A quelques dizaines de mètres de moi, dans une mer calme et profonde apparaissent d'énormes têtes de tortues marines indifférentes à la présence d'un homme blanc, isolé, perdu dans une nature immense, éternelle.

A un millier de kilomètres au nord de Pointe-Noire, se trouve Impfondo, petite localité au bord du Chari. C'est là que je trouve le médecin le plus éloigné de la côte d'Afrique, et c'est là que se pose mon avion. Passer deux années dans ce milieu inhospitalier avec sa femme et deux petits enfants, quand on vient de vivre cinq ou six ans entre l'école de santé navale de Bordeaux et l'école d'application de Marseille, est sans doute une dure épreuve pour le jeune médecin-lieutenant, peut-être encore davantage pour son épouse, soucieuse de la santé de ses enfants que guettent le climat et les maladies, sans contact possible avec un hôpital de ville correctement équipé, lorsque des trombes d'eau interdisent tout atterrissage. Vivre ainsi pendant deux ans sans la moindre « permission » est une chose bien différente que de s'en aller un ou deux mois en brousse, comme le font de nos jours les « Médecins sans frontières », et autres voyageurs. Combien de centaines de médecins « coloniaux », mes camarades, ont connu la vie rude de pionniers, sans confort, sans distractions, mais pourtant si attachante au service des déshérités du monde...

En saison de pluies — qui est longue —, la voiture du poste médical ne peut parcourir que les quelques kilomètres qui séparent le terrain d'aviation de la case du médecin. Toutes les tournées de dépistage doivent se faire en pirogue dans un pays où les villages sont rares, perdus dans la profondeur de la forêt tropicale. Elle engloutirait pour toujours, disparu sans qu'on en retrouve la moindre trace, le minuscule avion qui m'emporte maintenant d'Impfondo à Ouesso, s'il devait se poser sur ce qui, du ciel, n'apparaît que comme un traître tapis de verdure.

A Ouesso, le gendarme congolais est venu me saluer avec le fils d'Ewongo, l'un de mes vieux et fidèles infirmiers de Poto-poto. Il se trouve que le préfet et moi, nous nous connaissons aussi de longue date. Quelques amis dans un pays perdu, ce n'est pas si commun ! Je regarde une carte et je découvre que Ouesso se situe à la frontière du Cameroun au fin fond de la forêt que je n'ai jamais atteint lors de mes séjours dans ce pays. Je l'ai pourtant parcouru de long en large en Land-Rover, partout où, même sur les pistes les plus impossibles, on pouvait passer. Mais là, rien que de vagues sentiers pour un piéton intrépide ou un chasseur impénitent, fier d'avoir abattu quelque innocente antilope et qui se fait photographier pour les générations futures de Tartarins familiaux un pied sur la victime, l'arme à la main, le torse bombé et le « bide » rentré !

Le préfet serait heureux si je donnais une conférence avec comme sujet « La bataille de la lèpre ». C'est avec beaucoup d'intelligence qu'il me présente à un auditoire de plus de deux cents personnes : il n'y a pas tous les jours de causeries à Ouesso. Le médecin et sa femme, des frères africains, toutes les sœurs françaises de la mission sont là.

Le dimanche, j'assiste à la messe dans la modeste église où un prêtre congolais très « défenseur de la Foi », comme on ne doit pas en voir beaucoup en France, s'enflamme dans son sermon et se livre à des attaques violentes contre les « malicieux » qui, même au Congo, voudraient se passer de Dieu. Il n'a pas peur, ce petit curé, de parler ainsi dans cette nouvelle « République populaire » où il est si facile de se débarrasser des « imposteurs ». Je suis plein d'admiration pour son audace.

L'office va s'achever. C'est la quête. Un sac, attaché au bout d'un long bâton et tendu par un catéchiste qui se tient dans l'allée centrale, passe devant le nez des fidèles, qui ne peuvent pas ne pas le voir.

Le préfet m'invite à déjeuner ainsi que plusieurs missionnaires congolais. L'atmosphère est sympathique. Mes hôtes s'ingénient à être aimables et ne se gênent pas pour critiquer ceux de leurs compatriotes qu'ils jugent par trop incapables. C'est ainsi que j'entends de la bouche d'un convive tomber cette phrase presque inimaginable : « Nous avons à la Colonie un député qui est un véritable " bougnoule " ! »

En nous approchant de Makoua, prochaine étape de ma mission, nous avons à traverser une large rivière qui, grossie de plusieurs affluents, deviendra le Likouala, associé bientôt à l'énorme Congo. Partout où n'existe pas encore un pont pour enjamber ces impressionnants cours d'eau d'Afrique, un bac a remplacé l'antique pirogue des siècles écoulés. Une auto peut facilement y prendre place et nous ne tardons pas à « embarquer ». Derrière nous tombe la nuit africaine. Nous sommes environnés de multitudes d'insectes, moucherons, simulies auxquels se mêlent bientôt d'innombrables moustiques dont nous ne pouvons nous débarrasser. Ils sifflent, ronronnent et piquent partout où la peau est à nu ou insuffisamment protégée. Nous pouvons encore apercevoir dans la pénombre les silhouettes de nombreux singes qui, sautant de branche en branche, là-haut, dans les grands arbres, nous observent et mêlent leurs cris aigus à ceux des perroquets.

Je suis allé dire bonjour au sous-préfet. Au-dessus de son bureau, le portrait du nouveau président congolais a remplacé la photographie de celui qui a été détrôné, mon ancien client, le petit abbé Fulbert Youlou. Mais Charles de Gaulle est toujours là, l'air sévère — il doit penser aux Français, « des veaux » —, une main appuyée sur un livre, en grande tenue de général. Quel prestige a encore cet homme pour ne pas être dégringolé de son cadre... à Makoua ! J'admire la pose, j'admire l'uniforme et le grand cordon. Si je n'ai jamais été ce qu'on appelle un « inconditionnel », il est une chose qui ne semble pas avoir été notée par les nombreux biographes gaulliens : c'est le choix inattaquable de la tenue qu'il devait arborer en telle ou telle circonstance. Il y a toujours des raisons pour le voir se présenter ou en tenue « bourgeoise » ou en tenue militaire. Il est d'ailleurs assez coquet. N'ayant plus la taille d'un sous-lieutenant, il fait supprimer le ceinturon de l'uniforme de tous les officiers, y compris le sien, bien entendu... Mais laissons là ces propos insolites.

Il n'y a pas de médecin français ou congolais dans ce Makoua, pourtant important. Un « inspecteur sanitaire » — je ne sais pas à quoi correspond ce titre — se fait appeler évidemment docteur. Je ne le verrai que cinq minutes, car il part à Brazzaville. Je suppose que son absence coïncide avec la joyeuse liberté que prennent les infirmiers du poste. Le DC-3 de la ligne se posant sur le vague terrain bosselé qui sert d'aérodrome, la grande distraction du personnel du service de santé est d'aller voir l'appareil, en utilisant la voiture sur laquelle se lit en grosses lettres : « Don d'Emmaüs-Suisse aux lépreux ». Ce ne sont pas des lépreux qui en sortent, mais bien cinq infirmiers. Leur petite

promenade en auto terminée, ils se dirigent vers le bistrot local
et ce soir, toujours avec le « Don d'Emmaüs-Suisse aux lépreux »,
ils se rendront au cinéma des Frères canadiens. Je n'aurais pas
grand-chose à dire, si je n'apprenais que de misérables lépreux
sortis de cases en ruine où il pleut partout, se traînent sur leurs
moignons douloureux quand ils viennent se faire soigner au dispensaire. La pauvre petite sœur qui les panse n'a pu retenir ce
qu'elle m'a dit, écœurée et rouge de colère : « Ça crie vengeance,
monsieur ! »

Il n'y a pas de case de passage, et bien entendu pas le
moindre hôtel. La mission des Pères m'accueille avec une amabilité extrême. Ils sont là cinq ou six. Je partage leurs repas
d'une simplicité monacale, dans une atmosphère de chaude sympathie. On m'a donné « la chambre de l'évêque ». Quelle humi-
lité de bon aloi doit avoir le monseigneur qui passera là : un
petit lit en fer, et au mur un grand crucifix. Une petite table
et un tabouret : je pourrai écrire en ces lieux les quelques notes
que je retrouve aujourd'hui.

Les Frères canadiens — pourquoi deux missions ici, quand il
en manque tant dans le pays —, ne veulent pas être en reste,
et j'irai aussi déjeuner chez eux dans une atmosphère tout aussi
cordiale. On organise avec le sous-préfet une conférence sur la
lèpre, cela devient une habitude d'étape en étape. C'est le grand
succès : presque autant de monde qu'au... cinéma ! Mais voici
qu'une pluie diluvienne, le mot n'est pas exagéré, va m'immobi-
liser pendant deux jours : le terrain d'aviation est devenu impra-
ticable. Je reste des heures dans le salon des bons Pères, ou du
moins ce qui en fait office. J'y trouve quelques bouquins. La
pluie redouble, la pièce est complètement inondée, mais cela ne
dérange pas le gros chat de la mission qui dort en rond, sur son
coussin.

Fort-Rousset est la dernière étape de ma mission au Congo
avant de retrouver Brazzaville. Comme pour la langue d'Esope,
j'y trouve le meilleur et le pire. Le médecin, mon jeune camarade
Heyraud — je fais sa connaissance —, habite dans une case
d'aspect agréable, avec sa femme et ses enfants. La vie pourrait

être douce si ne régnait dans le poste un climat de folie. Le préfet vient d'être rappelé, la population n'en voulant plus. Etait-ce lui l'insupportable ou les torts revenaient-ils à ses administrés ? J'apprends rapidement que deux employés français d'une compagnie commerciale ont distribué gratuitement de la nivaquine — le médicament antipalustre numéro un de la gamme thérapeutique sous les Tropiques — dans un village voisin. Le lendemain mourait un enfant. Sans chercher plus loin, les deux Blancs étaient jetés en prison. Le médecin était autorisé à leur porter quelque nourriture. Mais pourquoi vérifiait-on les plats, en remuant les aliments et en les laissant refroidir avant de les donner aux prisonniers ? Etait-ce méfiance ? Etait-ce brimade ?

A quelque temps de là, il était interdit aux missionnaires de soigner le moindre malade. Ils ne faisaient pourtant que le bien, bénévolement et agissaient avec autant de sagesse et de conscience que les infirmiers locaux. Le médecin lui-même, pendant plus de deux mois, ne recevait plus un seul autochtone à opérer. Heyraud me dit qu'il y a sans arrêt des palabres entre Africains et qu'après le limogeage du préfet, il est déjà question de déplacer le sous-préfet, homme charmant, paraît-il. Pour en terminer, il me montre deux lettres qu'il a reçues récemment et qui sont des modèles du genre farfelu. Ce jeune praticien est certainement doué d'une constitution psychique remarquable s'il ne met pas bientôt la clé sous la porte !

La première missive relève du haut délégué du Parti unique à son président général. On pourrait croire que ce haut délégué possède un minimum de culture, sinon de jugeote. Il se plaint du docteur Heyraud dans ces termes : « ... D'ailleurs le Docteur, quand il doit toucher un Noir, se lave toujours les mains, avant et après, comme si nous étions répugnants, et même quelquefois, il s'enveloppe les mains... »

Le médecin est pensif. Il tourne et retourne la deuxième lettre avant de me la tendre :

> « Le Commissaire de Police
> à Monsieur le Médecin-Chef
> de l'Hôpital de Fort-Rousset »

« Ce matin à 10 h 30, sous les yeux de vos domestiques, votre chimpanzé a pénétré dans mon habitation.

« Cette négligence flagrante constitue une violation aux dispositions prévues par l'arrêté n° 13/P E du 4 mars 1964 complété par les articles 226 et 228 du C.P. malgré la haute compétence dont vous faites figure d'oripeau.

« Puisque les autorités congolaises coiffent l'incompétence et la bestialité, l'on ne saurait tolérer à une pléiade intelligemment douée par la nature une telle contradiction qui est vouée à un nonsens. »

Il n'est jamais recommandé de tomber entre les mains de la police, mais lorsque l'on rencontre un commissaire de ce genre, il est permis de se demander si l'on ne serait pas mieux entre celles d'un gangster intelligent.

Un autre commissaire — à la jeunesse et aux sports — est venu visiter Fort-Rousset. Lors de sa présentation au public, le délégué local s'écrie : « Notre camarade a fait 625 kilomètres pour venir vous voir : c'est un acte révolutionnaire ! » Puis, une vieille femme est venue frapper le sol avec une canne à sucre et a hurlé : « Un seul parti, un seul idéal, un seul combat ! » J'ai appris que c'était le « socialisme scientifique » du Parti unique.

On me montre maintenant une baraque en planches, crasseuse à souhait ; c'est le bistrot « Le Café ». La propriétaire n'est autre, paraît-il, que l'épouse de l'ex-vice-président de la République. Aline est une bonne grosse Africaine, ce qui n'empêche pas qu'au temps de sa splendeur, elle s'est fait conduire en auto de Paris à la Côte d'Azur où elle est descendue au *Négresco*. Pour l'instant, elle vend de la bière tiède aux fonctionnaires du coin.

Voici qu'en allant saluer le sous-préfet, je lis sur une plaque, au coin de cette rue que nous empruntons : « rue Mgr-Guichard, fondateur de la mission ». L'a-t-on conservée par reconnaissance ou par paresse ? Je mise sur la reconnaissance, car voilà que je découvre une « rue du Docteur-Jamot », notre ancien, le vainqueur de la maladie du sommeil. Je commence à croire que je vais encore découvrir un portrait du général de Gaulle dans le bureau du sous-préfet. Ça ne manque pas. Mais pour une surprise, c'en est une ! Je suis reçu par Maleka, ce petit sous-préfet tout

souriant, cet ancien secrétaire de la pharmacie des approvisionne-
ments de Brazzaville, qui jouait d'un instrument dans le « jazz »
local pour ajouter quelques sous à sa solde qui ne devait pas être
bien forte. C'est Maleka, ce garçon que tout le monde aimait.
Nous tombons dans les bras l'un de l'autre, et le docteur
Heyraud reste muet, surpris, car il ignorait tout de son sous-
préfet, sinon qu'il en disait du bien. Ah ! il n'a pas deviné que
nos camarades pharmaciens le tenaient en haute estime. Pour une
fois, je suis heureux de voir un modeste fonctionnaire devenu
sous-préfet, car, lui, au moins ne se poussera pas du col et ne
se prendra pas pour le général de Gaulle qui, dans son cadre, ne
lui sourit pourtant pas !

« Ah ! mon colonel, me dit-il, si vous saviez comme maintenant
nous avons toujours des histoires entre nous ! »

De retour à Brazzaville, sur la route du Djoué, l'affluent du
Congo, et près des impressionnants rapides de l'immense fleuve,
une grande affiche de publicité représente un superbe lion qui se
lèche les babines. Près de lui, la chemise, le short et la casquette
d'un pompiste : c'est tout ce qu'il en reste. La légende se lit
au-dessous : « C'est Shell que j'aime. »

Il paraît que de l'autre côté du fleuve, à Kinshasa, l'ex-Léopold-
ville, un jeune diplomate américain a eu la « fâcheuse idée » de
rouler trop vite et d'écraser un autochtone. On n'a pas retrouvé
la moindre trace de l'Américain disparu sur place en quelques
minutes, pas même sa chemise, ni son short !

C'est probablement pour cela qu'un ami congolais m'a dit :
« Surtout, si vous avez un jour un accident d'auto, ne vous
arrêtez pas. Allez tout de suite prévenir la police ! »

Pour l'instant, nous sommes arrêtés à l'entrée d'un pont, par
un coup de sifflet impératif. Trois jeunes Noirs débraillés, fusil à
la main, les « Jeunesses », sont assis au bord de la route. Avec
eux un policier, ou ce qui paraît être un policier. Le chauffeur
stoppe. Les gaillards s'approchent, regardent la voiture de l'administration et font signe d'avancer. Que c'est bon d'avoir de
l'autorité ! Le chauffeur, impassible, ne daigne pas un instant les
regarder. Il embraye et poursuit sa route dans une attitude de
profond mépris.

13.

Au pays
de Bokassa

De Paris au Pérou, du Japon jusqu'à Rome
Le plus sot animal, à mon avis, c'est l'homme.

BOILEAU

J e ne pense pas que la France aurait pu s'intéresser à l'Empire
centrafricain comme elle l'a fait du temps de l'illustre Bokassa,
si, en haut lieu, on avait pris la peine d'interroger quelques-uns
de nos compatriotes sur ce qu'ils avaient pu voir dans ce pays.
Mais on ne croit jamais ceux qui savent, d'où les bévues que
commettent trop souvent les hommes qui croient diriger la France
et ont trop tendance à penser que ce qui est vrai à Neuilly,
l'est aussi à Bangui. Et pourtant...

26 octobre 1963 : après deux ans d'études, passant son
examen d'infirmier, un jeune homme, natif du Centre-Afrique,
déclare qu'un enfant qui naît peut peser entre 700 grammes et
30 kilos. Quant à cet autre candidat, à la question de savoir
par quelle voie on administre le sultirène — médicament très en
honneur dans le traitement de la lèpre —, il nous apprend que
c'est par la « voie hiérarchique ». J'aurais une tendance très mar-
quée à excuser ces jeunes gens sortis de leur brousse, quand
on voit le nombre impressionnant de cancres qui peuplent notre
bonne terre de France ! Le tout est de se méfier de la science ou
simplement de la jugeote des uns et des autres. Mais en manquait-il
cet infirmier qui écrivait à « Son Excellence » le ministre, une lettre
que ce dernier, ne sachant qu'en faire, avait déposée sur mon
bureau :

« Son Excellence,

« Conformément à vos dispositions actuelles, lesquelles recherchent la croissance technique et morale de l'enfant et suivant les intussusceptions qui m'ont été mises en développement.

« J'ai le respectueux honneur de venir auprès de votre distincte pré-éminence vous conjurer de bien vouloir me concéder une bourse métropolitaine (France ou Allemagne) en vue de préparation au titre de chirurgien ou autre selon nos besoins. Ma convoitise depuis le printemps de mes jours jusqu'à l'âge de réflexion a été et demeure celle de soulager le mal par déversement du sang à l'aide du bistouri. Resté toujours nourri de cette ambition louable que seule la réalisation ne saurait désaltérer, ma conscience a trouvé nécessaire de m'adresser à vous qui pourriez juger utile ou disconvenant mon propos. Si paix, travail, patrie restent notre devise d'aujourd'hui, aucun doute n'en découle que progrès soit celle de demain.

« Dans l'espoir que cette suite que je souhaite d'avance satisfaisante, je vous prie d'agréer, Son Excellence, l'assurance de ma plus haute considération... »

Dans ce pays qu'arrose l'Oubangui et qui croit s'éveiller, la « politique » semble prendre une place considérable. Nous passons dans un village ; on nous salue à la mode nouvelle, l'index levé ! C'est à peu près, je suppose, le programme d'un parti nouveau, le Mouvement d'émancipation sociale de l'Afrique noire, le M.E.S.A.N.

Et à propos d'« index levé », je suis bien obligé de faire un rapprochement avec cette lettre qu'a reçue le médecin du poste voisin...

                                              « M... 1 .10.64
« Monsieur le Médecin,

« C'est avec beaucoup de soucis que je vous dévoile le secret de ma chronique maladie : ma plainte porte opposition contre la faiblesse de mon fondement (cul) constatée depuis un an. Je me sens actuellement très incapable d'être en relation avec une femme ; même si je me contraste, c'est avec des moyens rudimentaires que je peux le faire fonctionner. Cet aspect ne provoque non seulement la faiblesse, mais aussi le fait perdre sa grosseur habituelle.

« Sur ce, Monsieur le docteur, je vous prie de me secourir, m'arrachant de cette perte de vie qui m'arrive à l'œil nu. Et si vous n'avez pas des produits nécessaires pour ça, indiquez-moi s'il vous plaît des adresses des produits pharmaceutiques.

« Restant toujours à votre entière disposition, je vous assure, mes sentiments tout dévoués. »

J'ai passé la soirée en milieu médical. Comme dans la chanson, quand un médecin rencontre un autre médecin... leurs histoires vont bon train !

Mais à Bangui, point n'est besoin d'inventer. L'actualité locale suffit à meubler la conversation. Le médecin-colonel Paravisini, mon camarade de promotion, est devenu le conseiller du ministre de la Santé. Un Blanc ne pouvant plus « diriger », le directeur devient conseiller. Le ministre est ennuyé, mais il a des idées. Comme il ne sait plus où loger les médecins qui lui arrivent de France, il propose de leur donner des caravanes comme habitations. Paravisini lui demande alors : « Croyez-vous que vous aurez beaucoup de volontaires pour loger deux années dans une roulotte ? »

Il devrait pourtant y avoir nombre de logements disponibles, puisque les prisons sont beaucoup plus pleines que du temps des affreux colonialistes. On y rencontre du beau monde : préfets, sous-préfets et autres fonctionnaires importants — autochtones, bien entendu — qui ont détourné des fonds. Si l'on en juge par le fait que le gestionnaire de l'hôpital a été simplement licencié pour avoir détourné un énorme ravitaillement, ces fonds devaient être bigrement élevés. Quant aux médecins africains — nous n'avions réussi, à grand-peine, qu'à en former quatre —, deux sont en stage à Bordeaux, boursiers de l'O.M.S., les deux autres, me dit-on, sont deux ivrognes. L'un était le médecin-chef de l'hôpital de Bangui. On a découvert, en trois mois d'exercice, un trou de 10 millions dans la caisse. On l'a muté à l'inspection de l'administration, comme contrôleur administratif de la santé. Allons, tout est pour le mieux dans la République !

« De quoi nous plaignons-nous, dit un autre camarade, nous sommes tous invités à un cocktail par le président de l'Assemblée... Avez-vous remarqué, sur le carton d'invitation, cette petite inscription : " Sans cravate " ! Et puis, regardez donc les plaques au coin des rues, rien n'a changé depuis l'indépendance. Nous avons toujours la rue des Missions, la rue du Commandant-Marchand ! » Et j'ajoute : « Et même, et j'en suis très fier, moi, brestois, la rue des Bretons ! » « Je me permets de signaler, mon colonel, dit notre hôte à mon intention, que mon fils, âgé de cinq ans a répondu à quelqu'un qui voulait me voir l'autre jour : " Il n'est pas là, il est sorti avec le médecin lépreux. " Le lépreux, bien entendu, c'était vous ! »

A Bangui, comme dans tous les pays de l'ancienne A.O.F., de l'ancienne A.E.F. et du Cameroun, on a suivi pour soigner les lépreux, la méthode qu'employait Jamot pour venir au secours des trypanosomés. Je l'ai déjà dit. Dans de nombreuses régions, les comprimés de sulfone étaient remis aux malades par des distributeurs qui faisaient régulièrement leurs tournées à bicyclette. Comme je me trouve dans un centre de ravitaillement de ces produits à Bangui avec les médecins du secteur, nous voyons arriver l'un de ces garçons rentrant de la brousse. Il paraît très nerveux et raconte à d'autres Noirs, avec force gestes, l'aventure qui vient de lui arriver : tous écoutent, attentifs, bouche bée. Comme le distributeur paraît de plus en plus excité, un médecin lui fait signe de venir nous trouver. Nous apprenons alors qu'au moment où il traversait un village sur son vélo, des gens à la solde du chef local, armés de coupe-coupe, ont essayé de le capturer. Que lui voulaient-ils ? C'est simple. Il s'agissait des mêmes individus qui avaient attaqué un de ses camarades récemment. Ce dernier avait blessé, d'une flèche bien ajustée, l'un de ses assaillants et avait pu s'enfuir. Quant à lui, il n'avait dû son salut qu'à sa bicyclette et à la vitesse à laquelle il avait pu pédaler.

Tout le monde savait que plusieurs personnes avaient disparu au même endroit et que ce phénomène était en rapport direct avec l'anthropophagie qui régnait dans le coin. Notre brave auxiliaire en était encore gris de peur.

Sur le moment, je suis assez sceptique quant à la véracité de ces histoires de cannibalisme, lorsqu'on me met au courant de plusieurs cas qui ne laissent aucun doute sur les mœurs de certaines peuplades du pays.

Dans cette région du nord de la République où vivent des tribus musulmanes, le délégué du F.L.N. est venu du Sud pour quêter au profit du « Parti ».

Le chef musulman, très méfiant, a refusé de lui donner de l'argent. Le délégué F.L.N. a fait un joli scandale jusqu'au moment où le vieux chef lui a dit calmement : « Il vaut mieux que tu te taises si tu ne veux pas être mangé... » La 403 du délégué a démarré en trombe...

Comme on faisait remarquer au musulman qu'il n'était pas dans ses habitudes ni dans celles de sa tribu de se vanter d'anthropophagie, malicieux et souriant, il a répondu : « Non, mais ton délégué, on l'aurait vendu au village voisin ! »

Pour macabres que soient les propos relevés par un médecin, dans un rapport de gendarmerie, voici ce que fut l'interrogatoire, ou du moins un passage de l'interrogatoire, de deux femmes, bonnes épouses et bonnes mères de famille, comme il se doit :

Demande : « Tu es accusée d'avoir mangé ton enfant ; qu'as-tu à dire ? »

Réponse : « C'est vrai, mais je ne l'ai pas tué, il est mort d'un abcès à la gorge. »

Demande : « Comment se fait-il que tu aies porté un morceau [!] à la voisine. Est-ce vrai ? »

Réponse : « Oui, c'est vrai parce que quand son fils est mort, elle m'a porté une cuisse... »

Ce cannibalisme fait de pièces grossièrement anatomiques a, cela va sans dire, quelque chose d'horrible.

Le docteur B. se trouve un jour dans le bureau de l'honorable sous-préfet de la région de Batangafo quand pénètre le non moins honorable maire d'un village voisin. Celui-ci vient rendre compte de ce qui est arrivé dans sa localité : « Par sorcellerie, trois femmes de mon village ont tué sept hommes qui ont été mangés ! »

Diable, l'histoire est d'importance ! On commence par douter des faits. Et puis tout se précise et le sous-préfet décide de voir trois commères du village qui semblent en savoir long. Il va les

convoquer. Mon confrère ne peut s'empêcher de dire au fonctionnaire centrafricain : « Croyez-vous qu'elles viendront, qu'elles
ne vont pas se sauver devant l'énormité de l'accusation ? » La
réponse est nette : « Pas du tout, docteur. Soyez sans crainte.
D'ailleurs, je vous appellerai quand elles seront là. »

Comme prévu, elles arrivent toutes trois, bonnes villageoises
bien rondes, bien nourries, avec leurs paquets sur la tête, leur
dernier-né dans le dos. On les enferme aussitôt et, le lendemain,
elles sont extraites de prison. L'interrogatoire commence, en
présence du médecin. Ce dernier écoute attentivement. Oh ! il
n'y a guère de réticence dans les aveux des trois sorcières. La
première déclare avoir mangé quelques morceaux de viande. Il
en est de même de la seconde qui continue à frotter ses dents
bien blanches avec un morceau de bois, tout au long de l'interrogatoire. Quant à la troisième, c'est moins net, plus « subtil ».
« J'ai fait la cuisine, dit-elle, j'ai mis du couscous dans la marmite,
avec du sel et du piment. Et puis j'ai goûté la sauce. Les autres
— elle désigne ses compagnes d'un coup de menton dans leur
direction — ont dit que c'était bien cuit et que c'était très
bon ! »

En fait, personne n'a occis personne. De quoi se plaint-on ?

Toutes ces histoires de cannibalisme peuvent paraître avoir été
inventées. J'en ai pourtant trouvé d'autres — j'en ai été le
témoin — au cours de mes voyages. Nous les retrouverons plus
loin.

Et je me souviens aussi de la dispute de mon planton avec un
planton voisin, dans un couloir du ministère de la Santé au
Cameroun, dispute qui me fit sortir de mon bureau au moment
où l'un des protagonistes jetait à son adversaire cette phrase
souverainement dédaigneuse, qui restait sans réponse : « Et puis
on sait bien que ton père mangeait de la viande humaine ! »

Pour en finir avec ces lugubres élucubrations, je ne souscrirai
pas à ce que disent les mauvaises langues qui prétendent qu'au
Gabon, un haut personnage a goûté à un morceau de sa belle-
mère. N'allons pas trop loin, d'autant que ledit personnage détes-
tait, de toute façon, la viande crue. Un jour qu'il descendait de
sa Mercedes à l'hôpital de Libreville, il vit dans la cour deux
bonshommes qui ne le saluaient pas. Il n'en fallut pas davantage

pour que ses sbires les enferment... dans le coffre de la somptueuse voiture, juste le temps de les faire cuire à l'étouffée !

Mais nous en prenons trop à notre aise avec ces histoires de cannibales, car comme disent les Noirs : « Vous, les Blancs, peu nombreux, vous ne risquez rien, on vous compte ! »

En route à l'intérieur du pays, j'ai l'occasion de voir pratiquer ce que l'on appelle la « coopération » entre Blancs et Noirs. C'est magnifique ! Quelques braves farfelus campent au bord d'une piste africaine. Ce sont les Volontaires français du progrès. Ils sont venus là pour apprendre aux Noirs à construire correctement un village. Au début, les Blancs ont aidé. Les Noirs ont travaillé. Mais ça n'a pas duré. Il fait chaud ! Aussi peut-on voir quelques bons Européens, transpirant, torse nu, transportant des matériaux, sciant des planches, gâchant le plâtre. Et puis, en face d'eux, vingt ou trente Africains accroupis, qui regardent... pour apprendre. J'ai entendu dire que les Volontaires français du progrès commençaient à « comprendre » !

La coopération médicale est, elle aussi, très développée ! J'ai déjà dit que sur quatre médecins noirs, l'un avait été prié d'exercer ses talents en dehors de la médecine, que deux autres étaient en France pour se perfectionner. Le quatrième, dont je n'ai rien dit, sinon son degré élevé d'imprégnation éthylique, a été chargé de la police sanitaire du port de la capitale. Ce n'est ni Hambourg ni Marseille. Il y passe trois rafiots de 250 tonneaux et quelques pirogues par mois.

Le préfet de cette région que je visite maintenant est un brave homme, pas très « frisé ». La correction, le sens des valeurs ne peuvent l'effleurer. Dans sa préfecture il y a deux jeunes médecins-lieutenants français. L'un dirige l'hôpital, l'autre s'occupe des maladies endémiques de tout le pays alentour.

L'autre jour, le boy du préfet court à l'hôpital et demande au médecin de venir d'urgence chez son maître. Le médecin opère, il ne peut quitter son patient. Le boy se dirige alors en courant vers la case du deuxième praticien. Celui-ci est en tournée et visite quelque léproserie. Il ne tardera pas à rentrer.

Opération achevée, tournée terminée, les deux médecins se retrouvent et décident, d'un commun accord, de se rendre aussitôt chez le préfet. Celui-ci prend le frais sous sa véranda, étendu sur sa chaise longue. Salutations, congratulations.

« Au fait, monsieur le Préfet, vous nous avez fait chercher d'urgence cet après-midi ? — Ah ! oui, c'est mon cheval qui avait mal au ventre ! »

Un étudiant en médecine, bien pistonné par son oncle, préfet de la région que je visite, boursier, les poches bien garnies, continue ses études « sur le Boul'Mich ». Il n'a guère plus de trente ans et l'on espère que, d'ici quelques années, il voudra bien revenir au pays, devenu pédiatre, distingué, comme il se doit. Il sera encore bien jeune, me dit son tonton. Oui, bien sûr. Pendant ce temps, nos jeunes médecins, frais émoulus de nos facultés, anciens élèves de nos grandes écoles du service de santé de Bordeaux et de Lyon, docteurs en médecine à vingt-cinq ou vingt-six ans, soigneront les tuberculeux, les paludéens, les vérolés et les lépreux de cette « belle République noire ». Quand celle-ci était une « belle colonie de l'Empire français », rien de plus juste et de valable... Mais maintenant qu'on a mis la France à la porte, cela mérite peut-être réflexion.

Petit hôpital modeste perdu dans la verdure des rives de l'Oubangui...

Le médecin français est un calme et doux praticien, un peu blasé par ce que l'exercice de sa profession sous les Tropiques lui a apporté d'étrange et d'imprévu.

Depuis quelques mois, en plus de « ses » paludéens, de « ses » lépreux, de « ses » parasités en tous genres qui constituent sa clientèle habituelle, une catégorie assez étrange de « malades » s'est aventurée dans la salle d'attente des consultations. Ces dames de Mobaye s'accusent trop souvent — entre voisines — de sorcellerie. Palabres ! Alors, M. le Préfet, fort ennuyé par ces histoires de sorcières auxquelles tout le monde croit, n'a rien trouvé de mieux que d'appeler le bon docteur à son secours.

Et c'est pourquoi je peux lire à Mobaye un papier rédigé comme suit :

« Certificat de non-sorcellerie (non-linkoundou)
« Je soussigné docteur Barat, certifie que la dénommée Léonie

n'est pas une sorcière, qu'elle ne l'a jamais été, et qu'elle ne peut pas le devenir. »

C'est certainement un mode de thérapeutique psychiatrique auquel mon bon camarade n'a jamais été initié à la faculté de Bordeaux : mais il faut se faire à tout.

Pour certifier, avec de son côté toutes les chances de réussite, le médecin n'a rien trouvé de mieux que de faire passer les suspectes derrière l'écran de radioscopie qui, comme chacun sait, donne un diagnostic infaillible. Et c'est ainsi que grâce à son sage « toubib », M. le Préfet a ramené la paix dans son troupeau !

Voici que dans la région vient d'apparaître un nouveau grand sorcier.

Les médecins, lors des tournées de dépistage des maladies endémiques et de vaccinations, réunissent à grand-peine trente pour cent de la population. Tout le reste est sur les pistes pour voir le prophète N'Goutédé, ce qui veut dire, paraît-il, l'eau claire. Je rencontre partout de nombreuses familles de villageois. Dans un rayon de deux cents kilomètres où se tient N'Goutédé, arrivent malades, consultants, femmes et enfants. Tous ont à la main une croix faite de deux morceaux de bois. Leur seul bagage est leur natte, roulée sur la tête. Ils dorment n'importe où dans la brousse.

Qui est ce N'Goutédé ? Que fait-il ? J'apprends que c'est un homme jeune de vingt-cinq à trente ans. Il est originaire du village de Kouango, sur le fleuve, à environ cent cinquante kilomètres à l'est de Bangui. Il n'a pas fait d'études, est devenu chrétien et catholique pratiquant. Paralysé durant deux années, il se lève un jour et marche. Il se sent, alors, investi d'une mission. La croix à la main, il commence tout d'abord à interdire à ses frères de « s'empoisonner » avec les plantes locales. Il continue à fréquenter les églises, enlève les interdits alimentaires, exorcise les possédés. Comme il n'est pas fou, il envoie les vrais malades à l'hôpital. Il ne chasse pas les marchands du Temple, mais entre dans les cases, cherche les « gri-gri » et les détruit : les gens sont libérés. Il poursuit son chemin, un voile bleu sur la tête...

Mais les médecines parallèles ne semblent pas, en R.C.A., être l'apanage des Noirs. Serait-ce dû à une influence tellurique, à

l'intervention divine ou à quelque contagion d'origine tribale ?
Toujours est-il que j'apprends qu'il y eut, dans un passé récent,
à Bambari, un sorcier blanc ! Son apostolat ne semblait pourtant
pas le prédisposer à ces fonctions. Il s'agissait d'un missionnaire.
De nombreuses années passées au fond de l'Afrique, en contact
presque constant avec des peuplades plus ou moins primitives,
avaient dû exacerber ses dons et ses penchants vers des médecines
que l'Eglise ne semble pas encourager. Tout le monde savait, à
Bambari et au-delà, qu'un jour le bon Père avait fait disparaître
par un tour de passe-passe, la violente douleur que ressentait
au genou droit le médecin-commandant V. Mais cela n'était rien.
Le plus curieux apparut lorsque, quelques minutes plus tard,
« Mme Commandant » se mit à souffrir énormément... du genou
droit. Personne n'y comprit rien. Notre ancien n'eut plus besoin
des services de son concurrent. Mais on dit qu'il faisait appel à
lui chaque fois que sa femme était malade.

La « mission lèpre » dont m'a chargé l'O.M.S. me réserve
toujours des surprises, qu'elles proviennent souvent des malades,
mais parfois aussi des organismes qui aident à lutter contre le
fléau. Voilà que dans cette région de la R.C.A. où l'on avait
admis du temps de la France colonisatrice, que les lépreux ne
paieraient plus d'impôt, l'administration africaine a un raisonne-
ment, qui à première vue, paraît normal : puisque les médecins
affirment qu'ils ont guéri de nombreux lépreux... les anciens
malades paieront dorénavant leurs impôts comme tout le monde.
    Oui, mais c'est compter sans la réaction humaine, et peut-être
aussi sans l'état miséreux des patients qui, eux... ne veulent plus
guérir. Les sœurs de ce grand village de lépreux m'ont confirmé
ce que je croyais bien savoir. Le médecin ne fait que passer.
Elles sont, tous les jours, en contact avec les malades, elles voient
mieux ce qui se passe et les lépreux se livrent plus volontiers.
Aussi, est-ce avec un sourire qu'elle accueillent la suggestion de
distribuer aux malades les comprimés de Disulone, une fois par
mois, et de leur laisser trente comprimés entre les mains.
    Déjà, dans cette importante agglomération de six cents malades,
les sœurs ont le plus grand mal à faire avaler régulièrement, tous
les jours, les comprimés devant elles. Il faut bien se persuader

que, pour la plupart des autochtones de brousse, un comprimé, c'est un comprimé, quelle qu'en soit la composition. Autrement dit, « c'est quinine des Blancs », ce médicament universel. Et il peut servir à tout. On peut l'écraser et en saupoudrer les plaies. On peut le faire avaler à l'enfant qui a la fièvre. Et surtout, comme il est tentant, pour ces pauvres bougres, d'en vendre quelques-uns aux chefs vieillissants des villages voisins, qui croient y trouver, dans leur automne défaillant, quelque puissant aphrodisiaque !

A ce sujet, M. le Sous-Préfet a fait afficher un « procès-verbal » que beaucoup ne savent pas lire et qui prête à sourire à ceux qui le comprennent. On y découvre, par exemple, après des « vu ceci », « vu cela » fort nombreux, que la commission des notables a décidé d'appliquer en règlement des affaires coutumières, les taux ci-après :

Pour l'adultère :

Sous réserve qu'il n'ait été engagé aucune procédure pénale et que la partie plaignante s'engage en toute instance devant les tribunaux répressifs.

A. Tout individu ayant commis l'adultère avec une femme mariée doit être condamné à payer les dommages et intérêts suivants :

L'homme accusé .... 5 000 F
La femme complice .... 3 000 F
                          _____
                          soit : 8 000 F

Cette somme selon la coutume doit être versée au mari de la femme.

B. Quand un paysan par manque de respect commet l'adultère avec la femme d'une haute personnalité (maire des communes), ou une haute personnalité commet l'adultère avec la femme d'un de ses administrés, le taux des dommages et intérêts est le suivant :

L'homme accusé .... 8 000 F
La femme complice .... 4 000 F
                          _____
                          soit : 12 000 F

Nous passons ensuite au chapitre des viols :

Viol des petites filles de 8 à 16 ans :
Après solution de l'instance pénale s'il y a lieu et à condition d'avoir renoncé à se constituer partie civile devant le tribunal répressif, le montant des réparations civiles ne pourra dépasser les taux ci-après :
A. Violation (*sic*) des petites filles de 8 à 13 ans : 15 000 F de dommages et intérêts à verser aux parents de la fille.
B. Violation des petites filles de 14 à 16 ans : 5 000 F de dommages et intérêts à verser aux parents de la fille.

Mariage coutumier :
Le maintien de la dot au mariage des filles, jeunes femmes et femmes adultes est fixé comme suit :
A. Pour une fille vierge de 15 à 16 ans, le montant de la dot est de : 8 000 F + 7 000 F de frais divers. Total : 15 000 F.
B. Pour une jeune (fille) ou femme de 18 à 26 ans, le montant de la dot est de : 6 000F + 3 000 F de frais divers. Total : 9 000 F.
C. Pour une femme adulte de 27 à 35 ans, le montant de la dot est de : 4 000 F + 2 000 F de frais divers. Total : 6 000 F.
D. Pour les vieilles femmes de 36 à 45 ans, le montant de la dot est de 2 000 F + 2 000 F de frais divers. Total : 4 000 F.
Ceci a été fait et étudié en conseil des notables conformément au coût de la vie actuelle et des moyens et des revenus des paysans.

Cette petite digression sur les taux respectifs de l'amour que l'on porte aux dames de R.C.A., ne doit pas nous éloigner des surprises que je rencontre au long de ma route. Celles-ci ne concernent nullement les coutumes africaines, mais provient de notre continent. Je visite aujourd'hui les réserves en matériel — la maintenance — d'un centre qui a organisé de nombreuses tournées d'infirmiers à bicyclette. Malgré les appels renouvelés du médecin à l'U.N.I.C.E.F. ou F.I.S.E. (Fonds international de secours à l'enfance), aucun pneu, aucune chambre à air, ne vient remplacer ceux qui sont usés. Les bicyclettes rouillent sur place, cependant qu'il y a là, sur des étagères, une bonne centaine de sonnettes de rechange, pour avertir les lions, probablement, du passage de l'infirmier, sur ces pistes désertes !

Mais pourquoi, quand il est si difficile de vivre dans ces pays, sur l'autre rive de l'Oubangui, au Congo belge, devenu le Zaïre, assassine-t-on chaque jour ? On a vu flotter sur le fleuve les cadavres de vingt-cinq femmes, ceux de quelques hommes, dont celui d'un missionnaire européen, victimes des rebelles.

Un jour, des obus sont tombés en R.C.A., sur Mobaye : un tir mal réglé. On a fait aussitôt des excuses. Heureusement, seuls quelques arbres furent cassés. Au milieu de la nature luxuriante des bords du fleuve, cela ne se voyait guère. Mais dans cet Oubangui où nous ne laisserons pas de mauvais souvenirs, si extraordinaire que cela puisse paraître à certains, dès le début de l'alerte, les douze anciens combattants noirs de l'armée française, présents à Mobaye, se sont précipités — non point chez le sous-préfet —, mais pour « se mettre aux ordres » chez mon camarade, le médecin-commandant, le bon toubib militaire français.

Comme cela est réconfortant et combien j'ai aimé ces braves tirailleurs qui furent nos compagnons, et dont je revois encore, en la personne de mon fidèle Poda aux dents blanches taillées en pointe, les chéchias rouges... Robustes garçons, déambulant dans les rues de Fréjus, il y a, hélas, trop longtemps !

Le Palace est à l'époque le restaurant de Bangui. J'y déjeune avec un camarade médecin avant de m'envoler vers Brazzaville. Je n'ai jamais vu un seul établissement transformé en une aussi invraisemblable cour des miracles. Quelques Français et autres Européens, la plupart d'aspect douteux, aventuriers de passage probablement, chercheurs de diamants, guides de chasse, côtoient des métis et des Africains. Tout ce monde paraît jeter quelque peu l'argent par les fenêtres : les apéritifs se succèdent et le ton monte.

Personne ou presque ne se soucie de ces aveugles qui vont de table en table. J'en compte six, hommes et femmes, tenant d'une

main le bâton que leur tend un enfant qui les guide, la main libre
ouverte dans l'espoir d'une aumône. D'épouvantables formes sur
le sol, entre les tables, formes bossues aux jambes filiformes, ram-
pent sur les genoux et montrent aux clients leurs mains atrophiées.
Un unijambiste est coiffé d'un képi crasseux, déformé, qui le
fera passer pour un ancien tirailleur de l'armée française, blessé
de guerre. Cela pourra peut-être attendrir une âme sensible. Il y a
longtemps que les boys serveurs ont renoncé à chasser tous ces
mendiants de cauchemar, qui ne semblent pas troubler l'appétit
ou la soif des consommateurs. D'autres indésirables, les marchands, se disputent la clientèle. Ce sont les Haoussas et leurs
objets de cuivre, leurs statuettes en bois, les broderies de Maroua,
quelques ivoires grossièrement travaillés.

Cinq ou six petits chasseurs de papillons proposent leurs
captures, ailes repliées dans des papillotes de papier journal. Un
léger souffle du gamin ouvre un instant leurs ailes et laisse
apercevoir leurs couleurs éblouissantes. Phorcas aux ailes vertes,
papilios divers, parfois un immense antimachus, apparaissent à
nos yeux, toutes ces nombreuses espèces qui peuplent les environs
de Bangui. Un regard sur les prises d'un « chasseur » et la meute
des autres m'entoure, chacun m'assurant qu'il possède les plus
beaux papillons. Je m'en tire avec un petit achat à gauche, à
droite.

Mais l'un des « entomologistes » m'a rencontré la veille avec
des amis qui m'ont conduit dans un lieu particulièrement riche
en papillons. Je désirais capturer une ou deux espèces qui m'intéressaient. Le « bon petit diable de chasseur de papillons » m'a
reconnu et m'a dit : « Tu dois m'en acheter d'autres, car hier,
tu étais sur mon terrain de chasse, j'aurais pu te tirer ! » J'ai
ri et j'ai acheté tout le lot !

Les médecins et les pharmaciens de Bangui, mes camarades,
plusieurs avec leur épouse, sont venus jusqu'au terrain d'aviation
pour me dire au revoir. Je ne crois pas qu'il existe ailleurs
que dans le corps de santé de ce qui fut la France d'outre-mer,
une amitié aussi évidente. Et je pense encore davantage à ces
médecins isolés dans la brousse qui, comme ceux de Bangui,
m'ont accueilli et m'ont permis de mener à bien mon enquête
médicale. Sans eux — et aussi sans quelques missions reli-

gieuses —, qu'aurais-je pu faire, comment aurais-je pu subsister ?
Qui d'autre m'aurait accordé la chaude hospitalité que m'ont
réservée mes confrères dans ce lointain pays des rives de l'Oubangui ?

14.

De Schweitzer
aux anthropophages

*Le temps seul peut rendre les peuples
capables de se gouverner eux-mêmes.*

LAMARTINE

Ma dernière mission « lèpre » pour l'O.M.S. est le Gabon. Parmi tous les médecins que je rencontre, l'un d'eux est le médecin-capitaine Le Meur qui a servi avec moi au Cameroun. C'est le dévouement personnifié, et je ne suis pas surpris de constater qu'il dirige son service avec un zèle remarquable. Le dépistage de la lèpre a été supprimé de 1959 à 1962 par le pays devenu indépendant. Puis, les dirigeants nouveaux ont compris que les méthodes françaises, appréciées du monde entier, avaient probablement quelque chose de bon. Le Meur a donc pris son bâton de pèlerin et la recherche des lépreux a permis en un an de recenser huit cents malades. Ces résultats ne l'ont pas empêché d'être attaqué lors d'une « révolution », par une bande de jeunes exaltés, d'encaisser quelques coups de poing et de recevoir des cailloux. Ce n'est pas cela qui pouvait décourager ce solide Breton.

Des nuées d'énormes chauves-souris, des vampires, font un vacarme exacerbant dans les arbres, face à ma fenêtre. Un boy de l'hôtel vient me dire : « M. Herbert demander toi. » Je ne comprends pas bien. Je descends les escaliers de bois du vieil hôtel de style colonial et je trouve mon camarade d'enfance, Herbert Pepper, brestois comme moi. Musicologue, violoniste distingué, il a enregistré depuis des années la musique nègre et fait des études des plus intéressantes sur les rythmes de l'Afrique. Heureux hasard : nous tombons dans les bras l'un de l'autre et nous bavardons. Herbert ne veut pas composer : « Je ferais du mauvais Debussy », me dit-il. Laissons-le, lui et sa modestie. Je lui parle de Schweitzer, le Schweitzer musicien. « Je n'ai jamais compris, dit-il, qu'il puisse jouer sur un piano désaccordé ! — C'est probablement une pénitence que s'impose le pasteur », lui dis-je en riant.

Mme Pepper est une remarquable cantatrice, qui veut bien pendant la soirée nous offrir quelques airs d'opéras et quelques mélodies. Mais on s'amuse aussi : le chien de la maison a, comme sa maîtresse, une belle voix et ne demande qu'à être accompagné pour la faire entendre. Assis près du piano, après que Herbert a plaqué quelques accords, la brave bête, le cou tendu, très cabotine, la gueule à moitié ouverte... chante, en effet, un air à sa façon.

Mais je ne suis pas venu au Gabon pour entendre chanter un chien, ni même pour écouter une artiste de l'Opéra-Comique.

Au cours de la visite d'un poste médical, que je fais le lendemain, je m'extasie devant le nombre imposant de tonneaux de lait que détient le médecin : « A la bonne heure, lui dis-je, mais avez-vous vraiment beaucoup de kwashiorkor dans le pays, pour avoir tant besoin de lait en poudre ? — Non, me répond-il, je n'ai d'ailleurs rien demandé à l'U.N.I.C.E.F. qui m'envoie toutes ces réserves. D'autant que les villageois détestent cordialement le lait. De temps en temps, pourtant, deux ou trois d'entre eux viennent m'en demander. Pas loin d'ici, à Kango, ils font l'élevage des canards et ce lait permet de leur faire d'excellentes pâtées. C'est toujours cela d'utilisé ! »

Nous nous arrêterons bientôt, au cours de cette assez éprouvante tournée dans la chaleur étouffante de la grande forêt gabonaise, dans un lieu dont la légende s'est emparée et que connaissent la plupart de nos concitoyens : Lambaréné.

19 heures ! C'est l'heure du dîner à l'hôpital Schweitzer. Des ombres glissent dans l'obscurité de la nuit équatoriale qui recouvre le village médical. Quelques vagues lueurs traversent les parois des salles d'hospitalisation et laissent entrevoir la fumée des foyers qui s'échappe à travers la paillote des toits.

Conduits par un jeune chirurgien suisse et sa femme chargée

du laboratoire, nous arrivons, le docteur Le Meur, qui m'accompagne, et moi-même, à la salle à manger, vaste baraque grillagée qu'éclairent à peine quelques lampes à pétrole, quelques lampes tempête.

Le personnel de l'hôpital attend déjà le signal du repas pour prendre place aux deux immenses tables. Nous sommes quarante, peut-être cinquante personnes.

Mais voici qu'arrive le patriarche. Aidé par deux infirmières, à petits pas, sa haute silhouette courbée, quelques longues mèches tombant sur la figure, Albert Schweitzer nous serre longuement la main et l'on nous montre nos places, face à lui. Médecins, infirmiers, charpentiers, cuisinières européennes et japonaises, tout le monde s'est assis et attend respectueusement la parole du maître de maison qui maintenant bénit le repas.

Aussitôt après, il pousse vers moi une petite assiette dans laquelle on distingue deux tranches d'ananas. Le Meur, lui, n'en reçoit qu'une. Le reste de l'assemblée n'a pas droit à ces fruits, pourtant communs au Gabon. Je ne sais si c'est un rite. On semble nous honorer.

Le dîner est servi, correct, bien présenté. Ce sont des infirmières-serveuses qui portent les plats de la cuisine voisine. Pas un seul Noir n'apparaît.

Mon voisin de droite me glisse à l'oreille : « Pas de chance. Un jour on boit de la bière, le lendemain de l'eau. Aujourd'hui, c'est le tour de... l'eau. »

Schweitzer veut que je lui parle. C'est difficile dans cette grande assemblée où tout le monde attend avec respect et intérêt la parole du « Grand Docteur ».

Quel sujet aborder ? L'après-midi, je l'ai vu à la modeste table de son bureau, dans l'un des grands bâtiments en bois où se joue la partie technique de l'hôpital. Il m'a demandé de m'asseoir à côté de lui, un peu plus haut, sur une table d'examen, d'où, me dit-on, il entend mieux son visiteur.

Après s'être levé pour aller un instant voir un enfant malade que l'on amenait dans la pièce voisine, où travaillait un extra-ordinaire médecin hongrois à la moustache impressionnante et à l'abondante chevelure, tenant à la fois de Schweitzer jeune et de Brassens, le vieux médecin est revenu.

Il souffre d'une jambe, un ulcère probablement, qui ne veut pas guérir : « Il faut se ménager », me dit-il. A ma droite le chien Amos vient s'asseoir et près d'Albert Schweitzer, un grand mouton vient tendre sa tête à la main qui le caresse. Un matou est venu se frotter à moi. Schweitzer m'a fait quelques confidences : « Ne le répétez pas, m'a-t-il dit, ici, on met les gens en prison. » Le patriarche nous a fait conduire à la léproserie en jeep, tandis que courent et aboient une dizaine de chiens dominés par Amos qui ne nous lâche pas.

Après avoir visité cette léproserie dirigée par le docteur Takarashi, curieux médecin japonais, qui distribue ses petites pilules bleues, jaunes ou rouges — des vitamines — à ses malades, j'ai retrouvé Schweitzer qui m'a dit : « Ah ! cette léproserie ! Vous savez, c'est avec le prix Nobel que je l'ai construite. Si seulement mon " âne " de cousin, Jean-Paul Sartre, avait voulu m'envoyer l'argent de son prix au lieu de le refuser ! » En fait, le bâtiment ne vaut pas un prix Nobel. Une centaine de pauvres bougres y logent et y mangent. C'est plutôt un asile où l'on recueille ces miséreux que sont tous ces estropiés de la lèpre.

Nous n'allons pas ce soir parler médecine. Le maître des lieux a ses idées sur l'installation d'un hôpital, d'une salle d'opération, l'agencement des salles d'hospitalisation. Tout cela est bien connu. « Les " indigènes ", comme il dit, il faut savoir ne pas les heurter ! Petit à petit, ils deviennent plus intelligents ! »

On a admiré et encore plus critiqué l'œuvre médicale de Schweitzer. Elle n'est qu'une goutte d'eau par rapport à l'action des milliers de médecins français qui ont jugulé tant d'endémies en Afrique et dont on parle peu, mais il n'est pas dit que les gens qui croyaient trouver à Lambaréné l'équivalent d'un hôpital new-yorkais ou d'une clinique de XVIe arrondissement, aient eu raison de blâmer le vieil hôpital-village où les Noirs n'étaient pas dépaysés et se croyaient un peu chez eux.

Laissons donc de côté la médecine et lançons un ballon d'essai vers la musique et l'orgue. Schweitzer s'anime aussitôt quand nous passons de Franck à Vierne, de Tournemire, de Gédalge à Saint-Saëns. Puis, je lui dis qu'avant qu'il ne vienne vivre au Gabon, son nom était déjà cité parmi ceux des organistes qui honoraient de leur art le début du siècle, que je l'avais découvert dans un livre déjà ancien. Alors Schweitzer est heureux ! Ces dames qui l'entourent de leurs petits soins sont émues et le vieux musicien murmure : « Vous me faites faire un rêve ! »

Le voilà lancé sur Charles-Marie Widor, « le plus grand des organistes », sur Marcel Dupré : « Allez lui dire bonjour de ma part, montez à la tribune directement. »

Schweitzer nous parle ensuite de la valeur respective des grandes orgues : « A Saint-Séverin, apprécie-t-il, l'orgue a été construit sur mes plans. Mais vraiment Saint-Sulpice, c'est ce qu'il y a de mieux. L'empereur Napoléon III avait fourni lui-même les fonds nécessaires. »

Le dîner s'achève. A force de parler moi-même, je n'ai pas encore eu le temps de manger mes deux tranches d'ananas. « Vous ne les voulez pas ? » me dit Schweitzer. Je les avale entre deux considérations musicales...

Et puis c'est le silence. Mlle Mathilde et une autre infirmière aident le grand vieillard à se lever de table. Il se dirige d'un pas hésitant vers l'un des deux pianos du réfectoire. On ouvre l'instrument, vieux piano droit, aux touches jaunies. Schweitzer y pose les mains et joue un cantique. Les livres de chant circulent sans bruit sur la nappe de la table, s'ouvrent à la page choisie et tout le monde reprend le chant sacré.

Albert Schweitzer regagne maintenant sa table, toujours sous l'œil vigilant et admiratif de ses infirmières. On approche deux lampes à pétrole (l'électricité n'a pas droit de cité). Ces dames empressées ont placé deux livres des épîtres de saint Paul, bien en face du musicien-médecin-théologien. Après en avoir lu quelques passages en allemand puis en français, Schweitzer, la voix un peu cassée, mais l'esprit très clair, commente quelques paroles de l'apôtre.

C'est bientôt l'heure où, chaque soir, Albert Schweitzer se retire. Mon voisin m'a dit qu'en principe, le maître de maison donnait lui-même le signal du départ. Aujourd'hui, peut-être est-il heureux d'avoir fait un retour sur sa jeunesse, sur sa carrière d'organiste ? Et puis, nous ne sommes pas des « touristes »... La veillée se prolonge jusqu'au moment où je le trouve un peu fatigué. Il se frotte le front des doigts de la main droite, la tête penchée.

C'est le moment de l'accompagner jusqu'à sa chambre, bien simple, et où, à côté du petit lit à moustiquaire, est placé un modeste bureau, tandis qu'à portée de la main, sur de simples étagères, s'alignent de nombreux livres. Mais, avant de s'endormir, Schweitzer lira quelques extraits du *Monde*.

Nous nous sommes quittés. Je l'entends encore me dire, au moment où, éclairé par une lampe tempête archaïque, j'allais prendre le sentier qui mène à l'Ogoué : « Quand nous reverrons-nous ? »

Je n'ai pas oublié que mon hôte était avant tout un pasteur. Je lui ai répondu : « Quand Dieu le voudra ! » La veille m'étaient apparues, au bord d'un chemin de l'hôpital, modestes sous les hautes frondaisons tropicales, les tombes d'une collaboratrice et de l'épouse du vieux médecin. Tout près d'elles, un pasteur français avait été enterré récemment.

Mon guide me désigne un petit emplacement voisin : « C'est là, me dit-il, que reposera Albert Schweitzer. » Il devait mourir peu de temps après ma visite.

Le bateau quitte rapidement la rive et s'enfonce dans une nuit étoilée pendant que m'assaillent les images étonnantes, mais profondément attachantes, du patriarche du Gabon.

Me voici dans le nord du Gabon. Avec la Land-Rover, nous passons dans cet endroit qui s'appelle Mimbeng et où les Noirs, les uns sous les ordres des Français, les autres sous les ordres des Allemands, se sont étripés en septembre 1914, sans certainement en comprendre les raisons. Une pierre élevée par le Souvenir français évoque le combat. Pourquoi, mon Dieu, ces batailles, ces morts, ces blessés ?

La plus importante de mes randonnées au Gabon me conduit vers l'est : Franceville. Le nom n'a pas encore changé à cette époque. Je ne sais ce qu'il est devenu aujourd'hui. C'est par hasard, me dit-on, que deux ingénieurs, passant en auto sur une piste, eurent leur attention attirée par l'affolement de leur compteur. Ils cherchaient depuis longtemps de l'uranium, et toute une colline était là, prête à s'offrir. Elle s'est tellement offerte qu'elle a d'abord été entièrement rasée et se trouve remplacée par une excavation énorme que l'on exploite sans arrêt. A côté de cette richesse, le manganèse continue à être exporté et les wagonnets se succèdent sur les chaînes d'exploitation.

Mais les populations locales m'intéressent bien davantage, avec leurs maladies... et leurs mœurs. Je vais être bien servi !

L'Ogoué n'est encore tout près d'ici qu'une rivière comme il y en a tant d'autres, coulant silencieusement sous les sombres voûtes forestières des Tropiques. Son cours est assez lent et dans ses eaux déjà profondes, abondent des poissons de toutes les tailles, proies sans cesse renouvelées des sauriens voraces. Repus, ceux-ci s'allongent sur quelque plage ensoleillée, à distance des femmes et des grandes filles qui, les unes derrière les autres, une vieille touque d'essence vide sur la tête, vont chaque jour à la rivière, chercher l'eau nécessaire aux besoins de la famille. Une autre rivière coule à quelques pas de là, c'est la M'Passa, qui va joindre ses eaux plus claires à celles de l'Ogoué. Le confluent est encombré d'arbres arrachés aux rives lointaines et dont les branches se sont mêlées à celles d'autres plantes déracinées au cours des terribles tornades, semant la terreur dans les villages inondés, qu'emporte le courant irrésistible des hautes eaux.

Soudain, la femme qui conduit la file des villageoises s'arrête. Sans rien dire, elle désigne, le bras tendu, quelque chose qui flotte au milieu des branchages. Quelques mots s'échangent entre ses compagnes. Toutes se baissent pour déposer le récipient en équilibre sur leur tête et se mettent à courir vers ce qui a été aperçu. Des cris s'élèvent. Elles ont reconnu un corps, à peine vêtu. Elles savent déjà ce que veut dire ce cadavre et qui il est. Alors pleurant, affolées, hurlantes et gesticulantes, toutes se sauvent jusqu'au village et vont dire aux hommes ce qu'elles viennent de découvrir.

Il y a peu de temps, c'était la fête, le mariage d'un jeune instituteur, appartenant à une famille très connue de la région. Il y avait là M'Bila César, ancien député et infirmier respecté à l'égal d'un grand sorcier, son frère, l'ex-ministre D'Joya Poliphème, collaborateur d'un chef blanc d'autrefois, son cousin Malokoula Jean-Baptiste Rameau, fonctionnaire de rang moins élevé, mais enfin fonctionnaire quand même. Bref, du « beau monde », comme disent les Européens. Tout s'était bien passé, on avait bien mangé une antilope entière... et bien bu. La mariée portait un pagne multicolore du plus bel effet, et tous les villageois, même les plus modestes, étaient venus voir le mariage, célébré par le bon Père dans l'église, car tous étaient chrétiens.

Pourtant, quelque temps plus tard, les bavards et les commères commençaient à raconter des choses étranges. Bien sûr, on comprenait que les mariés étaient partis en voyage. C'était une manière de Blancs, et l'instituteur, le nouveau marié, avait longtemps vécu à leur contact. Mais pourquoi ne revenaient-ils pas au village ? Tout était en ordre, respecté. Les cadeaux avaient été faits aux parents de la mariée : argent, poulets, canards, moutons et un superbe bœuf.

On racontait bien qu'un étranger à la tribu, de passage au village, avait été attaqué dans les environs et qu'il avait été transporté à l'hôpital. *A priori*, cela n'avait pas grand-chose à voir avec l'absence prolongée des jeunes époux. Et pourtant...

On ne savait pas ce qu'on avait fait à cet homme, mais il avait perdu beaucoup de sang. Bien sûr, on n'osait pas demander au docteur ce qui s'était passé : il ne s'agissait, d'ailleurs, que d'un étranger. Le médecin aurait certainement dit aux curieux de se mêler de ce qui les regardait. Quant à l'infirmier qui avait vu arriver le blessé, il paraissait ennuyé, quand on l'interrogeait. Il répondait vaguement que le voyageur avait reçu un coup de couteau à la figure. Bref, on était perplexe.

La découverte d'un cadavre, d'une part, la blessure de l'inconnu, d'autre part, c'en était trop pour le village où l'on parlait de plus en plus. Les anciens se rappelaient de sombres histoires et connaissaient bien certaines coutumes qu'il était de bon ton de paraître ignorer.

Le bruit courut bien vite que le corps repêché dans la rivière était celui du jeune instituteur récemment marié. Il fallut une indiscrétion pour apprendre qu'il ne s'était pas noyé, mais avait été assassiné et qu'on l'avait trouvé horriblement émasculé. Tout cela commençait à rappeler certains sacrifices rituels et l'on s'éloignait de ce qu'on appelle vulgairement un crime passionnel. Mais où avait disparu la mariée ?

Les autorités chargées d'éclaircir tous ces mystères apprirent que, dans la tribu, comme dans beaucoup d'autres régions, les gens âgés cherchaient par tous les moyens à recouvrer force et virilité quand les signes évidents de la sénilité commençaient à se manifester. Le mot « force » revenait sans cesse dans les conversations, sous les termes — si je ne me trompe —, de « djobi » et de « n'gal ». Depuis les temps les plus reculés, les vieux chefs ne se privaient pas de faire supprimer de jeunes mariés des deux sexes, chez lesquels on prélevait les organes génitaux. On y ajoutait, quand on pouvait la couper à quelqu'un, une langue, cette mère de tous les maux. Une macération de l'ensemble, avec certainement quelques scorpions, quelques serpents, et quelques épices, fournissait une liqueur aphrodisiaque du plus sûr effet...

Et si l'on avait aussi voulu couper la langue de l'étranger de passage ? « C'est ce qui est arrivé », me dit le docteur B. Je vais à l'hôpital le jour où le médecin refait le pansement. La joue gauche a été fendue de la bouche à l'oreille. Tous les tissus sont maintenant recousus et la cicatrice sera probablement de bonne qualité. On apprend de la... bouche du patient, qu'il a été assailli par des gens qu'il ne connaissait pas, qu'on lui a coupé la joue d'un grand coup de couteau, mais que, dans un sursaut, il a réussi, la douleur décuplant sa force, à se libérer de ses bourreaux.

Bien que le cadavre de la jeune femme n'eût pas été retrouvé, la mort de l'instituteur et l'attaque du voyageur étranger semblent bien apporter la preuve que l'on se trouve en présence d'une seule action criminelle ou d'un sacrifice rituel, comme on voudra bien l'entendre.

Mais qui a pu en avoir l'idée, puis la réaliser ? Le bruit court de plus en plus qu'il ne peut s'agir que d'une histoire familiale. J'apprends que les soupçons se portent sur les deux frères et le cousin dont j'ai parlé plus haut. On n'est pas loin de les arrêter. On m'a présenté les trois Noirs l'autre soir : ce sont des notables. Ils sont aussi sympathiques que leurs voisins, et ont vraiment les visages les plus réjouis dont on puisse rêver.

L'histoire ne m'a malheureusement pas dit, après mon passage, si ces bons « frères » étaient vraiment les auteurs de ces « petites misères » qui arrivent aux uns pour permettre aux autres de conserver force et virilité.

15.

De Katmandu
à Marrakech — 1965

Celui-là à qui Dieu veut montrer une
vraie faveur, celui-là il l'envoie de par le
vaste monde.

VAN EICHENDORFF

L a chance me favorise en cette année 1965, puisque l'Organisation mondiale de la santé m'envoie à nouveau en mission.
Escales aussi prestigieuses que variées : Delhi, Katmandu, Calcutta,
Rangoon, Jaipur, Bombay, Aden, Khartoum, Le Caire, Alexandrie,
Madrid, Rabat, Marrakech... De si nombreuses pages ont été
consacrées à ces villes qu'il serait présomptueux de vouloir en
rajouter. Mais il y a peut-être certains aspects, ici ou là, qui ont
pu échapper à des écrivains ou à des poètes qui ne voient que les
choses, mais qu'un médecin peut mieux... sentir ! On verra pourquoi.

C'est le cas de Katmandu. A trop regarder les merveilleuses
sculptures de ses monuments, l'esthète ne sait plus où il met les
pieds. On marche, on marche encore, on en écrase, on en écrase
toujours...

Voici un rassemblement de paysans, immunisés à jamais contre
une odeur pénétrante qui ne semble plus les indisposer. A la
mode chinoise, ils portent sur l'épaule, dans deux paniers placés
aux extrémités d'un fléau, la précieuse marchandise, jusqu'aux
marchands spécialisés. Les paniers sont pesés et le contenu déversé
sur un tas pantagruélique et odoriférant.

Dans ce quartier, pourtant habitué à une senteur qu'on ne
peut qualifier de mauvaise, puisqu'elle n'est que caractéristique,
les élèves infirmiers que je rencontre, chargés du dépistage des

maladies, sont porteurs de masques de « gaze ». Je me fais traduire : « Nous ne pouvons plus respirer ! » disent-ils...

C'est la vallée touristique de Katmandu, et il est certain que dans cet admirable pays, je ne suis pas prêt à bêler d'admiration, du moins devant ce qui concerne ce que nous, Occidentaux, essayons de faire respecter — et ce n'est pas toujours facile dans notre propre pays —, je veux dire l'hygiène et la prophylaxie.

L'U.R.S.S., probablement attirée par quelque raison politique, ou tout simplement par le désir de venir en aide à ces populations assez démunies — mais peut-on vraiment le croire ? — a construit à Katmandu un hôpital, assez simple, mais qui, à mon sens, convient à l'aspect primaire qu'il faut donner à toute chose, avant de se lancer dans une sophistication poussée de la médecine, lorsqu'on s'adresse à un pays comme le Népal.

Les Russes, m'apprend-on, ont lancé la formation avec leurs médecins et leurs infirmiers pendant quelques mois, puis s'en sont retournés dans leur pays — sur la pointe des pieds — cela va sans dire. Ils ont pu ainsi confier les malades au service de santé local, probablement avant l'asphyxie totale de leurs ressortissants.

L'hôpital n'est pas vide, mais on ne s'y bouscule pas. Dans une chambre, deux pauvres jeunes femmes se penchent anxieusement sur le lit de leurs enfants. L'un, les yeux purulents, avec une température de 40°, est victime d'une grave rougeole. Il tousse beaucoup, dit la maman. L'autre, atteint d'une tuberculose évolutive, est un pauvre petit être qui ne survivra pas longtemps. On ne peut pas faire mieux, si l'on désire leur trépas rapide à tous deux, que de les coucher dans la même chambre. Les autres lits — quatre — sont vides. La pièce voisine est inoccupée. Je m'étonne auprès du gentil médecin népalais qui nous accompagne, de cette promiscuité effarante : il aurait été si simple de séparer ces deux petits êtres. Il me répond dans un sourire : « L'autre chambre est payante, on ne peut pas y mettre un indigent. » Inutile de souligner qu'elles ont toutes deux le même rudimentaire standing.

Le professeur P..., de Washington, avec qui je fais ce voyage, ouvre de grands yeux devant ces aberrations. Il vient ensuite, avec moi, visiter l'école des auxiliaires médicaux, agents d'hygiène et autres. Notre visite étant quasi officielle, le directeur et ses adjoints ont dû tout briquer. Ils nous attendent dans un vieux temple désaffecté où se trouvent les bureaux. Nous espérons enfin voir quelque chose de propre. Nous entrons dans une cour. Un ruisseau affreusement sale, plein d'eau croupissante, de détritus de toutes sortes, nous barre le passage..., il faut l'enjamber pour entrer dans la maison. A droite, une porte entrouverte, et au milieu de la pièce, le plus affreux dépôt d'ordures que l'on puisse rencontrer.

Le professeur P... éclate : « C'est le plus " moche " qu'on puisse voir, et Dieu sait si nous avons vu des choses moches... » J'ajoute, trop « heureux » de profiter de l'occasion : « Savez-vous ce qu'il leur manquera toujours... c'est d'avoir été colonisés ! »

Les Américains, après nous avoir puissamment aidés à quitter l'Indochine et l'Algérie, n'étaient pas encore devenus, aux yeux des Chinois, les « pirates impérialistes » que tout le monde maintenant connaît. Le professeur P... me regarde un peu de travers, car il ne sait, au nom des grands principes de la démocratie américaine, s'il faut sourire ou non à ce qu'il doit trouver, de la part d'un « colonialiste », fût-il médecin, une mauvaise plaisanterie.

Les déchets fumants de la civilisation occidentale — que l'on me pardonne, mais en dépit des pages précédentes, je ne veux parler ici que de nos abonnés de la drogue qui viendront, dans quelques années, échouer et mourir à Katmandu — n'ont pas encore mêlé leur saleté, leurs cheveux longs et pouilleux à ceux des autochtones. Peut-être auront-ils encore, à leur arrivée, la force de regarder ces sommets de l'art que constituent les temples du Népal.

Hélas, tout ici s'effrite irrésistiblement. Des statues gisent au sol, entières ou en morceaux. Je demande à un confrère népalais si personne n'y touche, ne vole et n'emporte ces trésors pour les casser et construire sa maison : « Aucun danger, me dit-il, c'est sacré ! » C'est probablement pour cela, aussi, qu'on n'effectue aucune réparation et que, peu à peu, par apathie, par insouciance, disparaîtront inéluctablement toutes ces merveilles des siècles passés. Elles nous étonnent d'ailleurs parfois, nous Occidentaux, par leur anticonformisme cru, seule chose que retiennent probablement ces « paumés » et ces groupes d'Américaines, binoclardes et puritaines qui, la bouche ouverte, admirent en cachette l'experte acrobatie sexuelle de ces personnages savamment mêlés, hommes et femmes, femmes et femmes, hommes et hommes, animaux et femmes libidineuses. « Oh ! shocking ! » s'exclament-elles, mais sont-elles sincères ?

Les vapeurs nauséabondes de Katmandu envolées, reste la profonde impression que l'on emporte de ce pays.

Je n'aurais pas cru que la plaine indienne, vue du ciel, entre Delhi et Bénarès, fût cette succession ininterrompue de champs et de rizières, au milieu desquels apparaissent des villages innombrables. Ce n'est qu'après Bénarès que leur densité est moins forte, surtout lorsqu'on approche des premiers contreforts de l'immense chaîne de l'Himalaya. On est saisi ensuite de la dégénérescence de la civilisation, par la misère pour tout dire, quand on se pose au Népal. Que ces gens sont loin d'atteindre au bonheur physique, au « confort » d'une France qui fut capable de se relever si vite des désastres de la guerre et de l'invasion. Ces médecins népalais, fonctionnaires à plein temps, payés par leur gouvernement, ont à peine de quoi vivre. Et les pauvres en arrivent à ne recevoir aucun soin : c'est ce qui est le cas d'au moins 60 % de la population. Quant aux malades qui me concernent plus spécialement, les lépreux, on se demande comment ils peuvent survivre. On en viendrait à croire que ceux de nos ex-colonies d'Afrique, pourtant bien pauvres, sont des gens heureux, grâce aux efforts de la France « généreuse », comme le disait de Gaulle.

En Inde, dans les grandes villes, les problèmes sont les mêmes. Ces pauvres affamés, squelettiques, qui s'enroulent un soir dans leur natte et se couchent sur la chaussée pour mourir, au milieu des vaches étiques et de la population indifférente, en sont l'image qui vous reste, le cœur serré. Au petit matin, une voiture passe et emporte le léger cadavre. Mais pourquoi sont-ils si nombreux ? Pourquoi ont-ils tant d'enfants ?

Dans une lettre que m'écrivait un jour Raoul Follereau, un homme que son action et toute une vie autorisent à parler, je relève la pensée suivante : « Mettre au monde des enfants dans des conditions telles qu'ils ne pourront pas vivre normalement, est non seulement un crime contre l'humanité, mais une offense au Créateur. »

Les gouvernements de l'Inde s'efforcent de lutter contre ce fléau qu'est la pullulation humaine. Lorsque j'arrive dans le pays, je ne peux qu'admirer ces affiches évocatrices du « Birth Control » souhaité par l'Etat. Ah ! qu'elle est belle cette image d'un couple indien, épanoui, bien habillé, avec à ses côtés deux beaux enfants rieurs. En opposition, un homme, une femme, à peine décemment vêtus, et près d'eux, six ou sept enfants chétifs, amaigris, tristes. Mais l'innombrable petit peuple comprend-il ce que veut dire cet appel des affiches répandues un peu partout ? L'effort pour la limitation des naissances est-il suivi ? Je ne crois pas que cela suffise. D'ailleurs, en haut lieu on l'a compris.

Ma mission me conduit dans des villages perdus de l'immense continent indien. J'atteins une bourgade, en compagnie du cordial professeur américain et de l'aimable confrère indien, désigné par le ministre de la Santé, pour nous accompagner. Quelle charmante réception ! Une trentaine de notables sont réunis chez le maire du village. Le sol de la pièce principale est recouvert de draps blancs, sur lesquels sont accroupis tous ces gens qui nous souhaitent la bienvenue. Après nous être déchaussés, nous faisons des efforts manifestes pour nous maintenir dans la pose du Bouddha. C'est la fin de la saison sèche, on ne doit pas être bien riche : on nous offre une tasse... d'eau fraîche. Mon confrère américain pâlit. Il a une peur — pas tellement insensée — du choléra et fait des efforts louables pour refuser, sans vexer nos hôtes, cette eau qui n'a certainement pas bouilli.

Nous sommes maintenant accompagnés à travers les petites rues jusqu'à une première case où un infirmier dispose de quelques médicaments courants. C'est peu pour le village. Un autre bâtiment aussi exigu est confié à un autre « infirmier ». Une petite table en bois blanc et des étagères qui vont jusqu'au plafond. Sur chacune, des boîtes à n'en plus finir de préservatifs, de « french leathers ». Nous sommes en Inde... et le qualificatif « anglaises » n'a pas bonne presse. J'apprends que la consommation n'en est pas exagérée. Un souvenir, vieux de quarante années, me revient à l'esprit. Le docteur Damany, médecin de la marine, nous parlait à l'école annexe de médecine navale de Brest, d'une cuirasse contre le plaisir et d'une toile d'araignée contre le danger. Je me surprends à sourire. Mon confrère indien doit se demander pourquoi.

Nous assistons enfin, et je crois que tous ces efforts sont louables, à une leçon, comment dire, de choses, donnée par une sage-femme, mettons une matrone, à un groupe d'environ trente mères de famille, accroupies, bien entendu, sur le sol. La matrone se lance dans l'anatomie. Une baguette à la main, elle désigne sur une maquette en carton-pâte les différentes parties mâles — énormément agrandies — d'un individu, avant de passer à la description du modèle femelle. Les élèves, probablement déjà cinq ou six fois parturientes, font des efforts pour essayer de comprendre à quoi on veut en venir. Mais leur faciès ne s'éclaire guère et je ne suis pas persuadé que le courant passe bien.

Enfin, avec l'aide des « french leathers »... peut-être.

Pour l'instant, après cette longue visite d'enquête sanitaire et d'amitié dans ce village indien, nous nous dirigeons vers l'hôtel qui doit nous recevoir. Splendeurs de l'Inde, c'est l'ancien palais d'un maharadjah qui a été transformé en grand hôtel de passage. Un employé s'ingénie — probablement pour saler ma note — à me faire comprendre que ma chambre a été occupée par — je ne me souviens plus — la reine d'Angleterre ou Mountbatten... C'est vieux, mais c'est somptueux. Un parc immense s'étend devant le palais. De leur cri inharmonieux, de nombreux paons, tout en se promenant, appellent leur fiancée : « Léon, Léon... » Sur le même thème, je préfère la mélodie de Ravel.

Décidément, dans ce pays, les oiseaux, comme les autres animaux, ont tous les droits. Dans l'immense salle à manger, dont les murs sont partout ornés de sculptures, les moineaux ont fait leur nid. Personne ne songe à les en chasser, pas plus que sur la route, ces passereaux de toutes sortes qui, sur les étals des marchandes de graines, prélèvent leur pitance en toute quiétude. Parfois, une femme s'énerve un peu et d'un geste las du bras, chasse un instant les importuns. Quelques secondes plus tard, ils sont de retour, se disputant, piaillant, plus nombreux encore.

Ces impressions que me donnait l'Inde complétaient maintenant celles que m'avait laissées un premier séjour dans ce qui n'était plus l'empire des Indes, mais qui en avait gardé l'empreinte britannique. Quelques années auparavant, lors d'une assemblée générale de l'Organisation mondiale de la santé, étant conseiller du ministre de la Santé publique du Cameroun, mon ami le docteur Tchoungui, j'étais venu à Delhi avec lui pour représenter son pays.

Je me souviens de la sortie de tous les ministres étrangers et de leurs conseillers, du Palais des congrès. Le délégué de l'U.R.S.S. nous avait rebattu les oreilles en vantant, en dehors de la question traitée, les « fantastiques » progrès de la médecine dans son pays. Ce n'était qu'un leitmotiv, fatigant, lassant, déplacé : « Avant 1917 et la révolution, il n'y avait que... » Exaspéré par ces rodomontades, un camarade et compatriote « breton », le docteur Dol, conseiller au Niger, descendant, en fin de séance, les marches de marbre du palais, s'écriait à la cantonade : « Ils nous cassent les oreilles, ces Russes, avec leur révolution de 1917 ! Chez nous aussi, à la campagne, avant 1917, il n'y avait que des culs-terreux. Nous n'avons pas eu besoin de révolution pour changer tout cela... » Les francophones, nombreux, écoutaient attentivement ces paroles courageuses.

Ce ne sont certes pas ces petites scènes dérisoires qui peuvent me rappeler l'image d'un empire perdu. Ce n'est pas non plus l'arrivée du Pandit Nehru à une séance de l'O.M.S. qui permet d'évoquer les splendeurs du passé. Nehru doit prendre la parole devant toutes les délégations étrangères réunies. Il le fait en anglais, bien sûr. Je le vois descendre, très digne, mince, élégant, d'une minuscule voiture, genre Austin, que nous connaissons bien. Il est seul avec son chauffeur et un dignitaire. Comme on est loin des escortes pétaradantes des nouveaux roitelets africains dont la puissance éphémère se mesure à la longueur du capot de leur Mercedes !

Je commence à croire que le faste britannique s'est envolé à jamais, quand nous recevons un carton d'invitation pour une réception offerte par le président de la République. Devant l'énorme palais, autrefois celui du vice-roi des Indes, s'aligne une rangée impressionnante de lanciers — les fameux lanciers du Bengale —, lance au poing, oriflammes au vent. Les invités pénètrent dans les allées d'un parc somptueux où se tient, tous les deux mètres, un immense lancier, droit, immobile, au garde-à-vous. Soudain, les grandes baies du palais s'ouvrent, une sonnerie de trompettes éclate et un homme un peu cassé s'avance, souriant aux invités, saluant de la main le président de la République. En grande tenue, impeccables, avec une allure très britannique, plusieurs officiers ferment la marche, tandis que continuent à retentir les sons aigus des trompettes de la garde présidentielle. Je retrouve les traditions et la grandeur du Royaume-Uni de Grande-Bretagne.

Comme quoi la colonisation laisse toujours des traces, je dirai une empreinte, lorsque le conquérant d'hier rentre chez lui. Ce n'est pas toujours ce qui a été fait de mieux que garde d'ailleurs le colonisé, je croirai même que c'est souvent l'inverse. Mais n'oublions pas, nous les premiers, ce que la Gaule doit à Rome. Encore faut-il que le colonisateur soit d'un niveau intellectuel supérieur, soit plus évolué pour mieux dire, et que arts et sciences méritent d'être exportés. Quant au niveau moral, il y aurait beaucoup à dire.

En tout cas, je réserve personnellement le terme de colonisation à ce qui dans les arts, la musique surtout (la musique occidentale devient universelle) et les sciences (bien entendu, en tête la médecine), assure une supériorité par rapport à l'acquis du colonisé. Ce n'est peut-être pas si apparent pour les arts dans l'Inde et dans « notre » Indochine, mais c'est d'une évidence absolue en ce qui concerne les sciences.

Plus le niveau des deux peuples, le colonisateur et le colonisé, est différent, plus le colonisé doit pouvoir — à condition de ne pas trop brûler les étapes — retirer bénéfice d'avoir eu un tuteur, n'en déplaise à nos masochistes, intellectuels de gauche. C'est évidemment le cas de l'Afrique noire. En revanche, si les conditions que je nomme ne sont pas remplies, ce n'est plus de la colonisation, c'est l'invasion et la destruction d'une autre civilisation, primitive peut-être, mais qui aurait pu, au cours des siècles, évoluer d'elle-même, sans rien demander à personne.

Je ne quitte pas l'Inde sans être reçu, lors de l'un de mes voyages, par le Lion's Club de New Delhi auquel j'apporte un fanion du Lion's Club de Yaoundé, qui espère bien recevoir en échange celui du club de la capitale indienne. Mais aucune offre ne m'est faite. On n'est peut-être pas très argenté, ici, pour se permettre de faire broder, sur soie, les couleurs de la ville. Le dîner est assez simple, mais en revanche on ne semble pas prendre à la légère le rôle dévolu au grand club international, dont on écoute, avec attention, la lecture des devoirs de chacun, et celle des buts poursuivis par l'association. C'est, ensuite, dans un silence respectueux et profond qu'un philosophe, invité d'honneur, fait, pendant près d'une heure, un exposé sur l'esprit et sur l'âme.

Je suis un peu gêné de devoir dans mon « very broken english », et sans faire sourire, remercier le président de son invitation. Nous rentrons dans la même voiture, le philosophe et moi. Mon compagnon me demande ma nationalité. Evidemment, pour lui, il ne doit y avoir au Cameroun que des Noirs. Quand il apprend que je suis français, il manifeste ouvertement son étonnement et, je crois, une certaine joie : il est né à Pondichéry, ville restée longtemps française comme chacun sait et parle notre langue à la perfection.

Cette fois, c'est le départ. J'ai admiré l'Inde et ses palais. J'ai regardé ses pauvres, sa misère, avec pitié, avec effroi.

Je me souviens de cette rue populeuse de la lointaine ville de Jaipur. Me promenant au milieu de la foule indifférente, il m'est arrivé, un jour, de ne pouvoir donner que les quelques pièces de monnaie que je trouvais au fond de ma poche, à une jeune femme lépreuse, un enfant si petit, si malingre dans les bras.

Comme je lui faisais dire qu'elle devrait se rendre à l'hôpital, des larmes coulèrent sur ses joues amaigries, et elle répondit qu'elle n'avait pas d'argent, qu'elle n'était pas de la région, qu'elle ne connaissait personne.

Depuis ce jour, je médite parfois sur cette prière de Raoul Follereau : « Seigneur, faites-nous mal avec la souffrance des autres. »

Avec de simples escales à Karachi et à Aden, cela semble un jeu d'enfant de passer de l'Asie à l'Afrique. Khartoum, le Nil bleu, le Nil blanc et tous les souvenirs qui s'attachent à la mission Marchand et à Fachoda, se présentent au voyageur. En toile de fond, le médecin de la mission, notre grand ancien, devenu un jour le médecin-général Emily.

Nos hôtes, généralement souriants et aimables, ne semblent pas avoir de notions précises sur l'importance, ni sur le rôle de l'Organisation mondiale de la santé. Ils nous conduisent quand même dans un centre médical où les stagiaires, par leur niveau, doivent être ce que nous nommons des infirmiers brevetés. Ils portent tous le stéthoscope bi-auriculaire sur la poitrine. S'en servent-ils, c'est une autre affaire...

La grande découverte, ici, dans une chaleur accablante, est la visite du Kalifa's Museum où l'on nous mène après avoir quitté le centre médical. Bâtiments curieux, faits de nombreuses petites cellules, palais probablement d'un ancien calife. Tout ce qui s'y trouve remonte à l'époque 1880-1900, à croire que tout a été installé par les Anglais.

Voici des objets hétéroclites ayant appartenu à Gordon et à Kitchener. Sous verre, des extraits de presse, du *Times,* relatant les difficultés de Marchand face à Kitchener, cela bien entendu vu d'Angleterre. Une sorte de baleinière métallique arrête mon regard et celui de mon collègue américain, très instruit des événements qui nous émeuvent tant, nous Français : il s'agit, nous apprend une pancarte, de l'un des bateaux de Marchand.

Nous sommes attendus pour un lunch. Les serveurs en longue robe blanche, ceinturée de rouge ou de noir, tous coiffés de leur chéchia, ont l'air, avec leur ventre bien rebondi, d'eunuques d'autrefois...

La pureté de l'air nous a permis d'apercevoir les énormes travaux du barrage, tandis que nous survolons la vallée du Nil jusqu'au Caire. Les réservations d'hôtel n'ont, paraît-il, pas été faites par l'O.M.S., et l'on nous dirige vers un bateau-hôtel, amarré au quai.

A bord, sans arrêt, on nous rebat les oreilles avec des chansons. Ce sont des chansons populaires... mais françaises. Comment pourrait-on s'en plaindre ! on est si heureux loin de son pays quand la moindre des choses vous rappelle la terre natale. Alors, tant pis si le disque est signé par quelque chanteur sans voix et si amour rime avec toujours !

Une conférence est prévue à Alexandrie. L'O.M.S. nous a fait savoir qu'en raison de plusieurs accidents successifs survenus à l'aéroport, on préférerait nous voir prendre le train. On se soucie donc de nos petites personnes à Genève... Nous ne pouvons qu'en être touchés.

Après une escale à Madrid, le dernier pays où je me poserai sera le Maroc. Rabat : l'influence française est toujours si vive et si impressionnante que l'on se croit un peu chez soi, surtout après le Népal et après Khartoum. Que ce soit à Casablanca ou même à Marrakech, l'impression est la même. Que vous fûtes grand, monsieur le Maréchal, et que la France était grande quand ses fils s'appelaient Lyautey ou Gouraud.

Mon confrère américain ne peut s'empêcher d'admirer ce Maroc où il sent si nettement l'influence de notre pays, chez ces médecins, ces infirmiers et toutes ces jeunes élèves infirmières que nous rencontrons dans leurs écoles. Mon confrère ne se doutait pas qu'en français coloniser voulait dire : enseigner, soigner, aimer. Je n'ai pas eu le courage ou l'incorrection de lui demander ce que les Américains, qui n'ont jamais compris et trop souvent critiqué notre œuvre ont fait des Indiens lorsqu'ils sont arrivés dans le « Nouveau Monde »...

16.

Boumedienne
et les siens — 1967

Je me suis bercé de tout cela...

LYAUTEY

Pour plusieurs raisons, j'ai quelque répugnance à aborder le dernier chapitre de mon existence de médecin « colonial » hors de France, en Algérie.

A mon retour d'Extrême-Orient, certes, les missions que l'O.M.S. m'a confiées et qui m'ont fait me « poser » dans plus de dix pays, ont été d'un puissant intérêt. Mais revenu en France, quel espoir ai-je d'être désigné en « coopération », comme on dit ? Je n'ai pas prolongé mon séjour à l'hôpital Grall de Saigon pour revoir mon père, que le décès de ma mère, pendant mon absence, a laissé seul. J'aurais aimé retourner en Indochine : en haut lieu, on voulait bien considérer mon travail comme positif. Quand on avait eu besoin de moi, on m'avait bien envoyé pour deux séjours successifs au Congo, puis au Cameroun, sur l'insistance, d'ailleurs, des Africains et non des bureaux parisiens. Pour l'Indochine, c'était, me dit-on, impossible.

Il ne me restait qu'à envisager, plutôt qu'une affectation minable, le port du « chapeau mou ». Je fus appelé à la direction du service de santé. Là, tout avait changé. Un « directeur central » coiffait — sans chapeau — tous les services : c'était, comme par hasard, un médecin métropolitain. Et depuis ce temps, ce seront toujours des métropolitains qui dirigeront tous les services de santé, marins et « coloniaux » compris. Comme si, d'avoir été formé par l'école du service de santé de Lyon, puis d'avoir servi toute une carrière dans les « cadres », c'est-à-dire en milieu militaire, pouvait permettre, même aux plus doués, de comprendre ce que sont la vie et l'application de la médecine auprès des populations autochtones à Zinder ou à Amitchéou.

C'est alors qu'on me propose Alger et la mission médicale française auprès de l'armée algérienne : c'est normal, la convention de Genève nous oblige à soigner ennemis comme amis, et c'est très bien ainsi. Cette mission existe déjà depuis l'indépendance de l'Algérie. Mais elle a subi bien des avatars, par manque de « souplesse », dit-on, de nos camarades métropolitains qui la composent. C'était à prévoir. Voilà pourquoi on veut essayer des coloniaux, habitués à vivre hors cadres, au milieu des civils français de l'administration et en contact maintenant avec les dirigeants des anciennes colonies, devenues « Républiques ».

Je ne suis pas particulièrement heureux d'aller vivre en Algérie, fief toujours réservé aux « Lyonnais ». Mais surtout, mes opinions me détournent d'une telle mission. Un proche membre de ma famille n'est-il pas rentré en France entre deux gendarmes après le putsch des généraux [1] ?

J'avais admiré le général de Gaulle quand, de la lointaine Indochine où je servais, j'avais appris son action face à l'Allemagne. J'avais salué la naissance du « Rassemblement » avec enthousiasme. Je tombai de haut quand l'Algérie fut bradée, nos amis lâchés, les harkis abandonnés aux mains de leurs bourreaux.

On me donne quelques jours pour réfléchir, et l'on ajoute : « Si ce n'est pas toi qui prends cette mission, ce seront les Russes ! » C'était bien joué. On avait touché ma corde sensible, je ne pouvais qu'accepter.

Me voilà donc envolé pour Alger. A l'aéroport, deux ou trois de mes camarades médecins m'attendent ainsi qu'un officier du service de santé algérien. Cela m'évite de voir, pour cette fois, les autres passagers se faire confisquer les journaux français en leur possession.

L'hôpital Maillot — dans le petit peuple de Bab-el-Oued, c'est toujours l'hôpital Maillot — m'accueille. La nouvelle équipe de médecins « coloniaux » remplace en quelques jours nos camarades

---

1. Voir *Aux carrefours de la guerre*, par Paul-Alain Léger, Albin Michel.

métropolitains, sauf deux. J'ai bientôt avec moi une équipe absolument remarquable, avec trois professeurs agrégés et tous les autres médecins et pharmaciens d'active, titrés. Paris ne se moque pas de l'Algérie, et il a raison, car tous mes jeunes camarades se montreront à la hauteur de leur tâche. Maillot deviendra un C.H.U., et presque tous les médecins auront bientôt des fonctions à la faculté : la médecine et la langue françaises ne seront pas oubliées.

Voici qu'un ministre, Bouteflika, vient en consultation « chez nous ». D'autres suivent...

Un jour, dans le mystère, on me prévient qu'une personnalité se présentera à l'hôpital dans la matinée. La cour s'est vidée. Quelques policiers, en civil, se glissent sous les arcades. Une petite voiture entre. En descendent deux ou trois hommes. Elle est suivie d'une autre auto, modeste. A côté du chauffeur, Boumedienne en personne. Avec le directeur du service de santé algérien, nous l'accompagnons jusqu'au service de stomatologie. Le président a bien besoin de faire réparer sa mâchoire. Sa longue et maigre personne disparaît dans le fauteuil. Les soins terminés, il vient vers nous. Son regard perçant ne s'oublie pas. Il ne semble pas prêt à parler. Pour dégeler un peu le climat, je trouve vaguement quelques mots pour le féliciter — pourquoi pas — de sa sagesse entre les mains du stomatologiste. Il sourit — c'est rare — et me demande si je connais l'Algérie. Il est étonné que je n'aie jamais dépassé les quelques plages qui avoisinent Alger.

La visite de Boumedienne est suivie de celle de nombreux dignitaires du régime. L'exemple est donné. On a beau ne pas tellement aimer les militaires français, on respecte le savoir et la conscience de leurs médecins.

N'ai-je pas déjà vu à Saigon les ministres vietnamiens nous confier à l'hôpital Grall leurs précieuses personnes, et ne verrai-je pas, plus tard, chez nous, à son tour, notre célèbre « Val » entrer en état de grâce ?

Allons, mes camarades, « métros, colos, marins ou de l'air », voilà bien quelque chose de réconfortant pour l'ensemble du corps de santé des armées. Mais chut ! surtout, que les médias n'en parlent pas !

Pour l'instant, après s'être transformé en un petit Houari

Chrysostome, Boumedienne n'a plus besoin que de quelques consultations de l'un d'entre nous qui devient son médecin personnel. Je commence à croire que notre présence médicale en Algérie n'est pas totalement dénuée d'intérêt. Je suis heureux de la confiance qui nous est manifestée. Un peu plus tard, il faudra que le chef de l'Etat revienne à Maillot pour des radiographies indispensables. Le même scénario se produit. La visite m'est annoncée le plus discrètement possible. Les couloirs se vident et, plusieurs médecins et moi, nous nous rendons dans le service de radiologie. J'aurai la surprise de constater que le président porte des caleçons longs, du même modèle que ceux qu'on nous donnait en hiver, il y a près de quarante ans, à l'Ecole de santé navale. Quelle idée, à Alger ?

Madame Mère — je veux dire la mère du chef de l'Algérie — vient aussi d'être hospitalisée. Elle est moins aimable que ses deux filles qui la visitent souvent. Boumedienne, lui, ne semble pas en avoir le temps. Maman Boumedienne est tatouée comme un milord ! Elle a donné un grand coup de poing dans le plateau de couscous qui n'était pas à son goût et le serveur s'est sauvé.

Le père de Boumedienne a les poumons malades. Allons, un lit de plus pour la famille. Un jour, m'a-t-on dit — je viens d'être affecté à la mission du Sahara —, c'est le cerveau qui, à son tour, a été atteint, ce qui a fait croire au malade que Ben Bella s'était échappé de la prison où il était enfermé. Il s'est mis à courir dans les couloirs en criant : « Houari, sauve-toi, voilà Ben Bella ! » Et il a disparu par une fenêtre.

Le hasard fait parfois bien les choses pour la renommée de nos médecins. A peine arrivé à Alger, je reçois une invitation pour assister à un cocktail de l'ambassade de Bulgarie, à l'occasion de la fête nationale, je suppose. Au milieu de la foule, je tombe nez à nez avec l'ambassadeur de l'Inde. A la mode de son pays, on s'étreint en se donnant des petites tapes dans le dos. Oui, bien sûr, je le connais et il me connaît pour que nous nous permettions semblables privautés. Lors de mon précédent séjour à Saigon, M. Goburdun était le chef de la mission de contrôle de l'armistice, Nord-Viêt-nam, Viêt-nam-Sud. A côté des Indiens, la mission se composait d'une délégation polonaise et d'une délégation canadienne. M. Goburdun avait été hospitalisé à l'hôpital Grall. De culture française — ainsi que l'ambassadrice —, cet ancien étudiant avait fait ses études à Paris. Ils étaient devenus de charmants amis, et cela devait continuer à Alger.

Nous partons tous deux au milieu des invités à la recherche de Mme Goburdun. Et peu après, la question importante s'impose : « A qui peut-on se confier ici, au cas où nous serions malades ? » Voilà comment, sur un petit carnet, l'ambassadeur et l'ambassadrice de l'Inde inscrivirent : « En cas d'accident, me conduire à l'hôpital Maillot. »

Mais M. Goburdun ne devait pas garder pour lui cette découverte. C'est ainsi que, dorénavant, toutes les ambassades n'ont d'yeux que pour Maillot et la belle équipe des médecins de chez nous.

Ce n'est pas tellement du goût des Algériens. Le médecin-commandant, directeur du service de santé, me fait comprendre, tout souriant, qu'il préférerait que les voitures d'ambassade ne franchissent pas la grille d'accès à l'hôpital. J'ai une autre entrée au fond du jardin de ma villa, sur une rue peu fréquentée (ce qui se comprend car, en face, se trouve le cimetière de Saint-Eugène) : je pourrais peut-être ouvrir cette porte pour Leurs Excellences, me dit-on. Ainsi on éviterait tout incident.

Certaines catégories de Français — personnel de l'ambassade, coopérants militaires — sont admises à l'hôpital Maillot, mais là s'arrête notre « droit ». Bien entendu, je ne peux tolérer que des cas urgents et graves soient refoulés, et le médecin de garde — les gardes sont assurées par nos jeunes médecins-aspirants du Service national — a reçu des instructions dans ce sens.

Quelques jours après l'admission de tels malades, je reçois régulièrement un billet me demandant de signer la sortie du patient. C'est fait, évidemment, dans un temps « raisonnable », et personne ne trouve plus rien à redire.

Au moment où Maillot devient un C.H.U., les demandes d'étudiants algériens pour les places d'internes et d'externes se font nombreuses. C'est une victoire pour nous. J'assiste à plusieurs présentations de malades par mes chefs de service. C'est brillant d'inspiration, c'est remarquable de présentation : les étudiants ne s'y trompent pas.

Devant ce succès dans tous les domaines, je ne peux qu'être satisfait. Médecins, pharmaciens, officiers d'administration, sous-officiers et infirmières travaillent dans d'excellentes conditions.

Mais, à mon niveau, je sens que tant de réussite gêne parfois mes « hôtes ». C'est bien entendu les officiers d'administration et moi-même qui avons trop souvent à nous plaindre des méthodes insidieuses des Algériens pour rogner petit à petit nos attributions, sous prétexte de nous... aider. Jusqu'au jour où le *Moudjahid*, le journal officiel, publie un long article sur « l'hôpital d'instruction de l'armée algérienne ».

Alors que nous assurons pratiquement la marche de tous les services, notre rôle n'apparaît plus que sous la forme de « jolies villas perdues dans la verdure des coopérants étrangers ». Dans ces conditions, M. le directeur du service de santé algérien aurait été mal venu de s'étonner que je n'assiste pas au défilé des troupes qui marquait l'anniversaire d'un assassinat célèbre : celui de deux Français, un instituteur et sa femme, qui ne venaient là que dans un but éminemment humanitaire.

Lors des petits événements de chaque jour, je suis parfois étonné du comportement de certains Algériens. Oh ! pas de celui des modestes boutiquiers de Bab-el-Oued qui ne manifestent jamais le moindre signe d'animosité à notre égard, bien au contraire...

Mais comment concevoir qu'un camarade haut gradé, ayant convié à dîner, dans un restaurant, quelques notables algériens, de fraîche date probablement, trois personnes non invitées se présentent à leur place ?

Comment admettre — bien que les Français ne se sentent pas concernés — que plusieurs dizaines d'invitations ayant été lancées en milieu algérien par l'ambassadeur de l'Inde, une seule personne en service soit présente dans les salons de l'ambassade ?

Pourtant, je rencontre aussi des garçons sympathiques comme ces deux officiers qui, en ma présence, se plaisent à rappeler « le bon temps » de la campagne d'Italie où ils avaient servi dans l'armée française. Hélas, un serveur, mouchard, rapporte ces propos et on leur demande quelques jours plus tard, s'ils regrettent vraiment « la présence française ».

Il n'est jamais agréable de se sentir espionné tout le temps.

Dieu garde la France de connaître un jour cette atmosphère empoisonnée qui s'étend sur les pays de l'Est et sur ceux qui ont copié leur mode de vie... et de mort !

Tout n'est heureusement pas sombre à Alger et, après avoir quitté les environs immédiats de la capitale par la corniche où le regard se porte sur ces modestes pagodons abandonnés par nos compatriotes et qui s'enfoncent peu à peu dans la mer, on arrive sur les belles plages méditerranéennes, inondées de soleil. Mais le sable est toujours souillé par un goudron noir et tenace. Il faut faire encore des efforts, comme dans la vie de chaque jour, pour trouver enfin après quelques brasses, une eau claire et la liberté.

Je viens de passer devant une villa occupée par l'ambassadeur d'une lointaine république. Un médecin français de mes amis ayant servi autrefois dans le pays de cette Excellence, nous avons été invités par un autre diplomate à nous réunir lors d'un charmant dîner où l'on a pu évoquer nos souvenirs communs. Vers minuit, Mme l'ambassadrice, qui n'avait pas ouvert la bouche jusque-là, sinon pour manger, a regardé son ambassadeur de mari et a dit : « Alors, Papa, on va se coucher ? »

Ce fut le mot de la fin et la fin de la soirée...

Dans sa bienveillante attention, la France bafouée mais magnanime — Molière aurait dit « magnifique » — a, entre autres choses, fourni à l'Algérie politiquement gagnante, alors que nos soldats avaient partout triomphé, deux missions médicales. L'une, bien sûr, c'est Maillot. L'autre mission assure la totalité des soins aux populations du Sahara.

Avec à leurs côtés, quelques médecins étrangers — et deux Algériens — quatre-vingts de mes camarades sous le commandement d'un médecin-général, sont partout : dans les villes du M'Zab, dans les quelques agglomérations d'ici et de là, chez les nomades des sables, dans les oasis, les vertes palmeraies, pour le plus grand bien d'une population de plus de 200 000 habitants. En dehors de ces deux « fous » de médecins algériens qui se plaisent dans le désert, les autres, qui le sont moins, préfèrent la côte, les villes... et la clientèle payante. Comme en Afrique noire, la brousse est « réservée » à nos camarades, ce qui, bien qu'on ne l'ait pas recherché, est une façon absolument remarquable d'enseigner à nos jeunes médecins leur métier sur le tas, ainsi qu'à prendre leurs responsabilités, en un mot à quitter la robe prétexte du jeune patricien pour la blouse blanche du praticien confirmé.

Au départ, en fin de séjour du médecin-général directeur de la mission Sahara, mon vieux camarade, me voilà nommé à la tête de cette mission, avec deux étoiles sur les bras et le droit de contempler à mon aise, par milliers, celles du ciel limpide du Sahara. Je n'en suis pas plus fier pour autant. Je quitte ma villa mauresque de l'hôpital Maillot, ses palmiers, ses orangers, mon bureau ouvert sur la mer, à l'infini, le tennis que j'avais fait installer dans l'hôpital, mes chers collaborateurs de tous les jours. Des bons collaborateurs, je sais, j'en trouverai encore davantage parmi ces quatre-vingts médecins du Sahara. Mais tout le reste, c'est fini.

Le travail n'est pas celui que j'aime. J'ai beau diriger la mission, je suis aussi « directeur interdépartemental de la santé au Sahara ». Il me faut comprendre que lutter contre le trachome, contre la tuberculose, dans le petit peuple, n'intéresse pas beaucoup le ministère de la Santé. Ce qu'il faut d'abord, c'est donner satisfaction aux préfets, aux sous-préfets du « parti » et à leurs gendarmes. Je sens que je ne m'habituerai pas à mon nouveau bureau. C'est le concierge qui a les clés de l'immeuble. Le dimanche, je n'en ai pas l'accès. Des éléments français, anciens militaires prenant leur retraite, demeurés à leur place parce que ployant l'échine devant les ministres algériens, ne devraient pas être là. Ils ne se mettront jamais à mes méthodes de travail. Bah ! après une longue tournée de plus d'un mois dans presque tous les postes médicaux du Sahara, je verrai bien.

J'ai trouvé dans le désert du bon et du moins bon. Parfois un logement où un mur menace de s'écrouler, près du lit de la petite fille d'un de mes médecins. Insupportable !

Le protocole exige, bien entendu, que l'on fasse des visites au préfet, au sous-préfet des villes qui nous reçoivent. La plupart du temps, c'est froid.

Un jour, pourtant, et je me souviendrai toujours de l'accueil du sous-préfet à El-Oued où nous sommes reçus avec une cordialité sans pareille.

Il nous invite à dîner chez lui, alors que nous avons promis, mon prédécesseur et moi, de passer la seule soirée où nous resterons dans cette agglomération, chez les deux médecins où leurs épouses ont mis tous leurs talents culinaires en commun pour bien nous recevoir, nous, les « généraux ».

Gênés, nous cherchons par tous les moyens à ne pas vexer l'aimable sous-préfet qui, avec un charmant sourire, nous dit : « Je vous comprends très bien, mais permettez-moi de vous attendre à votre retour. » Il est plus de onze heures lorsque nous rentrons : nous ne pouvons mieux faire que de rester bavarder avec lui et de prendre une tasse de thé à la menthe. Le lendemain matin, nous partons de bonne heure. « Je viendrai prendre le petit déjeuner avec vous », s'empresse-t-il de nous dire.

Mon Dieu, comme la vie serait facile si l'on rencontrait souvent des seigneurs, des hommes de « grande tente », comme ce sous-préfet du Sahara. A lui tout seul, il me fait oublier ces visages fermés où perce parfois un sentiment de haine ou de mépris.

Un jour, je suis à peine installé dans ma nouvelle villa d'El-Biar que m'a procurée l'ambassade de France, quand un petit bonhomme hargneux — j'apprendrai plus tard qu'il voulait accaparer cette maison — arrive chez moi avec une meute d'agents de police. C'est le commissaire central, paraît-il. Sans entendre mes explications, il donne un ordre d'« expulsion immédiate ». Peu après, tout, vêtements, mobilier — prêté par le ministre de la Santé en personne — est sur la rue. Beau spectacle !

Je préviens aussitôt le ministère. Mais les communications d'un ministère à l'autre prennent du temps. L'ambassade m'envoie un camion. Je dormirai chez l'ambassadeur.

Pourtant, si j'avais voulu... Voici qu'un officier de l'armée algérienne vient me trouver et me propose de m'envoyer quelques soldats pour chasser les agents. Je ne me vois pas au milieu d'une bagarre entre les troufions et les flics !

En fin de soirée, on rend les clés de ma villa à un capitaine de l'ambassade de France. Le lendemain, de mieux en mieux, la police me propose de mettre constamment un agent à ma disposition pour garder la villa. Voici que le ministre de la Santé me fait des excuses. Homme bien élevé et très correct, ce confrère n'est en rien responsable des agissements de ce minable commissaire. Enfin, mon déménagement devient presque un incident diplomatique.

Moralité : il est toujours dangereux de donner trop d'autorité du jour au lendemain à ceux qui n'en ont pas l'étoffe, flic ou chef d'Etat.

De toute façon, ces méthodes policières ne me plaisent pas le moins du monde et il ne faut pas longtemps pour que je me décide à prendre en France les congés auxquels j'ai droit, pour ne plus, lorsqu'ils seront terminés, revenir mettre les pieds dans un pays où j'ai joué le jeu, mais où trop de gens n'ont pas le sens des moindres convenances.

J'ai demandé à l'un des officiers algériens avec lesquels j'ai toujours eu d'excellents rapports, d'assurer la bonne marche de mon déménagement. Je peux avoir confiance, car si cet homme a changé d'uniforme et de drapeau — il faut bien vivre et nous avons abandonné nos amis —, son cœur n'a rien oublié.

« Non, rien de rien, non je n'ai rien oublié. » Peut-être aurait-il bien voulu entonner cette chanson avec nos légionnaires, le jour où un paquebot s'éloignait des quais d'Alger et les emportait pour toujours.

Un sous-officier et quelques hommes ont assisté à l'embarquement de mes cantines. Les douaniers, fureteurs en diable, n'ont pas posé de questions, n'ont rien ouvert. On s'incline toujours devant la force, là et ailleurs.

Quelques jours plus tard, sans tambour ni trompette — d'autant qu'officiellement je ne fais que partir en « permission » —, je m'envole vers la France le cœur léger.

Près de moi, dans l'avion, deux Algériens, respectueux musulmans buveurs d'eau sur la terre ferme, se font servir... un whisky bien frais, dès le décollage.

La page est tournée.

17.

Un rêve
effacé — 1984

Pour l'enfant, amoureux de cartes et d'estampes,
L'univers est égal à son vaste appétit.
Ah ! que le monde est grand à la clarté des lampes !
Aux yeux du souvenir que le monde est petit !

BAUDELAIRE

Raoul Follereau écrivait un jour : « La présence française dans le monde se justifie par le bien qu'elle y fait. La zone d'influence de la France dans le monde, c'est là où elle peut soigner, consoler ou guérir. Et rien ni personne ne nous arrachera à ce qu'est à la fois notre histoire, notre mission, notre destin. »

Ces quelques lignes s'appliquent, on ne peut mieux, aux cinq mille médecins et pharmaciens, mes camarades, qui, depuis le début du siècle, après s'être spécialisés dans la connaissance des maladies tropicales à Marseille, ont fait carrière outre-mer.

Je viens de me pencher sur des lettres émanant de personnalités françaises et étrangères qui jugent notre action en connaissance de cause. Je les feuillette comme elles viennent.

Voici le président de Djibouti, M. Hassan Gouled Aptidon, qui parle de « l'œuvre humanitaire accomplie [dans son pays] par les médecins... », tandis que de leur port d'embarquement, Marseille, le maire, M. Defferre, s'écrie au Pharo : « Grâce à vous, beaucoup d'épidémies ont été vaincues en Afrique et l'avenir a été ouvert à des millions d'êtres humains qui souffraient de toutes sortes de maladies. »

Oui, cela a été fait, comme le souligne Mme Simone Veil, présidente de l'Assemblée européenne, « avec une très grande compétence et un très grand dévouement ».

M. Yvon Bourges, ancien ministre, a vécu en Afrique. Je l'ai personnellement connu à Brazzaville. Il n'a pas été sans remarquer la conscience des uns et des autres : « Nos médecins militaires et les personnels de santé ont acquis les plus beaux titres à la reconnaissance de l'humanité la plus démunie. »

Que dire de la conclusion qu'apporte à son discours M. Houphouët-Boigny, président de la République de Côte-d'Ivoire, médecin lui-même, formé par nous, lors de l'inauguration à Marseille du centre hospitalier qui porte son nom : « Permettez-moi de considérer que la présente cérémonie honore, à travers ma personne, tous les médecins d'Afrique qui ont servi, sous les couleurs de la France, l'Afrique noire et ses populations. »

Parlant de notre Institut du Pharo, M. Maurice Druon, de l'Académie française, écrit que « depuis trois quarts de siècle, son action s'est exercée et continue de s'exercer au bénéfice des populations les plus déshéritées de notre planète »...

Jacques Monod, prix Nobel, ne se trompe pas lorsque, sous sa plume, apparaissent ces lignes : « L'Institut Pasteur serait dans l'impossibilité de mener à bien les tâches de coopération scientifique et technique qui lui sont confiées sans l'appui de ce personnel militaire digne d'éloges par sa valeur et son dévouement. »

Nous savons bien que ce sont nos camarades qui ont créé tous les Instituts Pasteur d'outre-mer, portant au plus loin des mers la renommée scientifique de la France.

Le professeur Jean Leclant, membre de l'Institut, professeur au Collège de France, ne nous considère-t-il pas comme des « médecins de première ligne », tandis qu'à l'Assemblée européenne, la doyenne, Mme Louise Weiss, hélas disparue aujourd'hui, notait en 1980 : « L'Institut de médecine tropicale dont les médecins et les pharmaciens ont sauvé des milliers de vies humaines et dont les travaux sont encore à la pointe des recherches relatives aux maladies tropicales... »

Ce sont enfin les plus hautes personnalités politiques dont je retrouve tout d'abord les précieux encouragements, comme de J. Chaban-Delmas qui a toujours soutenu notre « maison mère », l'école de santé navale et d'outre-mer de Bordeaux.

Fils de l'illustre maître que fut le professeur Debré, M. Michel Debré, ancien premier ministre, nous rend hommage à travers notre Institut qui, dit-il, « mène avec compétence et dévouement une action scientifique et humaine de tout premier ordre... et qui témoigne d'un idéal hautement pacifique ».

Il est dommage que cet « idéal hautement pacifique » né dans l'Institut de médecine tropicale du service de santé ne soit pas mieux apprécié dans le monde.

Quand on sait que la plus haute récompense morale que puisse obtenir une personne ou un organisme, est aux yeux de tous le prix Nobel de la paix, j'avais pensé que malgré le lourd handicap de la latinité associé à ce « vice » peut-être rédhibitoire de notre état « militaire », les hautes autorités françaises auraient pu présenter l'œuvre de notre Institut à l'appréciation du jury norvégien. Ce dernier ne se serait pas déshonoré pour au moins l'examiner. Les événements n'ont pas permis à notre dossier de dépasser la direction du service de santé. Pourtant, cette candidature aurait permis à certains d'ouvrir les yeux sur le rôle majeur en médecine tropicale de l'Institut du Pharo.

La Croix-Rouge internationale a bien reçu cette haute distinction à trois reprises. Pourquoi pas notre Institut... une fois ?

Sans être fou, il est permis d'espérer qu'un jour...

C'est enfin une belle lettre que je découvre, celle de Jacques Chirac qui écrit lors du soixante-quinzième anniversaire de l'Institut de médecine tropicale : « Cet organisme s'est signalé par une action efficace, persévérante et dévouée en Extrême-Orient, dans le Pacifique, en Afrique noire, à Madagascar, aux Antilles et jusque dans les terres australes, dans la lutte contre les graves maladies propres à ces régions. Inlassablement, ses médecins et ses pharmaciens dont la modestie a trop longtemps fait ignorer la tâche, ont, dans les conditions les plus difficiles de climat et d'isolement, lutté pour améliorer la situation sanitaire d'une humanité particulièrement démunie. »

Je ne suis pas certain que cette « modestie » soit toujours le fait des médecins : il me revient à l'esprit certains événements lointains.

Lors de l'indépendance, la R.F.A. avait offert au Cameroun un camion de dépistage pour la tuberculose. C'était d'ailleurs un grand et bel outil, tout peint en blanc, avec une longue inscription « La République fédérale allemande au peuple ami camerounais », ou quelque chose dans ce genre.

Tout le monde admirait cet engin qui, après maintes péripéties sur des routes plus que difficiles, avait débarqué à Douala, atteint Yaoundé, d'où il était pratiquement impossible de s'enfoncer plus loin sur les pistes.

Mais qu'était ce don, face aux cinquante-deux médecins « militaires » français, répartis du nord au sud du pays, pour le plus grand bien des populations ?

Après de grands efforts, la région Bamiléké commençait à retrouver la paix. Il fallait maintenant approvisionner en médicaments et en pansements les petits postes où nous avions placé vingt-cinq infirmiers que mes médecins venaient de former pour les soins les plus urgents. C'est une centaine de caisses pleines à craquer qui allaient être acheminées vers Tchang, Bafang, Bafoussam... Et c'est la France qui offrait cela. Au moment d'en prendre livraison, je disais à l'ambassade de notre pays qu'il serait normal que l'on inscrive sur chaque colis : « Don de la France. » On me répondit qu'il valait mieux être discret. J'ai tenu bon et à côté de « Don de la France », trois grandes bandes de peinture bleue, blanche et rouge, en dirent plus qu'un long discours.

Mais pourquoi toujours ce désir masochiste de cacher le bien que l'on fait, et comment s'étonner ensuite que le peuple de France ignore tout de son histoire ?

Un jour lointain peut-être, un chercheur trouvera-t-il sur un rayon de bibliothèque mon livre plein de poussière. Il y découvrira, je le souhaite, des faits qui l'éclaireront sur des aspects imprévus de la colonisation française, humaine et secourable. Il lira aussi cette phrase du médecin-général Roques : « En participant à l'épopée de la France outre-mer, les médecins des troupes de marine vivaient et écrivaient un nouveau chapitre de la médecine, celui de la pathologie tropicale. Ils en connurent et subirent les tragiques aspects avec les endémo-épidémies contre lesquelles le monde médical était impuissant jusqu'à l'époque pastorienne. »

Il faut bien dire que si l'on fit appel pour ces découvertes à un corps de médecins militaires, c'est bien parce que — au début de notre siècle —, on ne trouva point de personnel civil pour affronter les durs climats tropicaux en l'absence du confort que l'on connaît aujourd'hui !

Comme je serais heureux d'apprendre que certains de mes

lecteurs qui n'ont retenu d'une propagande scélérate que le portrait vite fait du « colonialiste » « buveur de sang », réfléchissent un instant à ce qu'était, avant notre venue, l'état sanitaire des populations en l'absence de toute thérapeutique contre des fléaux comme le paludisme, la fièvre jaune, la maladie du sommeil, l'anchocercose, la peste, la lèpre ou le choléra...

Pendant trente-trois ans, j'ai vécu dans de vastes pays d'Afrique et d'Asie. Les longs séjours sont terminés. Ils me laissent des souvenirs ineffaçables et je ne regrette rien, bien au contraire, d'une vie qui fut un peu l'aventure.

Il m'arrive, au hasard des rues que je parcours à Paris, de sourire à la vue d'une plaque de cuivre, par-ci par-là, à l'entrée d'un immeuble : « Docteur X. Radiologie » — « Docteur Y. Maladies de la peau » — « Professeur Z. Cardiologie ». Chers confrères, les vastes horizons n'ont pas été pour vous. Dans votre douillet cabinet, vous vous croyez peut-être heureux, mais je vous plains parfois de ne pas connaître l'exotisme, de ne pas connaître autre chose...

Certes, votre clientèle — et c'est justice — vous permet de goûter à de beaux voyages et d'accéder à des palaces climatisés, mais vous ne saurez jamais ce qu'est le charme d'une soirée tropicale dans la paillote parfois enfumée d'un vieux chef du fond de l'Afrique, vous n'aurez pas le temps de devenir l'ami d'êtres simples et confiants, vous ne connaîtrez jamais ce qu'est le poids angoissant de votre responsabilité, quand, seul, à des centaines de kilomètres d'un confrère, sans moyen d'évacuation, vous vous trouvez devant un « cas » qui vous dépasse.

Il ne me reste que des souvenirs, mais ils sont si nombreux, si vivaces !

Parfois des scènes parisiennes me rappellent d'autres scènes des années passées. Parfois comiques, parfois amusantes, parfois tragiques, elles prennent la couleur des lointains horizons des continents que nous avons perdus.

« Un voyage au fond de soi », comme disait notre ancien Victor Segalen, a cela d'agréable et d'imprévu, c'est qu'il vous transporte sans effort d'un continent à l'autre.

Il n'aura fallu que la chute de quelques feuilles pour me rendre du Cameroun au Laos.

Si j'éprouve toujours un certain malaise à voir tomber un arbre, il en est certains que j'aime plus que d'autres.

De mon bureau de l'hôpital Grall à Saigon, j'admirais au loin deux arbres du voyageur, deux ravenalas de Madagascar, dont les immenses feuilles à l'aspect de palmes faisaient la roue sur nos vertes pelouses.

Seul descendant de sa famille, venant du fond des âges, le ginkgo Biloba, lui, originaire de Chine, a pour moi un attrait sans pareil. Si j'avais en France un jardin, je lui consacrerais une place d'honneur, d'autant qu'il s'est fort bien adapté aux climats occidentaux. En cet automne qui se prolonge, les arbres du parc Monceau perdent presque tous leur parure. Un ginkgo est encore resplendissant de ses mille écus d'or qui se mirent au soleil. Par-ci, par-là, seules quelques feuilles se détachent parfois et lentement viennent se poser près du banc où je m'assois un instant. Les taches qu'elles font sur le sol me replongent dans un passé lointain.

Je suis à Sam-Neua, au Laos, en 1946, avec la Légion. On me demande d'aller voir le vénérable, très gravement malade, d'un monastère. Je trouve un homme âgé, étendu sur une natte, dans un coma profond. Des bonzes accroupis, mains jointes, crâne rasé, de jaune vêtus, psalmodient des prières et ne semblent même pas s'apercevoir de ma présence. Tout secours est inutile. Quelques jours plus tard, il ne nous reste, aux officiers du bataillon et à moi-même, qu'à assister aux obsèques du religieux et à nous mêler à la foule des fidèles.

Une procession est en marche vers le lieu de la crémation, tandis qu'un gong résonne lugubrement. Le corps, placé sur un brancard, est porté par plusieurs bonzes. Tout au long du parcours, les gens jettent à droite et à gauche de petits morceaux de bois entourés de papier doré ou de papier d'argent, images d'offrandes destinées à s'attirer les bonnes grâces des génies et des dieux : il en pleut de partout ! Au haut d'un tertre, la dépouille du vénérable est placée sur un bûcher. Bientôt, spectacle assez impressionnant, les flammes s'élèvent tandis que bonzes et fidèles continuent leurs prières.

Sur le chemin du retour, nous marchons sur les « pièces » d'or et d'argent. C'est probablement ce souvenir qui est revenu à mon esprit, lorsque j'ai piétiné les pauvres feuilles mortes qui tombaient du grand arbre du parc Monceau.

A l'entrée d'une case, un petit groupe de Laotiens attire notre regard. L'un d'eux nous montre un serpent de près de trois mètres qu'il vient de tuer. De la gueule du reptile sort la queue d'un autre serpent que le villageois n'a pas grand mal à extraire. C'est une honnête bête de plus d'un mètre. Mais chose vraiment surprenante, dans celle-ci, ouverte d'un coup de couteau, voici qu'apparaît un troisième larron — un peu digéré !

Le petit, le moyen et le plus long sont morts. Moralité : il ne faut pas avaler de couleuvres, même si l'on est un grand serpent.

Crémation et serpents : ces spectacles ne sont pas réjouissants.

Voici heureusement une rencontre idyllique alors que nous rejoignons nos pénates provisoires. Quelques jeunes filles laotiennes tissent de belles écharpes et nous gratifient gentiment d'un aimable « bonjour ! ». Près d'elles, plusieurs garçons leur font une « cour d'amour », pincent les cordes de quelque instrument de musique ou jouent de la flûte. Heureux peuple qui vivait dans le calme et dans une douce paresse... Puissent les nouveaux maîtres du pays ne pas les avoir détournés de cette existence édénique, eux dont on disait couramment qu'ils faisaient l'amour de vingt jusqu'à trente ans... et se reposaient ensuite.

Le vent qui se lève emporte les feuilles jaunies et mes rêves s'effacent.

TABLE

TABLE

La composition
et l'impression de ce livre ont été effectuées
par l'Imprimerie SEG
pour les Editions Albin Michel

Achevé d'imprimer en octobre 1984
N° d'édition 8578. N° d'impression 2829
Dépôt légal octobre 1984